たのしい調理

基礎と実習
第6版

Joyful Cooking—Basic and Practice

安藤真美
村上　恵
久木野睦子
山内知子
富永しのぶ
丸山智美
杉山寿美
赤石記子

著

医歯薬出版株式会社

執筆者一覧（執筆順）

安藤真美 *Ando, Mami*
摂南大学農学部食品栄養学科　教授

村上　恵 *Murakami, Megumi*
同志社女子大学生活科学部食物栄養科学科　教授

久木野睦子 *Kugino, Mutsuko*
活水女子大学　名誉教授

山内知子 *Yamauchi, Tomoko*
元名古屋女子大学家政学部食物栄養学科　教授

富永しのぶ *Tominaga, Shinobu*
兵庫大学健康科学部栄養マネジメント学科　准教授

丸山智美 *Maruyama, Satomi*
金城学院大学生活環境学部食環境栄養学科　教授

杉山寿美 *Sugiyama, Sumi*
県立広島大学地域創生学部地域創生学科　教授

赤石記子 *Akaishi, Noriko*
東京家政大学栄養学部栄養学科　准教授

This book is originally published in Japanese under the title of :

TANOSHII CYORI — KISO TO JISSYU —
(JOYFUL COOKING — BASIC AND PRACTICE)

YAMAUCHI, Tomoko et al.
YAMAUCHI, Tomoko
　Former Professor,
　Nagoya Women's University

ⓒ 1991　1st ed.
ⓒ 2024　6th ed.

ISHIYAKU PUBLISHERS, INC
　7-10, Honkomagome 1 chome, Bunkyo-ku,
　Tokyo 113-8612, Japan

デザイン（表紙，付物）：
M's 杉山光章

たのしく学ぶ調理の基礎と実習

　本書は，大学や短期大学で生活学，家政学，教育学を学ぶ学生や，管理栄養士や栄養士など将来の専門職を目指す人たちを対象とし，調理学実習で利用することを念頭において，限られた時間数の中で習得すべき内容をまとめました．

　本書では，調理の基本操作や食品の基本的な扱い方から，日本料理，西洋料理，中国料理，諸外国料理まで，多岐にわたった調理法の基本が網羅されており，基本的知識を扱った基礎編と実践的な献立を扱った実習編から構成されています．基本を押さえたうえで実際に調理を体得し，幅広い分野の調理法を学ぶことを通じて，様々な食文化の理解が深まることも願っています．

　また，専門職を目指す学生は，料理の調理法を習得するだけでなく，料理を組み合わせて美味しく，バランスの良い献立を作成できるようになることが重要です．本書は主食，主菜，副菜，汁物，菓子を幅広く掲載しており，それらを組み合わせて献立作成ができるのが特色です．各料理にエネルギー・たんぱく質・脂質・食塩相当量を掲載し，栄養価を考えた献立作成の助けとなるよう配慮しました．

　第1版の発行から33年が経過し，第5版の発行から8年の年月を経て，このたび，再度改訂を行いました．「日本食品標準成分表2020年版（八訂）」の改訂により，エネルギーの産生成分が，直接分析により得られた「アミノ酸組成によるたんぱく質」，「脂肪酸のトリアシルグリセロール当量で表した脂質」，「利用可能炭水化物等の組成に基づく成分」に変更されました．これを受け，本書もすべての献立の栄養価の再計算を行いました．また，従来から使用されてきた「重量」を「質量」に変更し，実習編の材料は「可食部質量」で表記しました．

　現代社会においては，冷凍食品・加工食品・市販食品の増加，コンビニエンスストア・外食産業の普及などによって，調理離れはさらに増大しています．女性の就業機会の増加，家族環境の変化，調理環境の多様化などにより，従来の調理法は必ずしも実行可能ではないため，現代の調理法は，単純化，簡便化が求められております．しかし，その反面，本来の調理の大切さや意義が失われつつあることが懸念されます．調理をすることは生きていく知恵であり，生きていく力です．調理学実習を学ぶ学生には，まずは調理の基礎をしっかり学んだ後に，調理の楽しさや大切さを実感し，簡便かつ美味しく栄養バランスの良い，新しい調理法を創り，将来それらを教え伝えていってくれることを願っています．

2024年1月

著者一同

調理，食文化伝承の重要性

　調理は地球上のさまざまな地域の気候，風土，宗教などを背景に，その地域にもっとも適した食品の食べ方として受け継がれてきた文化遺産である．つまり，調理の技術は経験と"カン"および"コツ"として家庭や調理人らによって次の世代へと伝承されてきたのである．

　ところで，現代は産業構造の変化と技術革新によってさまざまな調理素材，半加工調理品が氾濫し，さらには，食の社会化により手軽に世界の料理を賞味できる反面，家庭内調理の比重が軽くなり，個人の調理技術は極端に低下してきている．

　一方，学校教育においては，家庭科の男女共修にみるように生活技術としての調理，あるいは食文化の伝承としての学校調理実習の必要性が改めて説かれているときでもある．

　もともと調理技術は長い経験の積み重ねと反復練習の結果得られるものであるが，学校教育では，調理の"コツ"を科学的に取り扱い，理論に基づいて，短時間に再現性の高い技術を習得することを目指している．そのためには適切な実習書と優れた指導者が必要である．

　以上の観点から，本書は，大学の家政学部，教育学部および短期大学の家政学科，生活学科などの学生を対象に，基礎的実習に重点をおいた調理実習書として編集したものである．

　日本料理，西洋料理，中国料理，さらに保存食，病人食を加えて4単位の実習に使用できるようにした．また，ほとんどの料理に「応用」として材料などの互換を付け，「コツ」「参考」の欄には実習していく際の参考事項を付して学生の学習の便をはかった．西洋料理名は主としてフランス語を用い，中国料理名には慣用的な文字を用い，それぞれにルビと日本語訳をつけた．巻末付録に載せた約50種の献立例は実習時の参考とされたい．

　本書が調理技術を習得するための教科書としていくらかでも役立てば幸いである．

　　1991年3月

著者一同

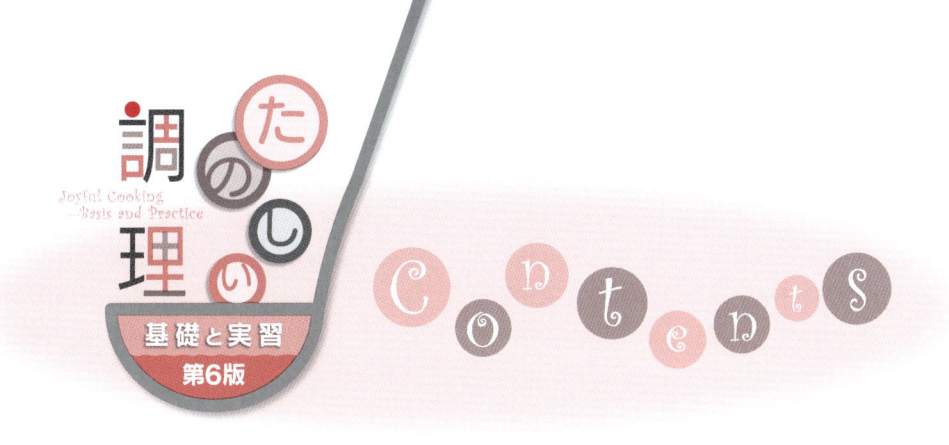

調のたのしい理 基礎と実習 第6版 Contents

第6版の序 …………………………… iii   初版の序 …………………………… iv

第1章 序論 ……安藤真美, 村上 恵 1

1 はじめに …………………………………… 2
 1）調理実習をはじめるにあたって ……… 2
 2）計　量 ………………………………… 2
 3）調理設備と道具類 …………………… 5
 4）器具とふきんの洗浄 ………………… 7
 5）実習後の記録 ………………………… 7
 6）栄養価計算の方法 …………………… 7
2 調理の基本操作 ……………………………… 7

 1）調理材料の下処理 …………………… 7
 2）加熱操作 ……………………………… 8
 3）その他の操作 ………………………… 9
 4）調理による成分・材料の変化 ……… 10
3 基本的な調理材料 ………………………… 12
 1）調味料 ……………………………… 12
 2）基本的材料 ………………………… 13

第2章 日本料理 …… 17

基礎編 ……………………… 久木野睦子　17

1 日本料理の形式と献立 …………………… 18
 1）日本料理の形式と献立 …………… 18
 2）日本料理の食事作法 ……………… 20
 3）日本料理の食器（和食器）……… 21
2 飯　物 …………………………………… 22
 1）炊飯の原理 ………………………… 22
 2）味付け飯 …………………………… 22
 3）す　し ……………………………… 23
 4）もち米の調理 ……………………… 23
 5）どんぶり物 ………………………… 24
3 めん類 …………………………………… 24
 1）めんの種類 ………………………… 24
 2）めん類の調理法 …………………… 25
 3）めん類の供食法 …………………… 25
4 煮だし汁 ………………………………… 26

 1）煮だし汁の材料 …………………… 26
 2）煮だし汁の取り方 ………………… 26
5 汁　物 …………………………………… 27
 1）汁物の種類 ………………………… 27
 2）汁物のつくり方 …………………… 27
 3）汁物の盛り付け …………………… 28
6 煮　物 …………………………………… 28
 1）煮物の種類 ………………………… 28
 2）煮物の方法 ………………………… 29
 3）煮物の盛り付け …………………… 29
7 蒸し物 …………………………………… 30
 1）蒸し物の種類 ……………………… 30
 2）蒸す方法 …………………………… 30
 3）蒸し物の供し方 …………………… 31
8 焼き物 …………………………………… 31
 1）焼き物の種類 ……………………… 31
 2）焼き物の方法 ……………………… 32

v

3）焼き物の盛り付け……………………33
　9　揚げ物……………………………………34
　　1）揚げ物の種類………………………34
　　2）揚げ物の方法………………………35
　　3）揚げ物の盛り付け…………………36
　10　和え物・酢の物・浸し物………………36
　　1）合わせ酢の種類……………………36
　　2）和え物・酢の物・浸し物のコツ……37
　　3）和え物・酢の物・浸し物の盛り付け…37
　11　寄せ物・練り物…………………………38
　　1）寄せ物・練り物の種類……………38
　　2）寄せ物・練り物の調理法…………38
　　3）寄せ物・練り物の盛り付け………38
　12　和菓子と飲物……………………………39
　　1）和菓子の種類………………………39
　　2）和菓子の材料………………………39
　　3）和菓子用器具………………………39
　　4）和菓子の用い方……………………39
　　5）緑茶の種類といれ方………………40

実習編　……………………山内知子　42

　1　ご飯物……………………………………42
　　　白米飯・赤飯（おこわ）/42
　　　炊きおこわ・グリンピース飯・五目飯 /43
　　　そぼろ飯・たけのこ飯 /44
　　　いなりずし・親子どんぶり /45
　　　ちらしずし /46
　　　巻きずし /47
　2　汁　物……………………………………48
　　　菊花豆腐のすまし汁・いわしのつみれ汁 /48
　　　えびしんじょの椀盛り・吉野鶏とみつばの吸い物 /49
　　　かきたま汁・はまぐりの潮汁・油揚げとわかめのみそ汁 /50
　　　かつおのすり流し汁・かす汁・さつま汁 /51
　　　けんちん汁・のっぺい汁 /52
　　　雑煮（すまし仕立て）・雑煮（白みそ仕立て）/53
　3　煮　物……………………………………54
　　　ふろふきだいこん・さといもの含め煮 /54
　　　かぼちゃの甘煮・にんじんのうま煮・ふきの青煮 /55
　　　しいたけの煮しめ・茶せんなすの揚げ煮・れんこんの酢煮 /56
　　　きんかんの砂糖煮・煮豆（黒豆）・高野豆腐の含め煮 /57
　　　がんもどきの含め煮・かれいの煮付け /58
　　　さばのみそ煮・いわしの梅煮・たづくり /59
　　　こんにゃくのおかか煮・鶏肉団子の揚げ煮 /60
　　　鶏レバーのしょうゆ煮・鶏肉のじぶ煮 /61
　　　炒りどり・うどのきんぴら・かぼちゃのそぼろあんかけ /62
　　　ひじきの煮物・青菜の煮浸し /63
　4　蒸し物……………………………………64
　　　卵豆腐・二色卵 /64
　　　茶碗蒸し・白身魚のかぶら蒸し /65
　5　焼き物……………………………………66
　　　あじの姿焼き・ぶりの照り焼き /66
　　　あまだいの銀紙焼き・まながつおの西京焼き・いかのうに焼き /67
　　　のしどり・牛肉の八幡巻き /68
　　　だし巻き卵・薄焼き卵 /69
　　　だて巻き卵・ふくさ焼き /70
　6　揚げ物……………………………………71
　　　かき揚げ・てんぷら /71
　　　さばの竜田揚げ・わかさぎの南蛮漬け /72
　　　揚げなすのとりみそあん・しいたけの陣笠揚げ・揚げ出し豆腐 /73
　7　和え物・酢の物・浸し物………………74
　　　たけのこの木の芽和え・ほうれんそうのごま和え /74
　　　白和え・あおやぎとわけぎのぬた /75
　　　いかときゅうりの吉野酢和え・かずのこの土佐じょうゆ和え・湯引きささ身の黄身酢和え /76
　　　焼きなすのごま酢みそ和え・たたきごぼう・五色なます /77
　　　レタスとわかめの酢の物・あじときゅうりの酢の物 /78
　　　しゅんぎくとしめじのお浸し /79
　8　寄せ物・練り物…………………………79
　　　ごま豆腐 /79
　　　そうめん寄せ・きんとん /80
　9　めん類……………………………………81
　　　冷やしそうめん /81
　10　漬　物……………………………………81
　　　セロリーのレモン漬け /81
　　　ちぐさ漬け（即席漬け）・小かぶの即席漬け・菊花かぶの甘酢漬け /82

酢どりしょうが・はりはり漬け /83
11　和菓子 ……………………………… 84
　　泡雪かん・水ようかん /84
　　果汁かん（夏みかん寄せ）・おはぎ（ぼたもち） /85
　　桜もち（薄焼き）・桜もち（道明寺） /86
　　草もち・くずもち・うぐいすもち /87
　　じょうよまんじゅう・利久まんじゅう /88
　　フルーツ白玉・茶巾しぼり・いもかりんとう /89

第3章　西洋料理 …… 91

基礎編 ……………………… 富永しのぶ　92

1　西洋料理の形成と作法 …………… 92
　1）西洋料理の種類とその特徴 …………… 92
　2）西洋料理の様式と献立 ………………… 92
　3）西洋料理の食事作法 …………………… 93
2　フォン, ルウ, リエゾン ……………… 95
　1）フォン Fonds ……………………………… 95
　2）ルウ Roux ………………………………… 96
　3）リエゾン Liaison ………………………… 96
3　ソース ………………………………… 96
　1）ソースの種類 …………………………… 96
　2）基本ソースのつくり方とその応用 …… 97
　3）基本ソースを土台としないソースのつくり方 … 98
　4）冷ソースの種類とその応用 …………… 98
4　スープ ………………………………… 99
　1）スープの種類 …………………………… 99
　2）スープの調理法 ………………………… 99
　3）スープの供し方 ……………………… 100
5　オードブル ………………………… 100
　1）オードブルの種類 …………………… 101
　2）オードブルの調製法 ………………… 101
　3）オードブルの盛り付け ……………… 101
6　魚料理 ……………………………… 102
　1）魚料理の調理法の種類 ……………… 102
　2）魚の調理法 …………………………… 103
　3）魚料理の盛り付け …………………… 103
7　肉料理 ……………………………… 103
　1）肉料理の調理法の種類 ……………… 103
　2）肉の調理法 …………………………… 104
8　野菜料理 …………………………… 104
　1）野菜料理の調理法による種類 ……… 104
　2）ガルニチュール ……………………… 105
9　サラダ料理 ………………………… 105
　1）サラダの種類 ………………………… 105
　2）サラダのつくり方 …………………… 105
　3）サラダ料理の供し方 ………………… 106
10　卵料理 ……………………………… 106
　1）卵の調理法の種類 …………………… 106
　2）卵料理のコツ ………………………… 106
11　米・めん・パンの料理 …………… 107
　1）米料理 ………………………………… 107
　2）めん（パスタ）料理 ………………… 107
　3）パン料理 ……………………………… 107
12　甘味料理 …………………………… 109
　1）甘い菓子類の種類 …………………… 110
　2）菓子の調理 …………………………… 110
　3）菓子類の供し方 ……………………… 111
13　果　物 ……………………………… 113
14　飲　物 ……………………………… 113
　1）飲物の種類 …………………………… 113
　2）飲物の供し方 ………………………… 114

実習編 ……………………… 丸山智美　116

1　Hors-d´œuvre（前菜） …………… 116
　　卵の詰め物・きゅうりのイクラ詰め・わかさぎの酢油漬 /116
　　はつかだいこん・小えびのカクテル・トマトの詰め物 /117
　　カナッペ /118
2　Potage（スープ） …………………… 118
　　せん切り野菜入りコンソメ /118
　　ロワイヤル入りコンソメ・冷やしコンソメ /119
　　コーンスープ・グリンピースのポタージュ /120
　　卵黄スープ・冷たいポテトスープ /121
　　オニオングラタンスープ・クラムチャウダー /122
3　Poisson（魚料理） ………………… 123
　　あじのムニエル・ひらめの包み焼き /123
　　わかさぎのフライ・えびのフリッター /124
4　Entrée, Viande（肉料理） ………… 125

ハンバーグステーキ /125
　　　ビーフシチュー・仔牛肉薄切りウィーン風カツレツ /126
　　　豚肉のハワイ風・鶏肉のクリーム煮 /127
　　　鶏肉のクリームコロッケ /128
　　　若鶏の蒸し焼き /129
　　　チキンガランチン /130
　　　テリーヌ・カレーライス /131
5　Œufs（卵料理）……………………… 132
　　　オムレツ・ほうれんそう入りココット焼き /132
6　Salades（サラダ）………………… 133
　　　ポテトサラダ・豆のミックスサラダ /133
　　　野菜サラダ・マカロニサラダ /134
　　　マセドアンサラダ・フルーツサラダ・小えびのトマト詰めサラダ /135
7　米・めん・パンの料理 ……………… 136
　　　ピラフ・パエリャ /136
　　　スパゲティのミートソースかけ・はまぐりソースかけ /137
　　　マカロニグラタン・ピザ /138
　　　サンドイッチ・ロールサンドイッチ /139
8　Entremets（甘味料理）…………… 140
　　　ブラマンジェ・オレンジシャーベット /140
　　　抹茶のムース・ババロア /141
　　　カスタードプディング・ワインゼリー・フルーツゼリー /142
9　その他の菓子類 ……………………… 143
　　　いちごのショートケーキ・チーズケーキ /143
　　　スィートポテト・シュークリーム /144
　　　ブッシュドノエル /145
　　　アップルパイ /146
　　　クッキー〈型抜き〉・〈絞り種〉 /147
10　飲　物 ……………………………… 148
　　　コーヒー・紅茶・ココア /148
　　　フルーツポンチ /149

第4章　中国料理……151

基礎編 ………………………… 杉山寿美　152

1　中国料理の形式と作法………………… 152
　　1）中国料理の種類とその特徴………… 152
　　2）中国料理の様式と献立……………… 152
　　3）中国料理の食事作法………………… 152
2　中国料理の材料と食器・調理器具…… 154
　　1）中国料理の材料……………………… 154
　　2）中国料理の食器……………………… 156
　　3）調理器具……………………………… 156
3　中国料理名の成り立ち………………… 157
　　1）基本的な組合せ……………………… 157
　　2）特殊な組合せ………………………… 157
4　前菜（冷盆）…………………………… 159
　　1）冷盆の種類…………………………… 159
　　2）冷盆の調製法………………………… 159
　　3）冷盆の盛り付け……………………… 159
5　だし（做湯）…………………………… 160
　　1）做湯の種類…………………………… 160
　　2）湯の取り方（800 mL 分）………… 160
6　汁物料理（湯菜）……………………… 160
　　1）湯菜の種類…………………………… 160
　　2）湯菜の調理と供し方………………… 161
7　炒め物料理（炒菜）…………………… 161
　　1）炒菜の種類…………………………… 161
　　2）炒菜のコツ…………………………… 161
8　揚げ物料理（炸菜）…………………… 161
　　1）炸菜の種類…………………………… 161
　　2）炸菜のコツ…………………………… 162
9　あんかけ料理（溜菜）………………… 162
　　1）溜菜の種類…………………………… 162
　　2）溜菜のコツ…………………………… 162
10　蒸し物料理（蒸菜）…………………… 163
　　1）蒸菜の種類…………………………… 163
　　2）蒸菜のコツ…………………………… 163
11　煮込み料理（燜菜）・煮物料理（焼菜）… 163
　　1）燜菜・焼菜の種類…………………… 163
　　2）燜菜のコツ…………………………… 163
12　直火焼き料理（烤菜）………………… 164
　　1）烤菜の種類…………………………… 164
　　2）烤菜のコツ…………………………… 164
13　鍋料理（鍋）…………………………… 164
14　冷　菜 ………………………………… 164
15　点　心 ………………………………… 165

1）点心の種類 ································ 165
2）中華めん（切麺） ·························· 165
3）飯（飯） ····································· 165
4）粉製品（粉） ······························· 165
5）中国菓子（甜菜） ························· 166

16 茶・酒 ·· 166
1）中国茶 ······································· 166
2）中国酒 ······································· 166

17 薬膳料理 ······································· 167

実習編 ················· 赤石記子 168

1 湯 菜 ··· 168
うずら卵のスープ・とうがんのスープ /168
ゆばのスープ・搾菜と豚肉のスープ /169
はくさいと肉団子のスープ・かにと卵のスープ・たいの薄くずスープ /170
中華寄せ鍋 /171
豆腐入りコーンスープ /172

2 炒 菜 ··· 172
ピーマンと牛肉の炒め物 /172
かにたま・チンゲンサイの炒め物 /173
いかのうま煮・小えびと豆腐の煮込み /174
豚肉と野菜の炒め物・豚挽肉と豆腐のとうがらし炒め /175
野菜の五目炒め・鶏肉とナッツの炒めもの /176

3 炸 菜 ··· 177
鶏肉の空揚げ・魚の衣揚げ /177
えびの卵白衣揚げ・はるまき /178
えびのパン揚げ /179

4 蒸 菜 ··· 179

挽肉の卵巻き /179
魚すり身の卵巻き蒸し・魚の姿蒸し /180
もち米団子の蒸し物・はくさいとベーコンの煮込み /181
えびの蒸し煮 /182

5 焼 菜・煨 菜 ································· 182
大正えびのとうがらし炒め /182
豚肉の角煮・鶏とじゃがいもの煮物 /183

6 烤 菜・燻 菜 ································· 184
魚のいぶし焼き・焼き豚 /184

7 溜 菜 ··· 185
酢豚・そら豆のあんかけ /185
肉団子の甘酢あんかけ・魚のトマトあんかけ /186
魚と野菜の甘酢あんかけ /187

8 冷 菜 ··· 188
きゅうりの和え物・はくさいの甘酢漬け /188
きゅうり，はるさめ，ハムの酢の物・くらげの酢の物 /189
卵の茶葉煮・いかの和え物 /190
鶏肉のごまだれ和え・豚肉の水煮辛味ソースかけ /191

9 点 心 ··· 192
四色しゅうまい・ビーフンの炒め物 /192
ぎょうざ /193
わんたん・冷やし五目めん /194
肉まん，あんまん /195
炒めご飯・もち米のかやくめし・ごま入りクッキー /196
蒸しカステラ・杏仁かん /197
菊花型揚げ・さつまいものあめ煮・あん入り揚げごまだんご /198

第5章　諸外国料理 ······ 村上 恵　199

基礎編 ··· 200

1 諸外国料理の形式 ····························· 200
1）アフリカ地域 ······························· 200
2）ロシア地域 ·································· 200
3）中東地域 ····································· 200
4）アジア地域 ·································· 200
5）南アメリカ地域 ···························· 201
6）オセアニア地域 ···························· 201

実習編 ··· 202

1 アフリカ地域 ································· 202
クスクス・オ・プーレ /202
カチュンバリ /202
チャイ /203

2 ロシア地域 ···································· 203
ボルシチ /203
ベフ・ストロガノフ /204

スィールニキ /204
　　ピロシキ /205
3　中東地域·················· 205
　　メルジメック・チョルバ /205
　　チョバン・サラタス /206
　　イマム・パユルドゥ /206

4　アジア地域·················· 207
　　トムヤムクン /207
　　ゴイ・クォン /207
　　パックブン・ファイデン /208
　　ナシゴレン /208
　　ナムル・ビビンパ /209

付録　……安藤真美，村上　恵　211

1　日本料理の献立例·················· 212
2　西洋料理の献立例·················· 213
3　中国料理の献立例·················· 214
4　諸外国料理の献立例·················· 215
5　行事食の献立例·················· 216
6　材料の切り方（基礎）·················· 218
7　材料の切り方（応用）·················· 219
8　魚介類の扱い方·················· 220
9　西洋料理で使用される特殊材料（調理用材料）
　　·················· 222
10　西洋料理で使用される香辛料·················· 223
11　パスタの分類·················· 224

索引·················· 227

〈第6版改訂に際して〉

- 材料は，すべて可食部質量としています．
- 「煮だし汁」は特別の記載がなければ「かつおからとっただし」を示しています．そうでない場合は「かつお・こんぶ」などのように個別に指定しています．
- 「しょうゆ」は「濃口しょうゆ」を指しています．薄口の場合は「薄口しょうゆ」と記載しています．
- 「バター」は「有塩バター」を指しています．無塩の場合は「無塩バター」として記載しています．
- 塩（肉の○%）はおよその%を示しています．
- 栄養計算にあたっては，「日本食品標準成分表2020年版（八訂）」に準拠しています．たんぱく質については「アミノ酸組成によるたんぱく質」（未収載の場合は「たんぱく質」），脂質については「脂肪酸のトリアシルグリセロール当量」（未収載の場合は「脂質」）の値を使用しています．

第1章—序論

調理とは，食品を栄養的，衛生的，かつ嗜好に合うように処理し，食べ物としてつくり上げる操作と定義される．

多くの場合，それぞれの食品はその成分や形態などに由来する特有の調理性をもっている．

一般的に行われている調理操作には，それぞれの食品のもつ特徴を生かしたものが多い．

また，同じ食品であっても地域によって異なる処理を行う場合があるが，その多くはその地域の文化的な背景から伝承されてきたものである．

食物は栄養学的見地から摂取するだけでなく，楽しい食事は生活の潤いの一つでもあるので，食事をする人の食欲を満たし，味覚を満足させる工夫，嗜好に合った食品の取合わせ，食事をする作法などが調理実習の内容に含まれる．

とかく実習時間のみを調理実習の範囲と考えがちであるが，実際には献立立案の時点が開始であり，試食を済ませ，行き届いた後片付けを含めて，実習の範囲と考えたい．

1 はじめに

1）調理実習をはじめるにあたって

実習をするときは，次のような順序で注意しながらも積極的に行う．

（1）実習に入る前には，あらかじめ実習の目的，調理上のポイント，手順を確認し，指導教員の説明はメモしながら十分聞いて理解する．

（2）清潔な着衣，手指の洗浄（爪を切り，マニキュアを落とす），手ふきの用意をする．手指に傷があったり下痢をしているときは，必ず指導教員の指示に従う．

（3）材料の確認，不可食部の除去，計量，食品ごとの下準備をする．

（4）料理の仕上げなどにかかる時間と喫食時間を考慮し，実習時間を有効に使う．

（5）料理の温度，料理と器の均衡，各国の料理様式などに配慮して盛付け，配膳をする．

（6）実習した料理は師範品などと比較したりして評価し，その後適した食事作法にしたがって試食する．

（7）食器や調理器具の洗浄，乾燥と収納，ふきんの熱湯消毒と乾燥，調理台の整備，廃棄物の処理，調理室と試食室の清掃などの後片付けをていねいに行う．

（8）実習内容の確認と反省を行い，必要な事項は直ちに記録する．実習ノートは実習のたびに書く習慣をつける．

（9）実際の調理には可食部（食べることができる部分）を使用するが，材料の購入時には野菜の皮のように廃棄部分も含めて購入する．したがって，購入量（廃棄部を含めた原材料質量）を次の式により算出する．廃棄率は「日本食品標準成分表2020年版（八訂）」（以下，食品成分表）に記載されている「廃棄率」の数値などを用いる．

廃棄部を含めた原材料質量（g）＝
$$\frac{調理前の可食部質量（g）\times 100}{100 - 廃棄率（\%）}$$

2）計量

（1）計量器具

キッチンスケールと台秤：キッチンスケールや台秤の最小目盛は比例的につけてあり，その目盛以上の重さの変化があれば指針が動く．最大量（秤量）が1〜3 kg，最小量（感量）が5〜10 gのものが使いやすい．

計量カップと計量スプーン：キッチンスケールや台秤では計りにくい少量の場合に使用すると便利である．調理実習書では1カップ（200 mL）は1Cと書く．小さじ1杯（5 mL）は1t，または小1と書く．大さじ1杯（15 mL）は1T，または大1と書く．

図1-1に計量スプーンの使い方を示した．

粉状の材料：固まりがある場合はよくつぶし，ふんわりと盛りあがるほどすくいとる．すりきり用へらなどで表面を平らにすりきる（図1-1a）．特に計量スプーンで1/2杯を計りとりたい場合は，まず1杯分を計りとった後，すりきり用へらなどを使用して1/2杯分は取り除く（図1-1b）．1/4杯を計りとりたい場合は，1/2杯からさらに

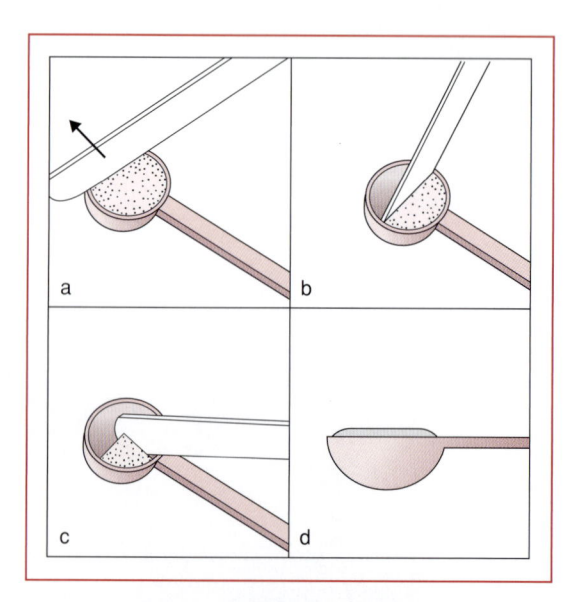

図1-1　計量スプーンの使い方

半量取り除く（図1-1c）．

液体の材料：表面張力で液体が盛り上がる状態が1杯である（図1-1d）．

温度計：100℃と300℃があれば便利である．70℃以下や氷点下のものをはかるときは，アルコール温度計が適している．熱電対温度計は食品などの内部温度を測定するときに用いる．

時計，タイマー，タイムスイッチ：実習の進行や一定時間の操作をはかるのに使う．

（2）食品材料や調味料の容積と質量

計量カップや計量スプーンを使って食品材料を計量するのに，材料の性状や比重によって見かけの容積と質量は必ずしも同じ数値を示さない．水5 mLはほぼ5 gであるが，油5 mLは比重の関係で約4 gである．粉類をふるいにかけた場合とかけない場合で，容積は同じでも質量は異なる．表1-1に計量カップとスプーンによる食品の質量例を示す．計量器の形とはかり方によって多少の誤差は生じるから，常に使用しているカップやスプーンと食品材料の質量との関係を調べておくのがよい．わずかな量や香辛料など「少々」とか「一つまみ」などと示される場合がある．

身近にある食品の概量（目安量）を表1-2に示した．

（3）濃度と割合

濃度を示すには百分率（％）を用いる．調理で「1％の塩を加える」といった場合，煮だし汁100 mLまたは，食品材料100 gに対して1 gの塩を加えることを示す（このような表示の方法を外割（そとわり）という）．

材料の質量に対して，おもに塩分や糖分の割合を表わしたものを調味パーセント（調味の割合）という．この場合の材料の質量は，廃棄率を除いた可食部質量（調理直前の状態）である．

$$調味パーセント(\%) = \frac{調味料の質量(g)}{材料の質量(g)} \times 100$$

つまり，

$$調味料の質量(g) = \frac{調味パーセント(\%) \times 材料の質量(g)}{100}$$

料理は長い経験により味のつけ方が工夫され，だいたい一般に好まれる味というものができ上がってきた．表1-3,4に調味パーセントを示すが，これはあくまで標準であり，各自の好みや材料の鮮度などにより加減する．

① 塩分の換算

料理の塩味は塩でなく，しょうゆやみそを用いることが多い．濃口しょうゆは約15％，うす口しょうゆは約16％，みそは種類によって6～13％の塩分を含んでいるので，しょうゆやみそを使って塩味をつけるには塩分の換算が必要である．塩分の調味パーセントをしょうゆ量に換算するには100/15倍～100/16倍，すなわち6～7倍にする．みその場合は，みその塩分濃度に応じて，辛みそならば8～10倍にする．

② 糖分の換算

糖分の調味パーセントは砂糖の量で示してあるので，塩分と同様に換算が必要となる．本みりんは糖分が約42％であるが，みりんに含まれる糖

表1-1　計量カップと計量スプーンによる食品質量

食品＼計量器	1t 5mL (g)	1T 15mL (g)	1C 200mL (g)
酢・酒	5	15	200
しょうゆ・みそ・みりん	6	18	230
精製塩	6	18	240
油・バター	4	12	180
上白糖	3	9	130
小麦粉	3	9	110
かたくり粉	3	9	130
コーンスターチ	2	6	100
ベーキングパウダー	4	12	
乾燥パン粉	1	3	40
生パン粉	1	3	40
カレー粉	2	6	
粉末ゼラチン	3	9	
ごま（いり）	3	10	130
マヨネーズ	4	12	190
トマトケチャップ	6	18	230
トマトピューレー	5	15	210
からし粉	2	6	
紅茶	2	6	
煎茶	2	6	
生クリーム（高脂肪）	5	15	210
精白米			170
あずき			160
大豆			130
米飯			120

（日本食品標準成分表2020年版〈八訂〉より）

表1-2　身近な食品の質量（目安）

分類	食品名	目安量	質量（g）
穀類	米飯	茶碗1杯	120～150
	のしもち	中1切れ	50～55
	ゆでうどん	1玉	200～250
	中華めん（蒸）	1玉	150～170
	干しそうめん	1束	50
	食パン	1斤	360～450
	バターロール	1個	30～40
	サンドイッチパン	1切	30
いも類・でんぷん類	さつまいも	大1本	250～350
	さといも	中1個	50～70
	じゃがいも	中1個	150～200
	こんにゃく	1枚	250
豆類	豆腐	1丁	300～450
	油揚げ	1枚	20
種実類	ぎんなん	1粒	2
野菜類	アスパラガス	中1本	20～30
	かぶ	大1個	80～100
	かぼちゃ	中1個	1～1.5(kg)
	かんぴょう	1m	5
	カリフラワー	1株	450～600
	キャベツ	中葉1枚	60
	キャベツ	中1個	1(kg)
	芽キャベツ	中1個	15
	きゅうり	中1本	100
	こまつな	中1株	30～50
	ごぼう	中1本	150～200
	さやいんげん	1さや	5～8
	さやえんどう	1さや	2～5
	サラダ菜	中1枚	5～6
	セロリー	中1本	100～150
	だいこん	中1本	1(kg)
	たまねぎ	中1個	150～200
	トマト	中1個	150～180
	ミニトマト	1個	8～10
	長ねぎ	1本	100
	なす	中1個	60～80
	にんじん	中1本	150～200
	根みつば	1株	15～25
	はくさい	大葉1枚	100
	はくさい	1株	1.5～2(kg)

分類	食品名	目安量	質量（g）
野菜類	パセリ	1本	5～10
	ピーマン	中1個	30～40
	ふき	1本	50
	ほうれんそう	1束	200～250
	もやし	1袋	200～250
	レタス	中1玉	400～500
	れんこん	中1本節	100～200
果実類	いちご	大1粒	20～35
	かき	中1個	150～200
	すいか	中1個	3(kg)
	夏みかん	1個	350
	バナナ	中1本	150
	ぶどう	小60～70粒	100
	みかん	中1個	80～100
	りんご	中1個	200～250
	レモン	中1個	100
きのこ類	生しいたけ	中1個	10～15
	干しいたけ	中1個	2～3
藻類	焼のり	1枚	3
	出し昆布	10cm	2～5
	角寒天	1本	7～8
魚介類	あじ	1尾	150～180
	いわし	1尾	100～190
	さんま	1尾	150～200
	たらこ	1腹	50～70
	かまぼこ	中1本	180～200
	焼ちくわ	小1本	30
	あさり	むき身10個	36～40
	かき	むき身1個	10～20
	くるまえび	中1尾	40～50
	いか	1パイ	150～300
肉類	ハム	1枚	10～20
	ベーコン	薄切り1枚	15～20
	ウインナソーセージ	1本	15～20
	鶏ささ身	1本	40～45
	もも・皮つき	1枚	200～250
卵類	鶏卵	中1個	50～60
	卵黄	1個分	15～18
	卵白	1個分	30～36
	うずら卵	1個	10～12

表1-3　塩分の調味パーセント

調理	塩分濃度（％）	備考
下塩	0.5～1.0	全材料に対して
塩ゆで	0.5～1.0	ゆで湯に対して
和え物	0.5～1.0	全材料に対して
漬物	1.0～2.0	全材料に対して
煮物	1.0～1.5	全材料に対して
炒め物	0.8～1.6	全材料に対して
汁物（吸い物）	0.5～0.7	だし汁に対して
汁物（味噌汁）	0.6～0.8	だし汁に対して

参考）調理のためのベーシックデータ第6版：女子栄養大出版部；2022.

表1-4　糖分の調味パーセント

調理	糖分濃度（％）	備考
かくし味	1内外	
和え物	2～4	
酢の物	3～7	
煮物　薄味・煮びたし	0.5	全材料に対して
白身魚	2	
魚のみそ煮	4	
いも	4	

参考）日本食品成分表2023 八訂：医歯薬出版；2023. p256-7.
八訂 日本食品成分表2023 資料編：女子栄養大出版部；2023. p98.

（グルコース）は砂糖（スクロース）に比べると甘味が弱い（スクロースの甘味を1とした場合，グルコースの甘味は0.8）ので，糖分をみりんに置換える場合には3倍にする．反対にみりんに対する糖分を砂糖に置換えるときは約1/3とする．

3）調理設備と道具類

調理過程で，調理操作の目的に応じて使われる道具類が調理器具で，調理品の盛付け，配膳など供食に使用されるものは配膳器具（食器など）である．冷却保管用には冷蔵庫，冷凍庫が使用される．

（1）熱源と加熱器具

多く使われている熱源はガスと電気である．ガスは着火が簡単で最高温度が高く，火力の調節が連続的で簡単であり，所定の火力が得やすい．しかし，爆発の危険や種類によっては有毒であるなどの短所もある．

電気は無害であるとか，自動調節のしやすさなどの長所があるが，最高温度がガスより低く，温度調節が緩慢である．近年は，単相200V電源を利用した電化器具も多くなっている．

調理に使用される加熱器具とその原理，特徴などを表1-5に示す．

（2）包丁とまな板

包丁は切る，削る，むくなどの切断操作に使う道具であり，切断操作は調理作業中もっとも頻度が高く，技術的手腕を問われるものである．包丁の材質には鋼（はがね）とステンレス鋼とがある．

① 包丁の種類と構造

和包丁には，菜切り包丁，刺身包丁（たこ引き，柳刃），薄刃包丁，出刃包丁があり，洋包丁には，牛刀，ペティナイフ，三徳包丁などがある．

刃のつけ方は，和包丁は片刃が主であるが，一部の菜切り包丁と洋包丁は両刃である．包丁の種類，それぞれの刃の構造，包丁各部の名称と主な使い分けは図1-2～4に示した．

② 包丁の持ち方

包丁は，柄を手の平で包むようにして小指と薬指に力を入れ，他の指で支えるように持つ．

図1-5の①の持ち方は，主として菜切り包丁の持ち方で，包丁の峰に人差指がまっすぐのび，親指で包丁を支えて安定するように持つ．豆腐のようにやわらかいものは上から押し下げるだけで切れる．②の持ち方は力を込めて切る場合の持ち方である．片方の手で包丁の峰を押えて押し切ったり，たたいて切るときに用いる．

「切る」ことを力学的に考えてみると，図1-5のC点における指の力が主力になり，A点が柄

表1-5　加熱器具の特徴

器具	熱源（エネルギー源）	特徴など
コンロ	ガス	自動点火装置を備えているものが多い．
	電気	シーズヒーターは寿命が長い．300W，600W，1,200Wなどがある．
オーブン（天火）	ガス	直火方式と間接方式がある．ファンによって庫内空気を強制対流させて加熱速度を速め，より均一に庫内に熱風を循環させるコンベクションオーブンがある．最高温度は300℃．
	電気	1,200Wのシーズヒーターを用いたものが多い．スチーム加熱ができる機種もある．通常は上下に発熱体を備えている．
グリル	ガス	ロースター
	電気	ロースター，トースター，赤外線グリル
電子レンジ	電気（誘電加熱）	マイクロ波（2,450MHz）を食品に照射して食品自体を発熱させる加熱方法である．通常の表面からの熱伝導による加熱方式より著しく速く加熱される．回転台，回転アンテナなどの機構を備えている機種は加熱むらが少ない．シーズヒーターをつけて焦げ目がつくようにした機種もある．使用する容器は耐熱ガラス，着色してない陶磁器類である．
電磁調理器	電気（誘導加熱）	電気エネルギーを電磁エネルギーに変換する調理器（またはプレート）である．調理器の上にかけた鍋自体の電気抵抗によって鍋が発熱し，その熱を加熱調理に利用するものである．熱効率は高い．
炊飯器	ガス	直火炊き方式で，保温機能を備えている．マイコン制御の追い炊き，保温機能を備えたものなどもある．
	電気	熱伝導により加熱する直接加熱方式とシーズヒーターからの放射熱を利用する間接加熱方式がある．マイコンを組み込んだジャー炊飯器が市販されている．

第1章●序論

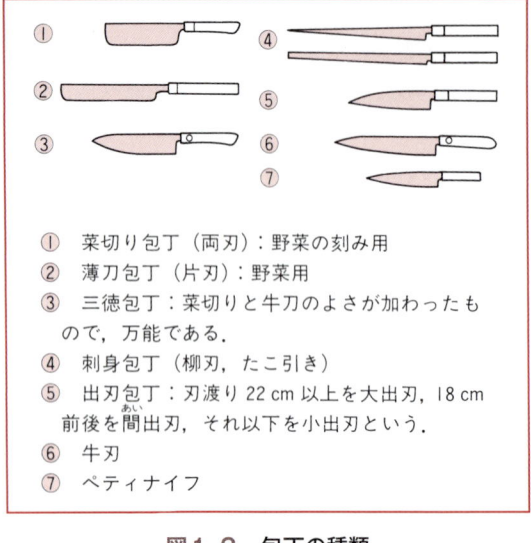

① 菜切り包丁（両刃）：野菜の刻み用
② 薄刃包丁（片刃）：野菜用
③ 三徳包丁：菜切りと牛刀のよさが加わったもので，万能である．
④ 刺身包丁（柳刃，たこ引き）
⑤ 出刃包丁：刃渡り22 cm以上を大出刃，18 cm前後を間出刃，それ以下を小出刃という．
⑥ 牛刃
⑦ ペティナイフ

図1-2　包丁の種類

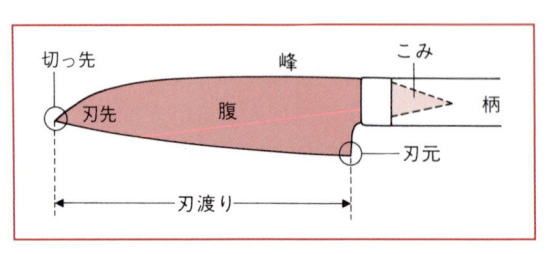

図1-3　包丁の部分と名称

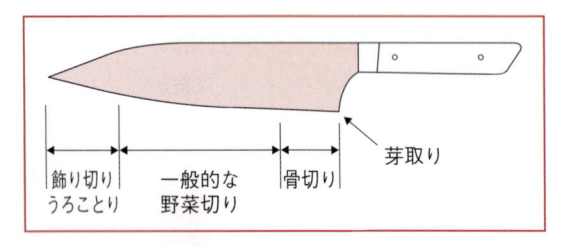

図1-4　包丁の各部分の主な使い分け

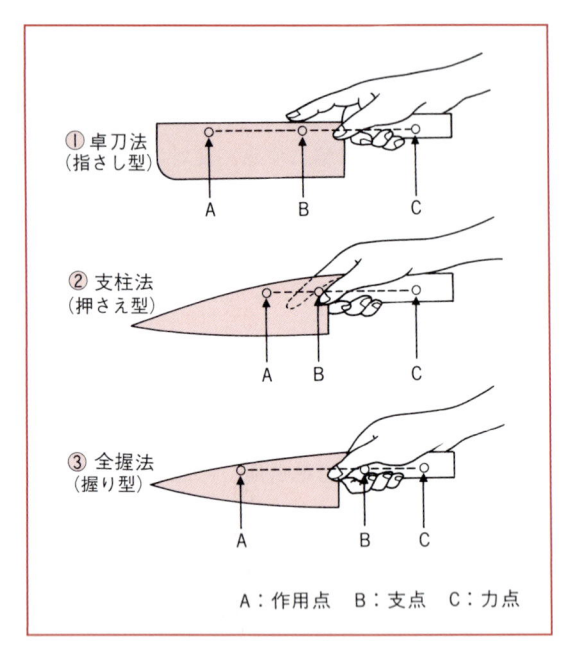

① 卓刀法（指さし型）
② 支柱法（押さえ型）
③ 全握法（握り型）

A：作用点　B：支点　C：力点

図1-5　包丁の持ち方

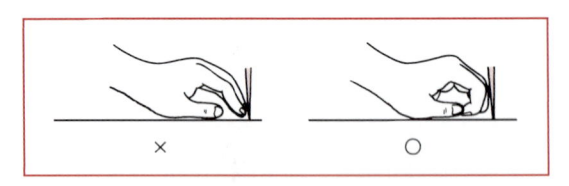

図1-6　切りはじめの指の置き方

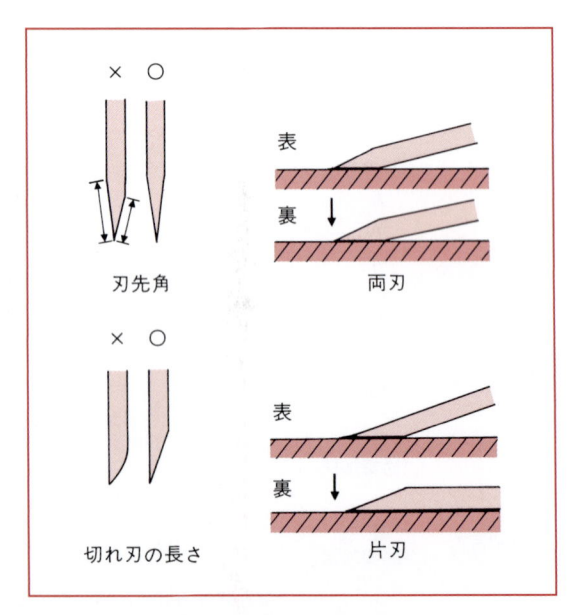

図1-7　包丁のとぎ方

に近いほど切断が容易になり，また，まな板に対して包丁に角度をつけたほうが，まっすぐ切りおろすときよりも切りやすくなる．

　包丁を使うときは，まな板を調理台に平行に置き，からだはまな板から握りこぶし一つ分くらい離して，からだの右側を少し後ろにして斜めに立つ．足は自然に開き加減にする．左手の指を折り曲げて包丁の腹に当てるようにし，これをずらすことによって切る厚さを調節する（図1-6）．

③ 包丁の管理

包丁は使用後，洗って熱湯をかけ，水気をふいて完全に乾燥させてから収納する．

包丁は砥石でといでよく切れるものを用いる．砥石はたっぷりの水に浸して十分水分を含ませたものを準備し，切れ刃を平面になるように力を入れて前後にとぎ，刃先角を鋭角にする．先角は刺身包丁は約8度，薄刃包丁では約10度である．両刃の包丁は切れ刃の長さが等しくなるようにとぐ．刃表をといだのち，刃先の返りをなくすように刃裏をといで仕上げる（図1-7）．

④ **まな板**

まな板の材質には，朴，檜，柳，銀杏，プラスチックなどがある．プラスチック製のまな板は衛生面では優れているが，作業中に滑りやすい．

まな板を使用するときは，乾いたものを切るとき以外は必ず水でぬらして，ふきんでふいてから使用する．まな板はぬれていると衛生上好ましくないので，使用後は汚れを十分落として水洗いし，風通しがよくて乾燥したところに保管する．

4）器具とふきんの洗浄

器具類の洗浄に用いる台所用洗剤は，一種の化学物質であるので，使用に際しては必ず規定濃度に希釈（0.1～0.2%程度）して使い，十分水ですすぐ．食器や器具類はよくふいて収納する．使用したふきんは洗剤とともに煮洗いし，十分すすぎ洗いした後乾燥する．

5）実習後の記録

実習終了後，実習の目的，技術的・科学的ポイント，応用，反省，栄養量の計算などを記録する．調理方法は，再現できるように正確に記入する．調理操作，仕上がり，盛付けなどは図に書いたり，デジタルカメラなどで撮影しておくのがよい．

6）栄養価計算の方法

食品成分表を用いて栄養価計算をするが，食品成分表には各食品の可食部100g当たりの数値が記載されているため，材料の廃棄部分を引いた調理前の可食部質量を用いて次の式により算出する．

可食部質量当たりの成分量値＝

$$\frac{各栄養素の100\,g当たりの成分値 \times 調理前の可食部質量(g)}{100}$$

計算された数値は食品成分表の有効数字に合わせる．

食品のエネルギー単位としてはキロカロリー（kcal）とキロジュール（kJ）があり，食品成分表では両方の単位を併記している．kcal単位またはkJ単位のエネルギー算出は，それぞれの成分に適用されるエネルギー換算係数を用いて算出されている．本書では各料理に栄養量を記したが，エネルギー単位はkcalで表した．

2 調理の基本操作

1）調理材料の下処理

（1）洗う

調理の第一段階で野菜や果実の泥土，塵あるいは農薬などの有害物を洗浄する．魚介類や畜産食品では付着微生物の洗浄が考えられるが，あまり多くない．洗い水に用いる塩水，酢水などは洗浄という第一目的のみでなく，ぬめりを取ったり歯切れや色彩をよくするなどの目的で行われることも多い．

洗浄方法にはふり洗い，混ぜ洗い，つかみ洗い，こすり洗い，もみ洗い，とぎ洗いなどがある．使用する水も，ため水，流水，オーバーフロー方式と洗う材料や目的によって使い分けられる．葉菜などのように組織のやわらかなものは洗い方によって損傷度に違いがみられたり，米のように洗い方が食味や変質のしやすさに影響する場合もある．

（2）切　る

　食品を食べやすい大きさや適当な形にすることと，表面積を大きくして加熱や調味料の浸透を容易にするためのものであるが，でき上がった料理を美しくしたり，食膳に風情を添えるのにも大事な操作である（材料の各種切り方は，付録6～7．材料の切り方参照）．

　肉類や野菜では切る方向によって歯ざわりや口当たりが違ってくる．繊維の方向に対して平行に切ると弾力性がある反面，かみ切りにくくなる．繊維と直角方向に切ったものでは，かみ切りやすいが，もろく，ざらっぽい感じがする．また，よく切れる包丁で切ることは食品の組織を壊さないで切ることになるので，料理によっては切る操作がおいしさに大きく影響するといわれる．

（3）浸漬する・解凍する

　アク抜き，変色防止，不味成分や塩分の除去，砂出し，乾燥食品の軟化，うま味や香り成分の浸出など，浸漬の目的は多様で，複数の目的で行われることも多い．また，浸す液体は水，塩水，調味液などが用いられ，食品がすっかりかぶる量の溶液中に浸す操作で，調理の下処理として行う場合が多い．

　多くの乾燥食品は浸漬操作によって吸水，膨潤，軟化させてから用いる．植物性乾燥食品は水を用いた比較的簡単な方法がとられるが，動物性乾燥食品にはもどし方が複雑でむずかしいものが多い．

　冷凍食品を凍結前の状態にもどすために解凍を行う．解凍方法は，空気解凍あるいは自然解凍（緩慢な解凍法で冷蔵庫や室内に放置する），水中解凍（ビニール袋に入れるかそのまま流水または多量の冷水中で解凍する），加熱解凍（冷凍のまま解凍と加熱調理を同時に行う），マイクロ波解凍（電子レンジによる解凍，少量解凍によい）などがある．

2）加熱操作

　加熱操作にはゆでる，煮る，炊く，蒸すなど水が熱の媒体となる湿式加熱と，焼く，揚げる，炒める，煎るなどの乾式加熱がある．

（1）ゆでる

　基本的には調味しないで多量の湯の中で加熱するもので，ゆでてそのまま食べる場合と下ごしらえとして行う場合とがあり，ゆで汁は普通利用しない．材料を水から入れる場合，温湯に入れる場合，熱湯水に入れる場合などがあり，食品によってはゆで汁の中に塩，酢，重曹などを加える．

（2）煮　る

　加熱操作の中でもっとも幅広く利用することができるもので，調味料の入った煮汁の中で加熱と調味を同時に行うものである．煮る方法には多くの種類があり，料理様式別にかなり異なった特徴をもつ．詳細はそれぞれの料理の基礎編を参照されたい．

　「炊く」というのは一般には米の調理に用いられるが，地方によっては米以外の煮物にも使われる．

（3）蒸　す

　蒸気の中で食品を加熱する操作で，蒸し器に水を入れて加熱し，出てきた蒸気の潜熱を利用したものである．流動性のものは容器に入れたまま蒸すことができるし，多量の煮汁を使わずに静置したままで長時間の加熱が可能なので，大きな食品も内部までやわらかにすることができる．蒸している途中では調味できないが，調味済みの料理の再加熱にも利用しやすい．蒸気量を調節すれば100℃以下の温度も可能で，卵の蒸し物は85～90℃で蒸される．

（4）焼　く

　焼く操作には直火焼きと間接焼きがある．直火焼きは放射熱が直接食品に伝えられるもので，食品を串に刺したり網にのせたりして焼くので炎立ちの少ない熱源が用いられる．ガス火で直火焼きする場合には，ガスコンロの上に魚焼き器をのせて放射熱を利用する．間接焼きは，フライパン，鉄板，オーブンなどを使ったり，銀紙に包んで焼く方法である．肉類や魚介類などのたんぱ

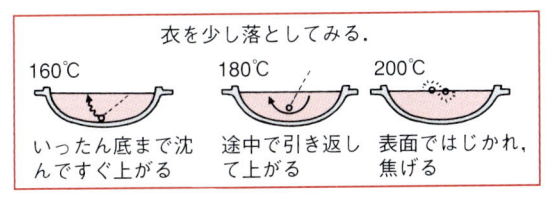

図1-8　油の温度の目安

く性食品は比較的強火で焼いて表面のたんぱく質をまず凝固させ，内部のうま味成分や水分の流出を防ぐ方法がとられる．一方，でんぷん性の食品は比較的弱火で焼く．水分のある状態で一定時間加熱しないと組織内のでんぷんが糊化しないためである．

天火焼きは，熱せられた空気の対流による加熱法で，流動性のものを容器に入れたまま加熱したり，食品の上面に焦げ目をつけることもできる．

（5）揚げる

油の中で食品を加熱する調理操作で，油は熱エネルギーの媒体であると同時に吸収されたり吸着して食品に芳香と油脂味をつける．

揚げ物をする温度は120〜200℃で，120〜160℃はおもに材料の予備加熱，160〜200℃は仕上げの操作に利用される．たんぱく性食品や加熱ずみの食品（コロッケなど）は高温短時間で揚げ，でんぷん性食品は糊化完了までの時間が長いので比較的低温で長時間揚げる．揚げる操作は加熱操作のうちもっとも短時間で加熱ができるが，加熱中の調味ができないので，揚げる材料をあらかじめ調味しておくか，加熱後あるいは食べるとき調味する（図1-8）．

（6）炒める・煎る

「炒める」は少量の油とともに加熱する操作で，「焼く」と「揚げる」の中間の操作に属する高温短時間加熱法である．動物性食品にも植物性食品にも利用できるが，加熱時間が短いので材料は適当な大きさに切り整える必要がある．攪拌したり揺り動かしたりする操作を伴う．調味は加熱中でも可能であるが，油脂が食品の表面を薄膜でおおうので調味料の内部への浸透が多少妨げられる．

使用する油脂は，植物油，バター，ラードなどが用いられ，それぞれの油脂の特徴を生かすために併用することも多い．油の量は材料のおよそ3〜5％，米飯などは10％程度使う．

「煎る」は食品を熱容量の大きな加熱器具に入れて混ぜながら加熱する方法で，豆，ごまなどの乾燥食品の加熱に適用される．加熱温度が200℃以上になることもあり，加熱と同時に「焦げ」による香ばしさも生ずる．

3）その他の操作

（1）和える・浸す

下処理をした材料に和え衣を混ぜたり調味液に浸す操作をいう．和え衣には調味酢のような液体状のものと，一般に和え衣といわれるペースト状のものとがある．調理の仕上げ段階の操作で，日本料理では酢の物，和え物，浸し物といい，西洋料理ではサラダ類，中国料理では拌菜という．普通，材料と和え衣などとの間には濃度差があるので，浸透圧による水分の引き出しが起こる．時間が経過すると料理が水っぽくなるので，和え衣は供食直前に混ぜたりかけたりする．

（2）寄せる

流動性のもの（ゾルという）を固形化（ゲル化）する操作で，凝固材料として寒天，ゼラチン，ペクチン，でんぷん，小麦粉などが用いられ，砂糖，果汁，あん，泡，その他の材料を混合し冷却する．凝固材料の種類によって調理性が異なる．

（3）する・練る・こねる

「する」操作はすり鉢やミキサーを用いて食品の組織や細胞を破壊して粉末やペースト状にするもので，この操作によって香りが強くなったり，手ざわり，口ざわりがよくなる．挽肉や魚肉などでは「する」または「練る」ことによって材料が均一になるのみならず，保水性，粘着力が増し，加熱後に弾力性が生じる．小麦粉ドウを十分「こねて」グルテンを形成させることがパンやめんの調理では重要となる．

第1章●序論　　9

（4）乳化する・泡立てる

乳化操作は，卵黄を乳化剤として食酢中にサラダ油を分散させるマヨネーズが代表であるが，アイスクリーム，バターケーキなどの調理も乳化操作を伴うものである．

「泡立てる」操作は卵白，全卵，ゼラチンなどを攪拌して不溶性の膜をつくり，その中に空気を包み込むものである．メレンゲ，スポンジケーキ，マシュマロなどが調理例である．

（5）漬ける

野菜は塩やみそなどに漬けると，浸透作用や発酵作用などにより特有の風味と歯ごたえとなる．魚や肉類も浸透作用によって身がしまると同時に不味成分がドリップとして除かれる．

4）調理による成分・材料の変化

（1）たんぱく質

たんぱく質は加熱，攪拌，振とう，乾燥，凍結などの物理的作用や，塩，食酢，アルコールなどによる化学的作用によって変性する．加熱変性，酸変性，冷凍変性ではたんぱく質の分子構造の変化によって溶解性を失い，凝固する．凝固性は食品の調理性を広げ，調理操作を多様なものとしている一方，凝固のさせ方により料理の仕上がり，食感，消化性にも大きな影響を及ぼす．

界面変性は卵白などの泡立てに利用される特性で，卵白を攪拌することにより空気との界面で比較的安定な膜ができる．それを小麦粉調理の膨化に用いたり，ゲル中に気泡を混ぜ込むのに使う．

（2）でんぷん

生でんぷんは水には溶けないが，水に浸漬すると粒子が大きく膨らみ，そのまま加熱すると粘度と透明度を増して糊状となる．これをでんぷんの糊化またはα化という．糊化によりでんぷんの消化性は高まり，食味が向上する．でんぷんの種類によって糊化温度や糊化でんぷんの粘着性，粘弾性など物理的性質に違いがみられる（表1-6）．

表1-6　でんぷんの種類と糊化温度

でんぷんの種類	糊化温度（℃）
小麦	52.0～63.0
とうもろこし	62.0～72.0
米	61.0～77.5
じゃがいも	56.0～66.0
タピオカ	58.5～70.0

（二國二郎監修．澱粉科学ハンドブック：朝倉書店；1991．p37より）

（3）色

植物性食品の色素はクロロフィル系，アントシアン系，フラボノイド系，カロチノイド系などがあり，動物性食品の色素はおもにミオグロビン系であるが，カロチノイド系色素を含むものもある．

これらの色素は，調理操作によって変色したり褪色したりする場合がある．色彩的にも美しい料理は食欲をそそるものであるから，各色素の特徴を知り，適当な方法で調理するのがよい．

食品によっては調理・保存中に褐色に変化することがある．これを褐変現象というが，褐変現象には酵素作用によるものと非酵素作用によるものとがある．酵素的褐変反応は，果実類，いも類などにみられるもので，基質物質にポリフェノールオキシダーゼ（酸化酵素）が作用することによって褐変物質が生じる．水や希食塩水に浸したりレモン汁をかけて酸化を抑える方法がとられる．

非酵素的褐変反応は，たんぱく質やアミノ酸と糖の化学反応によって生ずるもので，メイラード反応，あるいはアミノカルボニル反応という．

（4）調理による質量の変化

食品を調理すると質量や容積が増減する．用いる調味料の量は調理後の質量に対するものであるから，変化の大きい素材は調理後の質量を念頭におく必要がある．表1-7に各種調理操作における食品の重量変化率の例を示した．

栄養価計算の際には，次式によって調理された食品全質量に対する成分量が算出され，より実際に摂取した成分値に近づけることができる．

$$\text{調理された食品全質量に対する成分量} = \text{調理した食品の成分値} \times \frac{\text{調理前の可食部質量(g)}}{100\text{(g)}} \times \frac{\text{重量変化率(\%)}}{100}$$

表1-7 各食品の調理による重量変化率

分類	食品名	重量変化率(%)
穀類	うどん, ゆで	180
穀類	干しうどん, ゆで	240
穀類	そうめん・ひやむぎ, ゆで	270
穀類	中華めん, ゆで	190
穀類	干し中華めん, ゆで	250
穀類	マカロニ・スパゲッティ, ゆで	220
穀類	こめ, 水稲めし, 玄米	210
穀類	こめ, 水稲めし, 精白米	210
穀類	そば, ゆで	190
穀類	干しそば, ゆで	260
いも類・でんぷん類	さつまいも, 塊根, 蒸し	98
いも類・でんぷん類	さといも, 球茎, 水煮	95
いも類・でんぷん類	じゃがいも, 塊茎, 皮なし, 蒸し	93
いも類・でんぷん類	じゃがいも, 塊茎, 皮なし, 水煮	97
いも類・でんぷん類	フライドポテト	52
豆類	あずき, 全粒, ゆで	230
豆類	だいず, 全粒, 国産, 黄大豆, ゆで	220
野菜類	アスパラガス, 若茎, ゆで	96
野菜類	さやいんげん, 若ざや, ゆで	94
野菜類	えだまめ, ゆで	96
野菜類	さやえんどう, 若ざや, ゆで	98
野菜類	グリンピース, ゆで	88
野菜類	オクラ, 果実, ゆで	97
野菜類	かぶ, 葉, ゆで	93
野菜類	かぶ, 根, 皮つき, ゆで	87
野菜類	かぶ, 根, 皮なし, ゆで	89
野菜類	西洋かぼちゃ, 果実, ゆで	98
野菜類	カリフラワー, 花序, ゆで	99
野菜類	キャベツ, 結球葉, ゆで	89
野菜類	きゅうり, 塩漬	85
野菜類	ごぼう, 根, ゆで	91
野菜類	こまつな, 葉, ゆで	88
野菜類	だいこん, 葉, ゆで	79
野菜類	だいこん, 根, 皮つき, ゆで	86
野菜類	だいこん, 根, 皮なし, ゆで	86
野菜類	たまねぎ, りん茎, 水さらし	100
野菜類	たまねぎ, りん茎, ゆで	89
野菜類	スイートコーン, 未熟種子, ゆで	110
野菜類	なす, 果実, ゆで	100
野菜類	なす, 塩漬	82
野菜類	にんじん, 根, 皮つき, ゆで	90
野菜類	にんじん, 根, 皮なし, ゆで	87
野菜類	はくさい, 結球葉, ゆで	72
野菜類	青ピーマン, 果実, 油いため	96
野菜類	ブロッコリー, 花序, ゆで	111
野菜類	ほうれんそう, 葉, ゆで	70
野菜類	だいずもやし, ゆで	85
野菜類	りょくとうもやし, ゆで	84
きのこ類	えのきたけ, ゆで	86
きのこ類	しいたけ, 生しいたけ, ゆで	110
きのこ類	しいたけ, 乾しいたけ, ゆで	570
きのこ類	ぶなしめじ, ゆで	88
きのこ類	なめこ, ゆで	100
きのこ類	マッシュルーム, ゆで	69
藻類	わかめ, 乾燥わかめ, 素干し, 水戻し	590
魚介類 魚類	まあじ, 皮つき, 水煮	87
魚介類 魚類	まあじ, 皮つき, 焼き	72
魚介類 魚類	まあじ, 開き干し, 焼き	80
魚介類 魚類	あゆ, 天然, 焼き	67
魚介類 魚類	あゆ, 養殖, 焼き	71
魚介類 魚類	まいわし, 水煮	81
魚介類 魚類	まいわし, 焼き	75
魚介類 魚類	べにざけ, 焼き	78
魚介類 魚類	まさば, 焼き	77
魚介類 魚類	さわら, 焼き	79
魚介類 魚類	さんま, 焼き	78
魚介類 魚類	ししゃも, 生干し, 焼き	81
魚介類 魚類	まだい, 養殖, 皮つき, 水煮	85
魚介類 魚類	まだい, 養殖, 皮つき, 焼き	82
魚介類 貝類	かき, 養殖, 水煮	64
魚介類 貝類	はまぐり, 水煮	64
魚介類 貝類	はまぐり, 焼き	65
魚介類 えび・かに類	くるまえび, 養殖, ゆで	95
魚介類 えび・かに類	くるまえび, 養殖, 焼き	73
魚介類 えび・かに類	ずわいがに, ゆで	74
魚介類 いか・たこ類	するめいか, 水煮	76
魚介類 いか・たこ類	するめいか, 焼き	70
魚介類 いか・たこ類	まだこ, ゆで	81
肉類 畜肉類 うし[乳用肥育牛肉]	リブロース, 脂身つき, 焼き	70
肉類 畜肉類 うし[乳用肥育牛肉]	リブロース, 脂身つき, ゆで	78
肉類 畜肉類 うし[乳用肥育牛肉]	もも, 皮下脂肪なし, 焼き	71
肉類 畜肉類 うし[乳用肥育牛肉]	もも, 皮下脂肪なし, ゆで	66
肉類 畜肉類 ぶた[大型種肉]	ロース, 脂身つき, 焼き	72
肉類 畜肉類 ぶた[大型種肉]	ロース, 脂身つき, ゆで	77
肉類 畜肉類 ぶた[大型種肉]	もも, 皮下脂肪なし, 焼き	71
肉類 畜肉類 ぶた[大型種肉]	もも, 皮下脂肪なし, ゆで	71
肉類 鳥肉類 にわとり[若鶏肉]	もも, 皮つき, 焼き	61
肉類 鳥肉類 にわとり[若鶏肉]	もも, 皮つき, ゆで	70
肉類 鳥肉類 にわとり[若鶏肉]	もも, 皮なし, 焼き	72
肉類 鳥肉類 にわとり[若鶏肉]	もも, 皮なし, ゆで	70
肉類 鳥肉類 にわとり[若鶏肉]	ささ身, 焼き	73
卵類 鶏卵	全卵, ゆで	99.7
卵類 鶏卵	全卵, ポーチドエッグ	95
卵類 鶏卵	たまご豆腐	99
卵類 鶏卵	たまご焼き, 厚焼きたまご	80
卵類 鶏卵	たまご焼き, だし巻きたまご	86

(日本食品標準成分表2020年版〈八訂〉より)

3 基本的な調理材料

1）調味料

（1）食塩

　家庭調理では塩事業センターの品質規格による分類で精製塩，食塩が使われ，テーブル用として食卓塩が用いられる．食塩は塩味をつけるほかに，砂糖，食酢との混用で甘味を強めたり，酸っぱさを抑えたりする効果もある．食塩はそのほかに，野菜や魚の水気を取る，食品の変色を防ぐ，防腐性を高めるなどの用途にも用いられる．

　食塩の種類には，下記のようなものがある．

　食塩：塩化ナトリウム 99％以上．もっとも広く使用される．ミネラルなどの添加はない．

　精製塩：塩化ナトリウム 99.5％以上．防湿剤として塩基性炭酸マグネシウムが 0.15％含まれているためさらさらしており，湿りにくい．

　食卓塩：塩化ナトリウム 99％以上，塩基性炭酸マグネシウム基準 0.4％．食卓での調味に使用する．

　漬物塩：塩化ナトリウム 95％以上．原塩を粉砕し，りんご酸およびクエン酸（それぞれ基準は 0.05％）を添加した加工塩．

　また，特殊製法塩としては，次のものがある．

　岩塩：岩塩鉱で掘った塩で，ミルなどで用いて使う．

　焼き塩：高温で加熱し，乾燥させた塩．塩化マグネシウムが酸化マグネシウムになるためさらさらしていて固まりにくい．

　添加物塩：うま味調味料やマグネシウム，カリウム，各種ミネラル，香辛料などを添加した塩．

（2）しょうゆ

　しょうゆは日本料理と中国料理では頻繁に使われ，一般には淡口しょうゆ，濃口しょうゆが使用される．地域によっては白しょうゆ，溜しょうゆも使われ，最近では，目的に応じた各種の調味しょうゆも市販されている．濃口しょうゆの塩分濃度は約 15％であるが，薄味志向や疾病予防用として塩分濃度 10％以下の低塩しょうゆ（塩分濃度は濃口しょうゆの 1/2），減塩しょうゆ（塩分濃度は濃口しょうゆより 2％ほど薄い）などの商品もある．

　しょうゆは醸造によって醸し出される香りが身上であるから，加熱によって香りが失われないように調理の終りに近いとき入れたり，一部を残して最後に加えたりする．

（3）み　そ

　地域，用途，嗜好性などにより非常に多くの種類がある．塩分濃度の範囲は 6〜13％と広く，色も淡黄色から黒褐色までさまざまである．みそはみそ汁，和え衣などの調理に使われることが多い．たんぱく質コロイドによる吸着性が強いので，においを消したりアクを取るためにも使用される．

（4）砂糖・甘味料

　砂糖はショ糖を 80〜100％含み，不純物により色や風味が異なる各種砂糖がある．甘味料として使われるほかに，食品の物性を変化させたり，高濃度にして防腐性を高めたりする用途もある．また，砂糖の加熱温度による調理性の違いは菓子づくりには大事な性質である．はちみつ，メープルシロップはその特有の香りを利用してホットケーキや飲料に用いる甘味料で，香りを大切にするため加熱はなるべく避ける．水あめはでんぷんを糖化してつくられたペースト状の甘味料で，甘

表 1-8　砂糖の調理例と加熱温度

調理例	温度（℃）
シロップ	102〜103
フォンダン	106〜107
砂糖衣	115〜120
バースー抜絲	140〜160
カラメル	170〜190

（加藤和子．砂糖の加熱に関する研究．東京家政大学研究紀要 1996, 36（2）：41-7．山崎清子ほか．調理と理論：同文書院；2021．p185-7 より）

味度は低いが，食品に粘度や保水性を付与し，砂糖の結晶化を防ぐ（表1-8）．

（5）食 酢

穀類を原料とする穀物酢や米酢などと，果実を原料とする果実酢が醸造酢である．レモン，すだち，かぼす，だいだい，ゆずなどの柑橘類も酸味料として使用される．食酢は酢酸を4〜5%含むが，果実酢などではクエン酸などの有機酸も含む．すし酢，ポン酢，ドレッシングビネガーなどの調味酢も市販されている．酸味をつけるほかに，たんぱく質の変性，褐変防止，アクの除去，防腐剤としての用途もある．

（6）酒類・みりん

日本料理や中国料理ではおもに清酒，西洋料理ではぶどう酒が使われる．風味づけと生臭みを消すために用いられるが，洋菓子ではぶどう酒や各種リキュールが主材料になる場合もある．

みりんは日本独特の醸造甘味料で，本みりんでは13.5〜14.5%のアルコールと約42〜43%の糖質を含み，煮物や焼き物に使ってつやを出す．最近ではアルコール濃度1%以下のもの，またはみりんに他の調味料を添加したみりん風味調味料も市販されている．

（7）うま味調味料・風味調味料

アミノ酸や核酸分解物を成分とするものをうま味調味料といい，天然のうま味成分の濃縮・乾燥物にアミノ酸や核酸関連物質を加えて天然のだしの香をつけたものを風味調味料という．粉末，顆粒，液体，固形のものがあり，塩分も40〜50%程度含んでいる．

2）基本的材料

（1）小麦粉

小麦粉はたんぱく質含量によって強力粉，中力粉，薄力粉に分類される．これらは，たんぱく質が吸水して生じるグルテンの量や粘弾性が違うので調理性が異なり，それぞれ調理目的によって使い分けられる．汎用されるのは薄力粉である．

表1-9 でんぷんの調理例

調理	仕上がり量に対するでんぷん（％）	備考
くず汁	0.5〜1.5	かたくり粉
吉野煮	4〜6	
豆腐あんかけ	4〜5	
野菜あんかけ		
くず湯		くず粉
ブラマンジェ	7〜10	コーンスターチ
くず桜	15〜20	くず粉

注）でんぷん汁の性質は加熱時間，攪拌度などの扱いによってかなり違うため，数字は一応の目安である．

（2）でんぷん

じゃがいもでんぷんであるかたくり粉がもっとも一般的で，日本料理や中国料理で液体に濃度をつけるのに使われる．西洋料理ではとうもろこしでんぷん（コーンスターチ）を使うことが多い．ゲル化して独特のテクスチャーを示すくずでんぷん（くず粉），わらびでんぷん（わらび粉）も日本古来の食材料である．各種調理とでんぷん使用量例を表1-9に示した．

（3）油 脂

サラダ油とてんぷら油は精製度の高い植物油で，揚げ物，炒め物，ドレッシングに使用される．ごま油は，ばい煎したごまを絞ったもので，芳香があり，風味付けとして使われるほか，てんぷら用にも用いられる．固形油にはバター，ラード，ショートニング，マーガリン，テーブル用としてソフトマーガリンがある．一度使用した油は劣化しやすいので油の保管には次のような注意が必要である．

① 新しい油と古い油を混ぜて保管しない．

② 光や高温により酸化反応が促進されるので保管場所は冷暗所がよい．

③ 酸素との接触をなるべく避けるために保管容器の形に気をつける．

（4）寒天とゼラチン

寒天は，てんぐさやおごのりから製造されたもので，角寒天，糸寒天，粉末寒天がある．家庭調理では角寒天，粉末寒天が使われる．白色（無色）のほかに赤色や緑色に着色した製品も市販されて

第1章●序論　13

いる．寒天はゲル化剤として使用されることが多いが，糸寒天は酢の物にもされる．

ゼラチンは動物の結合組織の成分であるコラーゲンからつくられたもので，動物性たんぱく質食品である．板状，顆粒状，粉末状のものがある．

寒天とゼラチンは，多量の水とともに加熱すると溶け，これを冷却するとゼリー化（ゲル化）する．

調理では寒天は 0.5～2％，ゼラチンは 2～3％の濃度で使用され，ともに 97.5～99.5％の水を含みながら弾力のある形を保っている．寒天とゼラチンの溶解温度はそれぞれ 85～100℃と 40℃であるが，凝固温度や融解温度は濃度や砂糖などの添加量によって異なることが多い（表1-10，11）．

表1-10 角寒天の凝固・融解温度

（a）砂糖を加えない場合

寒天濃度(％)	凝固温度(℃)	融解温度(℃)
0.5	28.0	77.7
1.0	32.5	78.7
1.5	34.1	80.5
2.0	35.0	81.3

（b）1％寒天に砂糖を加えた場合

砂糖濃度(％)	凝固温度(℃)	融解温度(℃)
10	32.8	80.5
30	34.1	82.5
60	38.5	91.3

（山崎清子．寒天調理に関する研究（第6報）．家政学雑誌 1963；14（5）：339-44．山崎清子．寒天調理に関する研究（第7報）．家政学雑誌 1963；14（6）：345-9 より）

表1-11 ゼラチンの凝固・融解温度

ゼラチン濃度(％)	凝固温度(℃)	融解温度(℃)
2	3.2	20.9
3	8.0	23.2
4	9.9	25.3
5	13.1	26.7
6	14.1	27.1
7	15.5	27.4

（竹林やゑ子，幅 玲子．ゼラチンゼリーに関する実験的考察．家政学雑誌 1961；12（2）：107-10 より）

表1-12 卵液の希釈

種類	卵(mL)	だし(mL)	牛乳(mL)
茶碗蒸し	50	150～200	
卵豆腐	50	50～70	
だて巻き	50	16～17	
厚焼き卵	50	15～17	
カスタードプディング	50		120

注）卵1個は約50mLである．

表1-13 乾物・塩蔵品のもどし方と塩出し法

	食品名	もどし方	もどした後の質量(倍)
植物性の乾物	高野豆腐	60℃位のたっぷりの湯にひたし，落とし蓋をする．十分押し洗いしてから煮る．	6
	ひじき	さっと洗ってからたっぷりの水につける．手ですくってざるの上で水気を切る．	4～5
	乾燥わかめ	水につける．つけ過ぎると風味が落ちる．塩わかめは塩を洗い落とし，5分位水につける．	10～14
	はるさめ	熱湯につけて透明になったら水でよく洗う．鍋物料理では固めにもどす．	3～4.5
	ビーフン	50℃の湯に約20分つける．または，熱湯に4分位つける．後，水でよく洗う．	3
	干ししいたけ	水でさっと洗い，ひたひたの水につける．つけ汁も利用する．	5～5.5
	かんぴょう	塩でもんでから水洗いし，やわらかになるまで水につけ，その後ゆでる．	7
	きくらげ	水につける．やわらかになったら水の中で汚れと石付きをきれいに取る．	7
	切干しだいこん	15分位水につけてから塩もみして洗う．	4.5
	豆類	5～15時間（水温による）水につける．だいずは約150℃の天火で30分煎ってから水につけて30分おく（炒りもどし）．あずきはもどさないで煮ることも多い．	2～2.5
	ゆば	絞ったぬれふきんに包む	1.2～3
	棒寒天	水で洗ってからたっぷりの水につける．その後よく絞って定量の水で煮溶かす．	9～10
動物性の乾物等	干しえび	熱湯にやわらかになるまでつける．つけ汁も利用する．	3
	干し貝柱	熱湯につけて1夜おくか蒸して使う．つけ汁は上等なだしになる．	3
	塩くらげ	水につけて塩抜きをする．40～50℃の湯につけてから水で洗い，せん切りにして使う．	2
	塩かずのこ	水に1昼夜つけてから外側の薄い膜を取り水洗いする．	2
	干しにしん	米のとぎ汁につけ，つけ水を朝晩取り替えながら2日間もどす．	2
	棒だら	水または米のとぎ汁に2日位つける．つけ水はたびたび替える．	1.8
	ゼラチン	粉ゼラチンは5倍量の水で膨潤させる．板ゼラチンは使用する液体の中で膨潤させる．	

＊ここには標準的なもどし方を示したが，製造方法・製品によって異なることもあるので表示を参考にする．

カラギーナンはすぎのりなどの海藻からつくられたもので，約80℃で溶解してやわらかく，粘性のあるゼリーをつくる．牛乳を加えてゼリー化するタイプのカラギーナンは，ミルクプリン，ヨーグルト，デザート類に広く用いられている．

（5）卵

鶏卵は熱凝固性，起泡性，乳化性などの特性をもっているため，幅広く調理に用いられる素材である．卵液を牛乳，だし汁などで希釈して加熱すると滑らかなゲルとなる．加える液体の量によって，でき上がったゲルのかたさが異なり，器のまま食卓に供する茶碗蒸しの卵濃度は20％内外であるが，型から出して包丁を入れる卵豆腐では約60％である（表1-12）．

（6）乾物・塩蔵品

調理素材の中には，保存性をよくするために水分を20％以下にして流通しているものや，乾燥・塩蔵により特有の食味を付与した食品も多い．これらは適当な方法により吸水・脱塩してから調理する．調味料はもどした質量に対して加える．乾物の吸水量と一般的なもどし方は表1-13にまとめた．

第2章—日本料理

日本料理は，四方を海に囲まれた地理的条件と，四季の変化に富んだ気候的条件によって，多種多様な魚介類や海藻，農産物に恵まれ，そこに日本人の繊細な感性が加わって築かれてきた．

日本料理の特徴は，食品の旬を生かして季節感を高めながら，それぞれの持ち味や色，香りを生かして調理されることである．

また，あしらいなどを利用して情景を模したり料理を盛り付ける食器にも心配りをし，料理と食器を調和させて風情を演出する．

基礎編 1 日本料理の形式と献立

1）日本料理の形式と献立

日本料理の形式は，冠婚葬祭などの儀式や行事の一環として，供応の目的で整えられてきた．

（1）本膳料理

室町時代から江戸時代にかけて武士の饗応の膳として発展し，食事の礼儀作法を尊ぶものであった．形式や作法が煩雑なため現在はほとんど行われないが，日本料理における客膳料理の原型をなす．

1人分ずつを足つきの膳に並べて供食した．一汁三菜，二汁五菜，三汁七菜など品数がふえるにしたがって二の膳，三の膳，与の膳，五の膳とふえてゆく（図2-1）．献立名は食器の名称や料理法によるもので，料理はすべてはじめから並べられる．

- 一の汁……みそ仕立て
- なます……生魚の酢の物または刺身
- 坪　　　……深目の小鉢に煮物を盛る．
- 平　　　……平らな広い器に煮物を盛る．煮しめ平とつゆ平がある．
- 猪　口……和え物，浸し物
- 二の汁……すまし仕立て
- 三の汁……一の汁・二の汁以外の仕立て
- 香の物……漬物
- 焼　物……おもに尾頭つき魚
- 台　引……引物菓子などみやげ物

（2）懐石料理（茶懐石）

懐石とは禅宗で修行僧が温めた石を懐に入れて空腹を紛らしたという故事に基づくもので，茶会で茶を出す前の空腹をいやす程度の軽食をさす．わび茶の精神にかなう料理として完成され，食品本来の味や季節感を大切にする．その繊細な心遣いや食事作法は日本料理の真髄ともいえるもので，その精神は今日の客膳料理にも生かされている．

料理ははじめ膳に図2-2のように配し，順次1品ずつ供する．椀盛り，小吸物以外は一つの器に盛って供し，各自が取り分けて次に回す．

- 汁　　　……みそ仕立て
- 向　付……主としてなます，すなわち魚介類の酢の物
- 椀盛り……煮物．3品ぐらいを取り合わす．
- 焼　物……蒸し物，煮物を用いることもある．
- 強　肴……進肴，預け鉢などともいう．主人のその日の心入れの料理
- 小吸物……箸洗い．淡白なすまし汁．次に出る八寸を味わうため口を整える．
- 八　寸……八寸四方の白木の折敷に2，3品盛り合わす．次に出る冷酒の肴にする．
- 湯とう……食後の口清めの湯で，焦げ湯を使い，塩で味を調える．

（3）会席料理

江戸時代に本膳料理と懐石料理のそれぞれの形

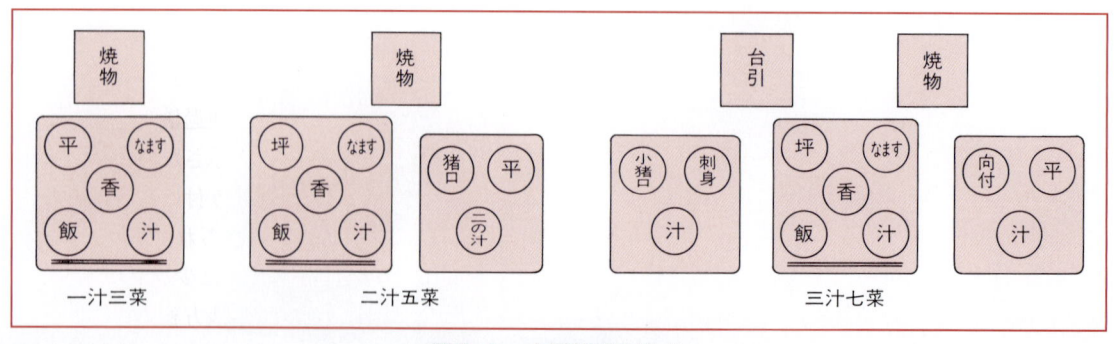

図2-1　本膳料理の形式

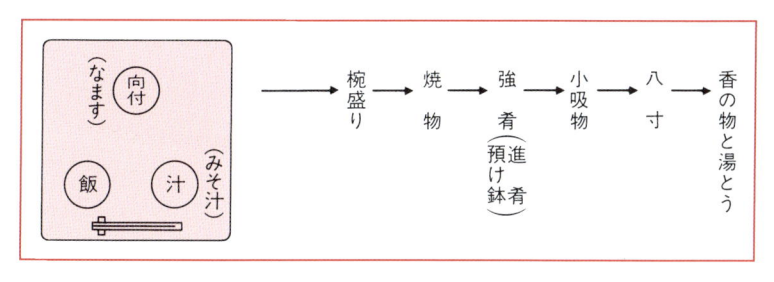

図2-2　懐石料理の形式

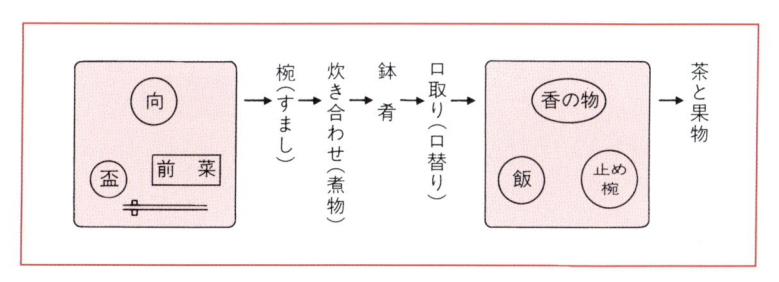

図2-3　会席料理の形式

式や精神をうまく取り入れながら，料理屋での饗宴料理として発達した料理である．現在でもこの料理形式が和風客膳料理の主流として定着している．

料理は図2-3のように，はじめ膳に杯，前菜，向を配し，その後は順次1品ずつ供する．酒が終わってから最後に飯，止め椀，香の物を供する．飯と香の物をのぞき，前菜から止め椀までの料理を奇数にし，五品献立，七品献立などと呼ばれる．

○前　菜……先付，お通し，突き出しともいう．
　　　　　　山海の珍味2，3品盛り合わす．
○向（向付）…生魚の酢の物または刺身
○椀　　……すまし仕立て
○炊き合わせ…煮物
○鉢　肴……魚や鳥肉を焼物，揚げ物，蒸し物にする．
○口取り……山海の珍味2，3品を深目の小鉢に盛り合わす．
○止め椀……みそ仕立て

（4）精進料理

殺生を禁ずる宗教的戒律に基づき，肉類や魚類を用いず植物性食品だけを用いる．寺院で発達し，その後一般にも浸透した料理．たんぱく源としての大豆の利用法が豊富である．淡白な味わいであるが，調理法を工夫して肉や魚の外観や触感を模した料理もある．

献立は本膳料理に準じて立てられる．

「普茶料理」は黄檗宗派の精進料理で，油を使用した調理法や一卓で食する食事作法はこれまでの精進料理と若干異なり，中国風精進料理，寺卓袱ともいわれる．

（5）その他

日常家庭料理：現在の家庭における日常食の献立構成には，本膳料理以来の料理の組合せの基本が受け継がれている．すなわち，ご飯と汁物に主菜および副菜1～2品，漬け物の組合せは一汁三菜の形式であり，主に夕食の献立の理想とされる．また，朝は菜の数は少なくても，ご飯とみそ汁を中心とした食習慣がつくられてきた（図2-4）．

行事食：年中行事，人生の通過儀礼などにおいてはそれぞれ独自の料理が継承されてきた．

これらの料理では材料や盛り付けなどに縁起を担ぐなど，人々の思いが込められている．近年，行事食を家庭で用意することは少なくなったが，正月のおせち料理は現在も各地方独特の料理として継承されている．

第2章●日本料理　19

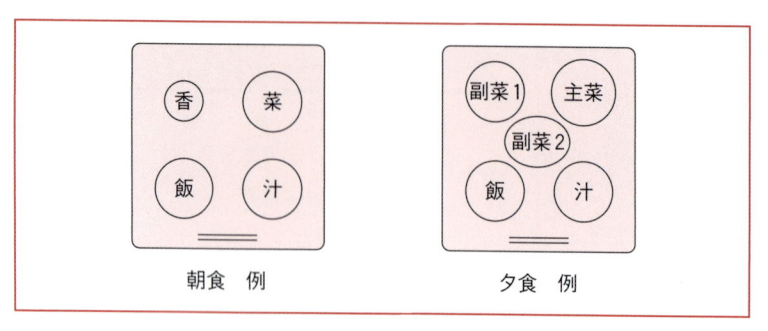

図2-4　家庭料理の形式

重詰料理：江戸時代，遊興の普及とともに，屋外での食事を可能にしたのが重詰料理である．正月のおせち料理，折詰，弁当などにその名残をみることができる．

卓袱料理：卓袱とは本来，卓を覆う布のことで，卓上で供される料理を示すようになった．江戸時代の鎖国の間，長崎で交易を行った中国やポルトガル，オランダの人々から伝えられた料理を日本風にしたもので，当時，長崎料理とも呼ばれた．

2) 日本料理の食事作法

食事作法は食物に対する畏敬の念，主人（調理者）に対する感謝の気持，他の人たちに対する心使いなどに美的感覚を加味して長い間に目に見える形となって定着したものである．これらは合理的でもあるため，今日まで受け継がれてきたので，次代に継承することは意義がある．

(1) 席の座り方

床の間のある部屋では床の間のすぐ前が正客の席で，違い棚や床脇のすぐ前が次客の席となる．以下交互に座り，床の間からもっとも遠い席が末席で主人が座る．床の間のない部屋では入口から遠い席が上座となる（図2-5）．

着席したら背筋をのばして正座し，疲れたときは見苦しくない程度にくずす．

中座は原則としてしない．止むを得ないときは左右の人にそっと会釈して目立たないように席を外す．

図2-5　席の座り方

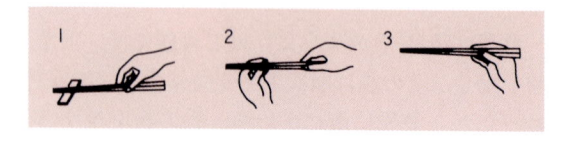

図2-6　箸の取り方

(2) 箸の扱い方

箸（銘々箸）は最初，食卓または膳の上に，手で持つほうを右に，食物を挟むほうを左にして箸置きにかけて置かれている．

これを右手で上から取り上げ，左手で受けて右手を下側に回して持ち替える（図2-6）．なお箸を置くときはこれの逆に行う．

箸を持った形は1本を人差指と中指と親指で挟み，もう1本を薬指と親指のつけ根で支える形が美しく，また合理的である（図2-7）．

食べる最中には迷い箸，ねぶり箸，探り箸，刺し箸，移り箸，寄せ箸などの箸使いはしてはいけない．

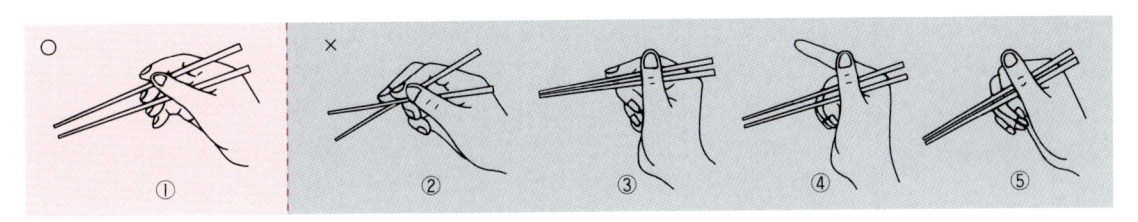

図2-7　正しい箸の持ち方①と望ましくない箸の持ち方②～⑤

（3）茶碗，汁椀の持ち方

　食卓または膳の上に，茶碗は左側，汁椀は右側に置かれている．茶碗や汁椀は食卓または膳から持ち上げて食べる．

　茶碗や汁椀を持つときは，まず両手で椀を手に取り，左手にのせたら左手の人差指から小指までの四指をそろえて糸底にかけ，親指を縁にかける．椀を持っているときに箸を手に取る場合は，右手で箸置きから箸を持ち上げ，左手の小指と中指の間に箸先をはさんで固定しながら，右手を箸の下に移動させてから箸先を左手から離す．

　もし，茶碗や汁椀，平などに蓋があるときは左手を器本体に添え，右手で蓋の糸底を持って蓋を取る．

（4）食べ方の作法

① 食事開始の挨拶があったら，右手で箸を取り，左手で汁椀を取って箸先をぬらしてから一口吸う．
② 汁椀を置いて茶碗を取り，飯を一口食べる．左手にはそのまま茶碗を持ち，次に菜を食べる．こうして飯と菜を交互に食べる．汁を飲むときは茶碗を置いて汁椀に持ちかえる（会席はこれと異なる）．
③ 刺身はつけたしょうゆ滴を落とさないようにする．つまは全部食べてよい．
④ 焼き物は身をひっくり返してはいけないので上身から食べ，頭と骨を外して下身を食べる．あゆやますは身がやわらかいので，尾を折り取って頭を持ち中骨をゆっくり引き抜く．
⑤ 飯と汁はおかわりができる．おかわりをするときは箸を置いて両手で茶碗を差し出す．おかわりを受け取ったらいったん膳の上に置き，箸を取ってからあらためて茶碗を取る．
⑥ 取り回しの料理（大皿盛り）は菜箸（取り箸）を使う．菜箸の取り上げ方は銘々箸と同じ．
⑦ 食べ物は残さない．もし食べられないようなら箸をつけない．食べ残したものや魚の骨などは見苦しくないようにまとめる．

（5）食事に関する作法

① 食前・食後の挨拶をていねいに行う．
② 食卓に肘をつかない．
③ 食べ物を口に入れたまま，また箸や食器を持ったまま話をしない．
④ ご飯と汁以外の料理は食器を置いたまま食べてよいが，膳や食卓の上に身を屈めない．
⑤ 食べる音（めん類をのぞく）やすする音，食器の音をたてない．

3）日本料理の食器（和食器）

　日本料理では料理に合わせて食器を選択し，料理と食器との総合された芸術性を追求するため，食器の材質や形状が多種多様である．

（1）和食器の材質による分類

陶磁器：陶器は重いが，やわらかく温かみがあり，また渋さをもつので，おもに秋・冬に用いられ，磁器は軽いが，かたくて光沢があり，冷たさをもつので，おもに春・夏に用いられる．

漆　器：木製なので軽く，また保温性があり，表面に塗りが施されているのでつやがあり美しい．椀，膳，盆，茶托，菓子器，重箱などに用いられる．漆器は塗りがはがれないように手入れに注意を要する．

白木製品・竹製品：日本料理の風情を高めるのに有用である．水分が製品を早く傷めるので，使用後洗ったらよく乾燥させる．

第2章●日本料理　21

ガラス製品：ガラス食器は透明で美しく，涼感，清潔感にあふれているので，飲物や刺身，酢の物，サラダなどを盛り付けるのにふさわしい．ガラス食器には普通のガラス（ソーダガラス）とクリスタルガラス（カットグラス）がある．カットグラスはカットの一つ一つをていねいに洗う．

その他：金属製，プラスチック製などのほか，簡易な使い捨ての食器がある．

（2）和食器の形状と図案

和食器の形状は用途によっても異なるが，一般的には丸く少し深みがあって積み重ねられるようにつくられている．焼き物皿は長方形のものが多い．しかし，小鉢や土びん蒸し用など積み重ねにくい特殊な形状のものもある．

和食器の図案は花鳥風月や山水画を原典として季節感にあふれるもの，幾何学模様など，季節を問わず使用できるもの，おめでたいデザインなど，多岐にわたっているので目的に応じて選択する．

基礎編 2 飯　物

米は日本人の食生活において，主食として長い間慣れ親しまれてきた食べ物である．近年，米の消費量は少なくなったが，味付け飯や寿司は行事食やもてなしに利用され，丼ものは手軽に主食と副食が摂れるので広く好まれる．

1）炊飯の原理

米は水分約15％の乾物であるが，炊きあがった飯の水分は60～65％となっている．炊飯とは米に水を加えて加熱し，米のでんぷんを均一に糊化させ，消化しやすくさせる操作である．この炊飯の過程には洗米，加水・浸漬，加熱，蒸らしの段階がある．でんぷんを均一に糊化させるためには炊飯の各過程での水の吸収が重要である（図2-8）．

洗米：米表面の糠などの除去，米質量の10～15％が吸水．

加水・浸漬：米の質量の1.5倍，容量の1.2倍を加水（自動炊飯器の場合は機種による）する．

30～60分の浸漬で米質量の20～30％が吸水．

加熱：十分吸水されたでんぷんを糊化させる．糊化には98℃で20分間の加熱が必要である．

蒸らし：米表面に残る水分を吸水させる．米粒内の水分の分布を均一化する．

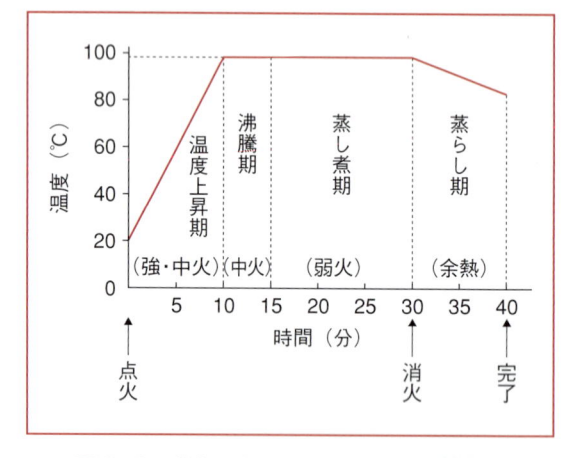

図2-8　炊飯における火力調節と炊飯過程

2）味付け飯

塩味飯としょうゆ味飯がある．味付け飯には飯に具を加えることが多い．具は初めから入れて炊く方法と，具を別に煮て飯に混ぜ込む方法とがある．具を入れて炊く場合は，材料の水分を考慮して加水量を加減する．

（1）塩味飯

米を吸水させた後，塩を加えて炊く．

あずき飯：あずきのゆで汁で水加減をし，煮あずきを加えて炊く．

いも飯：さいの目に切ったさつまいもを加えて炊く．

くり飯：皮をむいたくりを一緒に入れて炊く．

表2-1　すし飯の合わせ酢の配合割合（米質量に対する%）

	にぎりずし	ちらしずし	巻きずし	いなりずし	米1カップに対する概量
酢	13〜15	13〜15	13〜15	13〜15	20〜24
塩	1.2〜1.5	1.5	1.5	1.5〜1.8	2〜3
砂糖	1.0〜1.2	3〜5	3〜5	5〜6	2〜10

えんどう飯：グリンピースが入る（日本料理実習編／ご飯物）．

その他：菜飯，枝豆飯，茶飯など．

（2）しょうゆ味飯（桜飯）

米を吸水させた後，しょうゆを加えて炊く．しょうゆだけで調味すると色が濃くなるので，塩も使用する．

五目飯：にんじん，しいたけ，鶏肉，油揚げ，ごぼう，こんにゃくなど種々の具が入る．

まつたけ飯：まつたけが入る．

たけのこ飯：扇やいちょうに薄切りしたたけのこが入る（日本料理実習編）．

その他：山菜飯など．

3）すし

炊きあがった白米飯に合わせ酢を加える．炊飯の際には合わせ酢の分量を減量して加水し堅めに炊く．炊き水を昆布だしにしたり，みりんを加えて炊く場合もある．

（1）合わせ酢

一般に関西では甘味をきかせ，関東では甘味の少ない味にする．また，すしの種類によっても違ってくる．たとえば，にぎりずしは生魚を使うので甘味を控え，巻きずしやいなりずしは甘味を強くする．表2-1に合わせ酢の配合例を示す．これらは一煮立ちさせ，冷ましておく．

（2）すし飯

炊きあがった飯が熱いうちに，はんぎり（すし桶）などの広い器に移し，合わせ酢をかける．1〜2分おいてから，うちわなどで風を入れながら，粘りを出さないためにしゃもじを立てて切るようにして混ぜ合わす．

（3）すしの種類

巻きずし（のり巻）：のりで巻いて輪切りにする．巻く材料によって太巻き，鉄火巻き，きゅうり巻き，新香巻き，巴ずし，花ずしなどがある．

だて巻き：のりの代わりにだて巻き卵で巻く．巻きずしの応用．

いなりずし：油揚げを甘辛く煮てすし飯を詰める．

ちらしずし（五目ずし）：味をつけた具を混ぜ込む．または上に飾る．

押しずし，棒ずし：巻きすにふきんを敷き，そぎ切りにしたしめさばなどを長方形に置き，その上にすし飯をのせて長方形に形づくる．しめさばの押しずしをバッテラともいう．

箱ずし：木枠を使って押しずしをつくる．

にぎりずし：すし飯を一口大ににぎり，その上にすし種をのせる．

その他：柿の葉ずし，茶巾ずしなど．

（4）すしの盛付け

新しょうがの薄切りや新芽の部分を筆しょうがに整形したものをさっとゆでて水を切り，三杯酢に浸した酢どりしょうが（p.83参照）を添える．

巻きずしや棒ずしのように切ってから盛り付けるものは切り口を美しくする．

4）もち米の調理

もち米はうるち米に比べ加熱すると強い粘性をもつ．また，うるち米よりでんぷんの糊化に必要な水が少ない上に，水浸漬による吸水が多いので，うるち米のような炊飯を行うことができない．そのため，もち米は蒸す（おこわ）かうるち米と合わせて炊きおこわとする．

（1）蒸しおこわ

洗ったもち米は定量の水（米の質量の1倍）に一晩浸しておく．

せいろまたは蒸し器に目の粗いふきんを敷いて吸水させた米を入れ，強火で蒸す．途中で浸し汁を2，3度ふりかけて（打ち水または手水という），40分ほど蒸す．

炊き上がったらはんぎりなどの広い器に移して手早くあおいでつやを出す．

（2）炊きおこわ

もち米とうるち米の配合は好みによるが，7：3が標準である．使用するもち米質量の1.0倍，うるち米質量の1.5倍の水をそれぞれ合わせて，通常の方法で炊飯する．炊き水に粘りが出やすいので湯炊きをすることもある

5）どんぶり物

白米飯の上に具および煮汁やたれをかけて食べる．食事として簡便でしかも米飯のおいしい食べ方である．上にのせる具をかえることによっていろいろ変化させることができる．

（1）どんぶり物の種類

親子どんぶり：鶏肉と卵を基本とする．
他人どんぶり：豚肉と卵を基本とする．
てんぷらどんぶり（てんどん）：てんぷらをたれで煮てのせる．
うなぎどんぶり（うなどん）：うなぎの蒲焼きをのせてたれをかける．
かつどん：とんかつを合わせだし汁で煮て卵でとじてのせる．
その他：木の葉どんぶり，きつねどんぶり，とろろどんぶり，柳川どんぶり，深川どんぶり，牛どん，卵どんぶり（玉どん），鉄火どんぶりなどがある．

（2）どんぶり物のコツ

① 煮汁やたれは，飯といっしょに食べて丁度よく感じるように，通常より濃い目に仕上げる．
② 飯は炊きたての熱いものを用いる．冷めていると汁を吸い込まず，じゃぶじゃぶする．
③ つくっておくとふやけてまずくなるので，食べる直前につくる．
④ 具は火が通りやすいように切る．大きいと煮えるまでに煮汁が煮詰まってまずくなる．

基礎編 3　めん類

めん類は米とともに日本人になじみの深い食品で，四季折々に米に替えて主食にされることも多い．夏には冷たく，冬には温かくして供すると季節感が増し，食欲が増す．

1）めんの種類

（1）原材料・製法の違いによるめんの分類

うどん：小麦粉を水，塩とともにこねる．細めに仕上げたものをひやむぎという．
そうめん：うどんと同様にしてひやむぎよりさらに細くしたもの．
そ　ば：そば粉のみ，あるいはそば粉に小麦粉，やまいもなどを加えてこね，細く線状に切ったもの．その際，そばの実全粒を粉にしてつくる黒っぽい玄そばと，胚乳部のみを粉にしてつくる白っぽい更級そばがある．また，種々の材料を配合して卵そば，茶そば，しそそば，ごま切り，ゆず切りなどがつくられる．そば粉のみのものを十割そば，小麦粉を二割混ぜたものを二八そばという．
その他：きしめん（名古屋），やせうま（大分），ほうとう（山梨）などのように，日本各地に伝統的なめん料理がある．

（2）仕上がり状態によるめんの分類

生めん：打ったままのもの．生うどんなど．
乾めん：打ってから乾燥させる．日持ちがよくなる．干しうどん，そうめんなど．
半生めん：半乾きさせる．半生うどんなど．

（3）打ち方による分類

手打ち：手でこねるので腰はばらつき，包丁で切るので太さは不ぞろいだが，風情がある．

機械打ち：機械によるので腰の強さや太さがそろうが，面白味がない．

手延べ：よく練った生地に食用油を塗って，よりをかけながら引き延ばし，めん状にして天日乾燥をしたもの．冬季につくり，梅雨明けまでねかせる（厄（やく）という）と，独特の触感が得られる．

（4）食べ方の違いによるめんの分類

かけめん：かけ汁の中で煮たり，かけたりして汁にめんがつかる状態で供する．関東風は汁の色が濃く，関西風は色が薄い．

つけめん：めんとつけ汁を別々に準備し，つけ汁をつけながら食べる．この際，めんはザルに上げておく方法と水に浸しておく方法がある．ザルそば，冷やしそうめんなど．

温めん：めん，汁ともに温かい状態で供する．釜上げうどんなど．

冷めん：めん，汁ともに冷たい状態で供する．冷やしそうめんなど．

2）めん類の調理法

（1）めんのゆで方

めんの量の10倍以上の水を沸騰させ，めんがくっつかないようにほぐしながら入れる．乾めんの場合は，鍋の中央で少しずつ垂直に落とすと放射状に広がるので，片手で落としながら他方の手で混ぜるとよい．

ゆで時間はめんの太さで加減する．吹きこぼれないように火力を調節してゆでる方法と差し水をしながらゆでる方法がある．

ゆで上がったらザルにあけ，ザルごと冷水に取り，2，3度水をかえて冷ます．めんが完全に冷えてから冷水の中でもむようにして洗う（もみ洗い）．

（2）めん料理のコツ

① めんのおいしさは"腰"とよばれる歯ごたえによるのでゆですぎない．特に，そうめんなどは細いため，余熱でゆだるので早めに消火する．

② ゆでたらすぐに供する．長くおくと腰がなくなる．特に，かけめんの場合は汁を吸ってふやけてまずくなる．

3）めん類の供食法

（1）めん類の汁（つゆ）

表2-2を参照のこと．

（2）薬　味

風味を添えるために薬味は大切である．香辛料はうどんには七味，そうめんにはおろししょうが，そばにはわさびが合う．

ほかには刻みねぎ，さらしねぎ，もみのり，糸切りのり，おろしだいこん，紅葉おろし，ごま，せん切り青じそなど．

表2-2　めん類の汁の種類と調味料の配合割合　　　（容量%）

		ゆでめんに対する必要汁量（質量%）	混合だし汁	しょうゆ	塩	みりん
かけ汁	関東風	100～150	100	8～10		
	関西風	120～150	100	白3～5	0.5～1	3
つけ汁	水切りめん	25～40	100	25		25
	水浸めん	25～40	100	30		30

基礎編 4 煮だし汁

煮だし汁は汁物に限らず，煮物，和え物などにも用いるもので，日本料理において基本となる重要なものである．特に汁物においては，煮だし汁の取り方が仕上がりを左右するので，細心の心づかいが必要である．

1) 煮だし汁の材料

かつおぶし：かつおの身をゆでた後，焙乾した荒ぶしと，さらに黴付けして乾燥させた枯れぶしがある．形により本ぶし，亀ぶし，これらを削った花かつおなどがある．削りたてが香りがよく，いったん削ったものはパックを開けると風味が損われるので，早く使い切るなど用い方に注意をする．かつお以外にさば節も利用される．

こんぶ：まこんぶ，利尻こんぶ，日高こんぶなどがある．こんぶのうま味成分は水に溶けやすいので，こんぶ表面の汚れはかたく絞ったふきんでふく程度でよい．

煮干し（いりこ）：小型のかたくちいわしを塩水でゆでて干したもので，油焼けしたものや頭部の落ちたものは避け，皮はげの少ない，よく乾燥したものを用いる．

干ししいたけ：しいたけを乾燥させたもので，乾燥過程で生しいたけにはない香り成分が生成される．傘があまり開いていない肉厚の冬菇（どんこ）と傘の開いた香信（こうしん）があり，出し材料には後者が用いられる．

貝・えび類：なまものはそのまま煮て煮だし汁としたり，干したものは十分にもどして，そのもどし汁を用いる．

その他：野菜類は煮だして用いる．

2) 煮だし汁の取り方

だし材料の水に対する使用割合は表2-3のとおりである．異なるうま味成分を持つ材料を組み合わせるとより一層おいしくなる．特にかつお節と昆布の組み合わせは最上である．

表2-3　だし材料の種類と使用量

種類	だし材料	使用割合（汁に対する%）	うま味成分
かつお節だし	かつおぶし	2～4	イノシン酸
こんぶだし	こんぶ	2～4	グルタミン酸
混合だし	かつおぶし こんぶ	1～2 1～2	イノシン酸 グルタミン酸
煮干しだし	煮干し	3～4	イノシン酸
精進だし	干ししいたけ こんぶ	3～4	グアニル酸 グルタミン酸

（1）かつおぶしだし（一番だし）

必要な分量の2割増しの水を火にかけ，沸騰直前にかつおぶしを入れる．沸騰したら直ちに火を消すか，弱火にして1分ほど加熱する．しばらく静置すると沈殿するので上澄みをふきんでそっとこす．

（2）かつおぶしだし（二番だし）

一番だしを取った後の材料に，最初の半量の水を入れて火にかけ，沸騰後2～3分加熱してから火を消す．しばらく静置すると沈殿するので上澄みをふきんでこす．または，一番だしを取った後の材料にかつおぶしを追加し（追いがつおという），分量の水を入れて同様にする．

（3）こんぶだし

水に60分程度浸漬して取り出す水出し法と，水に30分程度浸漬してから火にかけ，沸騰直前に取り出す煮出し法がある．

（4）混合だし

こんぶを水から入れて火にかけ，沸騰直前に取り出す．そのあとかつおぶしを入れ，沸騰したら火を消ししばらく静置すると沈殿するので上澄みをふきんでこし取る．

（5）煮干しだし（いりこだし）

煮干しは頭，内臓，上皮を取り除き，必要な分量の2割増しの水にしばらくつけておいてから火にかける．沸騰したら蓋をしないで4～5分間ア

クを取りながら加熱する．火を消した後，煮干しを取り出す．小魚の煮干しを地方により"いりこ"という．

基礎編 5 汁　物

日本料理の献立構成では汁物はなくてはならないものである．他の料理に先立ち最初に味わうものであるため，きちんととった煮だし汁に椀種や吸い口を工夫して季節感を出すようにする．

日常食における汁物は主食と副食の間に食され，食欲を増進するのに役立つ．

1）汁物の種類

（1）汁の状態による汁物の分類

澄んだ汁：汁が透明．すまし汁，潮汁など．
濁り汁：汁が不透明．みそ汁，かす汁など．
とろみのある汁：汁にとろみがついている．かきたま汁，薄くず汁など．

（2）調味料の違いによる汁物の分類

すまし汁（吸い物）：塩としょうゆでやや薄味に味付けする．椀種や煮だし汁に心を払い，来客用に整えられる．
潮汁：魚や貝類を煮出してそのうま味を味わうもので新鮮な材料を用いる．昆布も用いるとうま味が増す．はまぐりの潮汁，たいの潮汁など．
かきたま汁：薄いくず仕立てにして溶き卵を細く流し込む．
みそ汁：みそで調味した汁．赤だし，信州みそ仕立てなど．
かす汁：酒かすを溶いて入れた汁．三平汁など．
とろろ汁：自然薯などをすり下ろし，煮だし汁またはみそ汁でのばした汁．
すり流し汁：魚介類をすりつぶし，煮だし汁またはみそ汁でのばした汁．
うの花汁：おからを溶かした汁．
その他：呉汁，納豆汁など．

（3）実の多少による汁物の分類

① **普通の汁**
すまし汁，みそ汁など．
② **実だくさんの汁**
けんちん汁：くずした豆腐とせん切り野菜を炒めてすまし仕立てにした汁．
船場汁：塩したさばとだいこんを煮て塩味に仕立てた汁．
沢煮椀：野菜と豚バラ肉をせん切りにして，しょうゆ仕立てにした汁．
さつま汁：鶏肉や豚肉とだいこんやにんじんなどの野菜を煮てみそ仕立てにした汁．
その他：三平汁，のっぺい汁，雑煮など．

2）汁物のつくり方

（1）汁物の味付け

汁物の味付けは，塩分濃度を汁の0.7〜1.0％に仕上げるのが標準である．塩のほかにしょうゆ，みそなどで調味するが，それぞれに含まれる塩分濃度は使用するものによって異なるので，塩分の概量を計算して使用量を調節しなければならない．

（2）椀種とつま（椀つま）

椀種は汁物の中心になる実である．
椀種には，魚介類，練り製品，鳥肉，野菜，卵，きのこ類，海藻類，大豆製品など，あらゆるものが使用される．通常，季節のものを中心にこれらの中から1, 2種選ぶ．
つま（椀つま）は椀種に取り合わせて色彩や栄養の調和をはかるもので，野菜，きのこ類，海藻類などを少量取り混ぜて用いる．
椀種とつまは重複しないようにする．

3）汁物の盛り付け

（1）器と汁の張り方
器は原則として椀を用いる．汁物の盛り付けは椀の六分目（来客用）から七分目（家庭用）とする．最後に吸い口を入れる．

（2）吸い口
吸い口は汁物の香りと風味を高めて食欲を増進させるためのもので，汁物の仕上げには吸い口を少量加える．汁の熱で香りが飛ばないように吸い口を入れてから蓋をしたり，蓋の糸底に置いて供し，食する寸前に各自で入れるなどの方法がある．

吸い口は椀種やつまに香りのあるものを使うときは必要ないが，慣例的に茶碗蒸しでは椀つまにみつばを用い，吸い口としてゆずや木の芽を用いる．

吸い口の種類には，木の芽，みつば，ゆず，さんしょう，しょうが（針しょうが，露しょうがまたは忍びしょうが），みょうが，ねぎ，青じそ，あさつきなどがある．

基礎編 6　煮　物

煮物は煮だし汁または水に各種の調味料を加えて加熱する料理である．食品に調味料の味や香りを加えつつ，材料の持ち味を損なわないように加熱する．日本料理ではもっとも一般的で，かつ種類も多い．

1）煮物の種類

（1）調味料の種類や濃度による煮物の分類

砂糖煮（甘煮）：砂糖をきかす．きんとん，いも，きんかん，果物など．みりんを用いる場合もある．さといも，油揚げ，かぼちゃなど．

甘露煮：小魚や貝類をしょうゆと砂糖，みりんで甘味をきかせて煮る．こい，ふな，あゆ，わかさぎなど．

みそ煮：おもに赤みそと砂糖，酒で煮る．さば，豚肉とこんにゃくなど．

塩　煮：塩だけで煮る．青豆，たこ，じゃがいもなど．

しょうゆ煮：しょうゆをきかす．鶏レバーなど．

しょうが煮（時雨煮）：おろししょうがまたは刻みしょうがを入れる．魚，肉類など．

梅　煮：梅干しの裏ごしを入れる．ゆり根，れんこん，いわしなど．

かか煮（土佐煮）：かつおぶしを入れる．こんにゃく，にんじんなど．

酒　煮：酒を入れる．あさり，はまぐりなど．

酢　煮：酢をきかす．れんこん，にんじん，だいこんなど．

おろし煮：だいこんおろしを入れる．さば，ながいもなど．

その他：とうがらし煮，ごま煮，かす煮，吉野煮またはくず煮，そぼろ煮など．

（2）仕上がりの色による煮物の分類

緑　煮（あお煮）：緑色に仕上げる．えんどう，ふき，オクラなど．

桜　煮：薄いしょうゆ色．たこなど．

白　煮：白く仕上げる．れんこん，ごぼう，ながいもなど．

その他（つや煮，照り煮）：照りを出して味濃く煮たもの．黒豆など．

（3）形による煮物の分類

丸　煮：切らないでそのまま煮たもの．なす，さといもなど．

姿　煮：切らないでそのまま煮たもので，魚類の場合．

袋　煮：切らないでそのまま煮たもので，いか，油揚げなど．

その他：かぶと煮（魚の頭をかぶとに見立てる），茶せん煮（なすに茶せん様の切り目を入れる），巻き煮など．

表2-4 おもな煮物の調味料配合割合

(材料100gに対する%)

	煮だし汁	砂糖	みりん	塩	しょうゆ	その他
煮付け(濃)	30～50	3～5			10	酒5
(淡)	30～50	3～5			5	
白　煮	30～50	3～5	10	1		
含め煮	80～100	3～5		0.5	5～8	
うま煮	80～100	5	10		10	
煮込み(濃)	80	5	20		20	
(淡)	80	10		1.0	5	
みそ煮	50～70	5			2～3	みそ10～15 酒5
酢　煮	30	8～10	5	1.5～2		酢10～20
つくだ煮		15			50	

（4）煮方の違いによる煮物の分類

含め煮：十分な量の煮汁で煮て消火後そのまま汁につけて味を含ませる．ふろふきだいこん，さといも，高野豆腐，がんもどき，煮浸しなど．

煮しめ：含め煮より少なめの煮汁で煮て，しっかり味をしみ込ませる．しいたけなど．

煮付け：煮しめより煮汁を少なめにして短時間で仕上げる．魚など．

煎り煮：鍋をかき混ぜながら汁気がなくなるまで煮る．炒りどりなど．

絡め煮：はじめ煎ってから砂糖じょうゆで絡める．たづくりなど．

炒め煮：炒めてから調味液で煮る．きんぴらごぼう，ひじき煮物など．

揚げ煮：揚げたものを煮る．豆腐，なすなど．

おもな煮物の調味料配合割合を表2-4に示す．

2）煮物の方法

（1）煮物における調味料の扱い方

調味料に砂糖を用いるときは，最初に砂糖を入れ，砂糖の量が多いときは2，3回に分けて入れる．塩，しょうゆなどの食塩を含むものは砂糖を加えてしばらく煮た後に加える．みりんなどのアルコール含有甘味料は，照りやうま味を与えるだけでなくアルコールの働きにより，魚や肉の生臭味を消し，煮くずれを防ぐ働きがある．

（2）煮物のコツ

煮物は煮る材料の種類と大きさ，煮汁の種類と量によって煮方がかわる．

① 魚を煮るときは，煮汁が沸騰してから入れる．そのあと火を弱めて落とし蓋をする．また竹皮やアルミ箔，クッキングシートなどにのせて煮ると煮くずれや皮はげを防ぐことができる．

② 野菜は特有の色を損わないために，火が通ったら汁と野菜を分けて冷まし，冷めたら再び合わせて味を含ませる．また，煮すぎると野菜特有の歯ごたえがなくなるので，火を通し過ぎないようにする．

③ いも類や根菜類は調味料と熱の浸透を均一にするために，切り方（大きさ）をそろえる．沸騰するまでは強火，沸騰したら弱火にして材料が踊らないように落とし蓋をする．

④ 多種類の材料を煮るときは，煮えにくいものから時間をずらして煮る．

⑤ 落とし蓋は煮汁を材料全体に行きわたらせ，材料が煮汁の中で踊って煮くずれするのを防ぐことができる．鍋より一回り小さいものを用いるが，材質は木，金属のほか，紙，アルミ箔，クッキングシートなど，煮る材料に合わせて選ぶ．

3）煮物の盛り付け

一般的には円型の浅型の器に，中央にこんもり立体的に盛り付ける．

配色を考えて中央や横に季節の木の葉（紅葉，松葉，南天など）や草花（なすやきゅうりの花，笹の葉）などをあしらうと風情が出る．

基礎編 7 蒸し物

　蒸し物とは，食品を水蒸気の発生する室の中に置き，水の気化熱を利用して加熱する料理で，材料の風味や持ち味が生かされ，調理中の焦げや形くずれがない．加熱途中で調味することはなく，予め調味しておくか蒸し上がってから調味する．

　材料に調味してから蒸すものと，下ごしらえの過程として用いられる場合がある．

1）蒸し物の種類

（1）調味料の種類による蒸し物の分類

　素蒸し：下処理した材料をそのまま蒸す．蒸しおこわ，ふかしいもなど．
　塩蒸し：塩味をつけて蒸す．貝類など．
　酒蒸し：酒，塩で調味して蒸す．貝類など．
　酢蒸し：酢，塩で調味して蒸す．貝類など．

（2）蒸す器による蒸し物の分類（器ごと供する）

　茶碗蒸し：茶碗蒸し用茶碗に各種の具を入れ，卵汁を張って蒸す．
　土びん蒸し：土びんにまつたけ，ささ身，しゅんぎくなどを入れて蒸す．
　鉢蒸し：汁の出るものや汁とともに蒸すものは鉢を用いる．白身魚のかぶら蒸しなど．
　皿蒸し：汁の出ないものに用いる．
　殻蒸し：貝殻や甲羅に材料を入れ，殻ごと蒸す．
　その他：宝蒸し（かぼちゃを器にして蒸す），ちり蒸し（ちりれんげに乗せて蒸す），饅頭蒸し（小麦粉の皮に魚，肉，野菜，あずきなどのあんを包んで蒸す），流し型で蒸す（金銀豆腐，二色卵）など．

（3）蒸す材料にちなんだ蒸し物の分類

　けんちん蒸し：豆腐，にんじん，しいたけ，きくらげ，ぎんなんなどを用いる．
　信州（そば）蒸し：ゆでたそばを用いる．そうめんを用いると白滝蒸しになる．
　かぶら蒸し：すりおろしたかぶらを用いる．白身魚のかぶら蒸しなど．
　南蛮蒸し：小口切りしたねぎをのせる．
　道明寺蒸し：道明寺粉をのせたり，道明寺粉で包んだりして蒸す．
　木の葉を使った蒸し物：柏蒸し，桜蒸し，笹の葉蒸しなど．
　その他：薯よ蒸し（すりおろしたやまいも），南禅寺蒸し（豆腐の裏ごし），空也蒸し（角切り豆腐），小田巻き蒸し（うどん），蓮蒸し（れんこん）など．

2）蒸す方法

（1）火加減

　弱火で蒸すもの：茶碗蒸し，小田巻蒸しなど．
　中火で蒸すもの：まんじゅうなど．
　強火で蒸すもの：魚類，赤飯，など．

（2）蒸し物のコツ

① 湯が沸騰し蒸気があがってから材料を入れる．
② 水は蒸し器の蒸し底七～八分目までとし，空炊きしないように注意し，湯が足らないときは熱湯を補う．
③ 蒸す材料に蓋をしない場合や蒸し器に直接置くものでは蓋の内側にふきんを挟む．
④ 蒸し加減は指で押さえて弾力のあるもの，また中央に竹串を刺して濁り汁が出なければよい．
⑤ 卵を用いた蒸し物では，鍋の中を90℃以下に保つとすが入らない滑らかな蒸し物ができる．あるいは強火で短時間加熱し，消火して余熱で火を通す方法もあるが，その場合，

表2-5　くずあんの配合割合　　　　（質量%）

	煮だし汁	でんぷん	しょうゆ	砂糖	その他
薄くずあん	100	2～5	10	3～5	
酢くずあん	100	2～5	10	3～5	酢10
ごまあん	100	2～5	10	3～5	すりごま10

注1）しょうゆは一部または全部を塩にかえることができる．全部かえたものを水晶あんともいう．
　2）そのほか，そぼろあん，若菜あん，ゆずあんなどがある．

器や量によって加熱時間が異なるので予め加熱時間を検討して行う．

3）蒸し物の供し方

蒸し物は淡白な味付けなので蒸し上がってから吸い出し，くずあん（表2-5），ぽん酢などをかけ，吸い口を添えて供することが多い．

蓋のある食器はすばやく蓋をし，熱いうちに供する．

基礎編 8 焼き物

食品に直接乾熱を加えて加熱することにより，表面に焼き目をつけて香ばしさを出し，独特のうま味を生成する調理法である．加熱の方法により，網などにのせて直接火に当てる直火焼きと，フライパンや鍋などを使って火を直接当てない間接焼きとに分けられる．

1）焼き物の種類

（1）焼く器具による焼き物の分類

串焼き：串を打って直火で焼く（図2-9）．
蒸し焼き：天火などを用いて材料の全面から加熱する．
網焼き：網にのせて直火で焼く．
鍋焼き：鍋を熱して油をひいて焼く．しぎ焼きなど．
鉄板焼き：鉄板に油を引いて焼く．焼き肉，どら焼きなど．
陶板焼き：陶板を熱して油を引いて焼く．焼き肉など．
ほうろく焼き：ほうろく（素焼きの平たい土鍋）に松葉または小石を敷いて蓋をして焼く．まつたけなど．
壺焼き（貝類）：貝類を殻ごと直火で焼く．サ

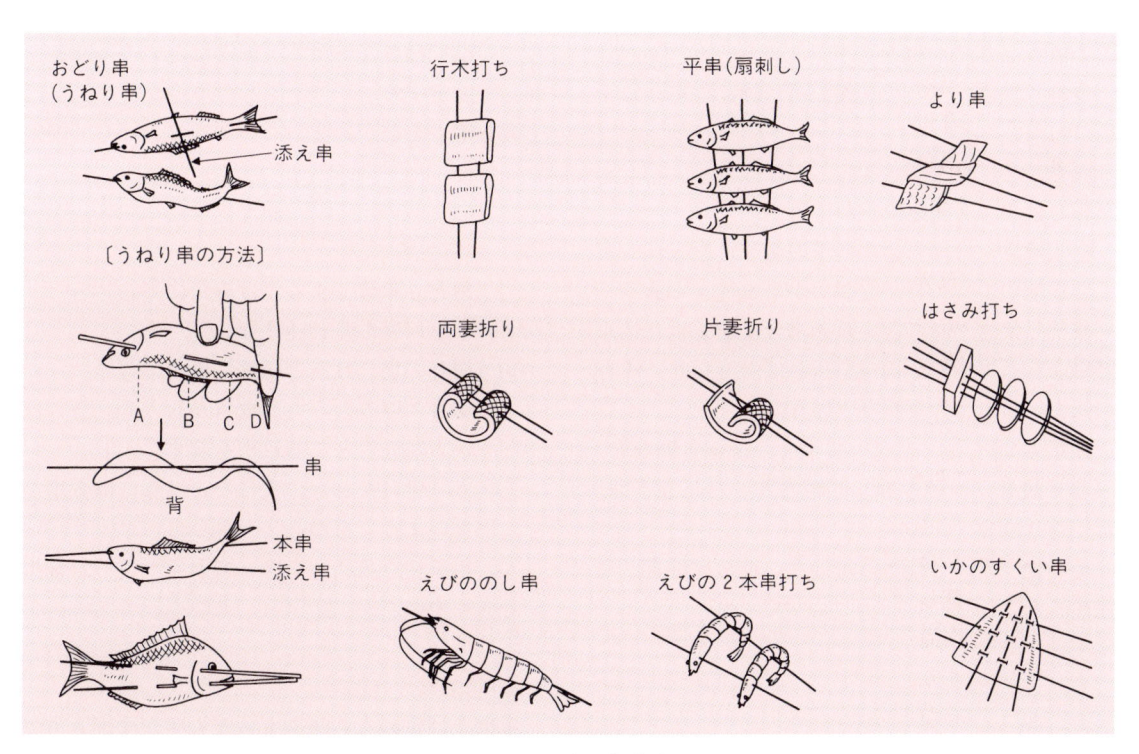

図2-9 串の打ち方

ザエの壺焼きなど.
　その他：銀紙包み焼き，天火焼き，石焼き，杉板焼き，奉書焼きなど.

（2）調味料による焼き物の分類
　塩焼き：塩をふって直火で焼く.
　つけ焼き：つけ汁に浸しておいて焼く.
　照り焼き：素焼きにしてから照りしょうゆを塗り重ねて焼く．ぶりなど.
　みそ焼き，みそ漬け焼き：素焼きしてからみそを塗って焼く．またはみそに漬け込んでおいてみそを取り除いて焼く．ガーゼなどに包んでみそ床に入れると扱いやすい．白みそを用いたものを西京焼きという．田楽，魚田など.
　しょうが焼き：しょうがじょうゆにつけて焼く.
　うに焼き：素焼きしたのち，練りうにをみりんで溶いて塗り，あぶり乾かす程度に焼く．いかのうに焼きなど.
　その他：卵黄焼き（黄金焼き），かす漬け焼きなど.

（3）形状による焼き物の種類
　丸焼き（姿焼き）：丸のまま焼き上げる．あじの姿焼きなど.
　うねり焼き：丸のまま焼くが，特に串をうねり串に打つ.
　開き焼き：魚を開き身にして焼く.
　重ね焼き：2枚以上重ねて焼く.
　松笠焼き：いかに斜め格子の切り目を入れて焼くと松笠のように目が立つ．かのこ焼きもある.
　妻折り焼き：身の薄い魚の場合に端を折り込んで串を打って焼く．両端を折れば両妻折り，片方の端だけ折れば片妻折りという.
　薄焼き：卵を薄くのばして焼く．薄焼き卵など.
　巻き焼き：厚焼き卵，八幡巻，だし巻卵，だて巻など.
　その他：かぶと焼き，舟焼き，わらび焼き，鬼殻焼きなど.

2）焼き物の方法
（1）串打ち法
　焼物は大部分串を打って直火焼きにするので串打ちが基本となる（図2-9）.
　おどり串（うねり串）：魚の頭を右，腹を手前にして持ち，目の下に金串を刺し，表に出ないように中骨を1cmぐらいすくい取って裏側に出す．1〜2cm裏側に出したのち再び表に出さないように中骨をすくい取って尾びれの手前で裏側に出す．たいなどの大きい魚には添え串をする.
　平串（平打ち，扇刺し）：切り身や細長い魚，えびなど何個か連ねて末広に打つ．厚みのある切り身に2本の串を平行に打つ場合を行木刺しという．肉の繊維に直角に打つ.
　妻（端）折り串：薄い切身や細長い切身に用いる．両妻折りと片妻折りがある．皮（表）に串を出さない.
　より串（より打ち）：薄い切身や細長い切身に用いる．身をよじって串を打つ.
　すくい串（布目打ち）：いかは丸まらないように裏側で縦横に縫うように打つ.
　はさみ打ち：なすやまつたけなどは2〜4本ぐらいの串ではさんで焼く．両端はだいこんなどを刺して固定する.
　のし串：えびが丸まらないようにのばして固定して焼く.

（2）串打ちのコツ
　① おどり串はできるだけ直角に差し込む.
　② 串を何度も差し込まない.
　③ 切身の場合は肉の繊維に直角に打つ.
　④ 切身の厚みのうち，皮目から六分，身のほうから四分のところに串を刺す.
　⑤ 盛り付けたときに表になるほうには金串が出ないように打つ.
　⑥ 串を使う前に酢を塗っておく．焼いた後抜きやすい.

（3）塩加減と化粧塩
　塩焼きは魚のもち味をもっとも生かす焼き方である．塩加減は次のとおり行う.

① 魚の大きさにもよるが，一般的には1.5～2％の塩を30cmぐらい離れた上から両面に均等にふる（ふり塩）．
② 15～20分してふった塩が溶けて表面に湿り気が出たら，ふきんでふいてから焼く．
③ えび，いか，貝，鳥肉などは塩が早く浸み込むので，焼き直前に塩をする．
④ いわし，さんま，あゆなどの皮の薄い魚は塩が早く浸み込みやすいので，塩をして5分ぐらいで焼く．
⑤ 塩加減は一般に薄めにする．いただくとき薄ければしょうゆをかけると風味もよくなる．

魚の姿焼きの場合，尾やひれがぴんと跳ね上がり，焼け焦げずに形がしっかり整っていなければならない．そのため，焼く直前に尾やひれを開きながら粗塩をたっぷりすり込む．これを化粧塩という．

（4）火加減

直火焼きの場合，近火では焦げやすいので，強火の遠火がよい．弱火だと焦げないが加熱に時間がかかり身が縮んでかたくなる．焦げ目でなくちょうどよい焼き目をつけるのがコツで，魚の厚みに応じて，火との距離を調節する．間接焼きの場合は，油をひいて焦げつきを防いだりする．

（5）焼き方

① 盛り付けるとき表になるほうを四分焼き，裏返し六分焼く．表に体裁よい焼き目をつけるのと，形を整えるためである．
② 骨のない皮付き切身やいか，えびなどは焼くと丸まってしまうので，裏になるほうを少しあぶってから，表四分，裏六分焼く．それを癖なおしという．
③ 返すのは1回にとどめる．焼け具合いを気にして何度も返すと身くずれを起こす．
④ 脂質の多い魚を焼くと，脂質が落ちて焼け，油煙が出る．それが魚を黒くすすけさせてまずくするので，うちわなどであおいで煙を当てないようにする．
⑤ ガス火を用いて焼く場合は，できるだけ遠

表2-6　たれの調味料配合比率（容量）

	しょうゆ	：	みりん
辛味	7		3
甘味	3		3
一般向き	6		3

火を確保するために，鉄弓を用いるとよい．
⑥ 網焼きにする時は，あらかじめ網を十分焼いてから食品をのせる．

（6）串の抜き方

① 焼いている途中で2，3回串を回しておく．
② 焼き終ったら，熱いうちに片手で身を押さえながら串を回しておく．冷めてからゆっくり抜く．
③ 魚の表面が美しい照り焼きやうに焼きなどは，焼き上がったらすぐに串を2本とも回しておき，交互に少しずつ抜いていく．

（7）照りの出し方

脂質の多い魚や身の厚い魚，少し鮮度の落ちた魚などに用いると，つやと芳香が出ておいしい．
たれの調味料の配合は表2-6のようにし，調味料を配合してから2，3割煮詰める．みりんは酒2：砂糖1にかえてもよい．
照り焼きの仕方は次のとおりである．
① はじめに魚を素焼きにしてしっかり焼き目をつけておくと，美しい照りが出る．
② 1回目のたれをたっぷりかけてあぶるようにして焼くと美しい照りが出る．
③ 塗り重ねるときは前のたれが乾いてから次のたれを塗る．
④ たれを焦がすと苦くなるので，たれをつけてから中火にしてあぶるように焼く．
⑤ つけ焼きは八分通り焼けてからたれを両面交互に3，4回塗ってあぶり焼きする．

3）焼き物の盛り付け

（1）焼き物の付合せ（前盛り）

焼き物に彩りを添え，口をさっぱりさせるために，動物性食品の焼物には植物性の食品を添える．盛り付けるとき，焼き物の前か斜め前に置くので，

前盛りともいう．前盛りの種類には次のものがある．

　酢の物：酢どりしょうが（筆しょうが，杵しょうが），飾りれんこん（矢羽根，花，ぢゃ籠），蛇腹きゅうり，菊花かぶ，たたきごぼうなど．

　ゆで物：ゆで豆（枝豆，とら豆），ゆり根，ほうれんそうの磯辺巻きなど．

　焼き物：焼きししとう，生しいたけ（塩焼き，つけ焼き，みそ焼き），やまいもなど．

　煮　物：甘煮（きんかん，ゆり根，うめ，くり，にんじん），ふきの青煮など．

　揚げ物：空揚げ（ししとう，ぎんなん，小なす）など．

　その他：切り違いきゅうり，菜の花の塩漬け，水菓子，おろしだいこんなど．

（2）盛り付け方

① 平たく厚みのある長方形の皿を用いる．
② 姿焼きは頭を左，腹を手前，尾を少し右上に置く．右手前のスペースに前盛りを置く．
③ 切身は一般に皮目のほうを上にして置く．しかし照り焼きやうなぎ，あなご，はもなどは身を上にして盛り付ける．
④ 焼き物の盛付けの際，風情を引き立てるために，かい敷として草や木の葉，葉付き小枝，花付き小枝，実付き小枝が用いられる．おもなものとして，南天の葉，紅葉の葉，笹の葉，松葉や小枝，杉の枝，梅の花，菜の花，ききょうの花，菊の花，南天の実など．
⑤ 魚は冷めると表面の皮にしわがより，かたくなって生臭味が出てきてまずくなるので，焼き上がったらすぐに供する．

基礎編 9　揚げ物

　揚げ物は油を熱媒体として加熱する乾熱調理法で，加熱中に食品中の水分と油脂の交代が起きる．150〜200℃と高温加熱のため，食品は脱水し独特のテクスチャーと好ましい芳香が付与される．天ぷらなど水分の多い衣揚げの場合は，水分と油脂の交代が起きるのは衣のみで，食品は蒸し状態となる．揚げ物調理では調理中に火傷や火災の危険が大きいので注意を要する．

1）揚げ物の種類

（1）揚げ衣の有無およびその違いによる揚げ物の分類

　① **素揚げ**
　材料の水分をふき取ってそのまま揚げる．いも類，青とうがらし，揚げなすなど．

　② **空揚げ**
　小麦粉・でんぷんなどを薄くまぶして揚げる．豆腐など．空揚げの応用として，次のものがある．
　竜田揚げ（漬け揚げ）：材料にしょうゆとみりんで下味をつけてから，空揚げする．さばなど．
　南蛮揚げ（南蛮漬け）：揚げたのち酢じょうゆに漬ける．わかさぎなど．

　③ **衣揚げ**
　材料に衣をつけて揚げる．衣として小麦粉以外の特殊な衣を用いたものをかわり揚げという．
　てんぷら：小麦粉，溶き卵を主とする溶き衣をつける．
　銀ぷら：小麦粉，泡立て卵白を主とする溶き衣をつける．
　金ぷら：小麦粉，卵黄を主とする衣をつける．
　パン粉揚げ：小麦粉，卵水，パン粉の順につける．
　みぞれ揚げ：小麦粉，卵白，道明寺粉の順につける．
　松葉揚げ・いが揚げ：小麦粉，卵水，折ったそうめんの順につける．
　はるさめ揚げ：小麦粉，卵水，はるさめの順につける．
　その他：そば粉揚げ，クラッカー揚げ，南禅寺揚げ，吉野揚げ（豆腐の揚げ出しなど），磯辺揚げ，更紗揚げ，落花生揚げなど．

（2）材料の形状などによる揚げ物の分類

　丸揚げ：材料を丸ごと，または大切りのまま揚

34

げる．

　しんじょ揚げ：ミンチにしたり，すり身にしたものに，すりおろしたやまいもを加えて揚げる．

　かき揚げ：いろいろの材料をせん切りにして寄せて揚げる．精進材料だけで揚げたものを精進揚げという．

　重ね揚げ・狭み揚げ：ある材料に別の材料を狭んで揚げる．なすなど．

　巻き揚げ：長い材料に他の材料を巻いて揚げる．

2）揚げ物の方法

（1）揚げ油

　油は水に比べ比熱が小さく温度が変化しやすいので，揚げ物では温度管理が重要である．そのため，揚げ鍋には肉厚の鍋を用いる．また油の量は温度変化を少なくするために多いほうがよいが，鍋の深さの七分目以上入れると危険である．揚げ物が浮き上がるために油の深さとして少なくとも5 cmぐらいは必要である．

　揚げ温度は，材料の種類や水分量，大きさ，揚げ物の種類などにより，適した温度を選ばなければならない（表2-7）．

　揚げた後は熱いうちにこし，空気の接触を少なくして冷暗所に保存する．

（2）揚げ衣

　小麦粉は，からりと揚げるために，粘りの少ない薄力粉を用いる．使用前に何度かふるって空気を含ませておく．揚げ材料の20（薄い衣）〜40％（かき揚げ）必要である．

　水については，粉を粘らせないために，できる

表2-7　揚げ油の適温

温度（℃）	特徴	調理例
150〜160	水分の少ないもの，緑を美しく揚げたいもの	のり，青じその葉，パセリ，しゅんぎく
160〜170	火の通りにくいもの，膨化させたいもの，二度揚げするときの一度目	いも類，れんこん，骨せんべい，ドーナツ
170〜180	一般的な揚げ物	魚類のてんぷら
180〜190	水分の多いもの，長時間揚げるとまずくなるもの	いか，貝柱のてんぷら，揚げ出し豆腐

表2-8　揚げ衣の配合割合

衣の種類	小麦粉g	卵1個+冷水(mL)	揚げ材料例
薄い衣	100	180〜200	鮮度のよいもの
普通の衣	100	160〜170	大部分の揚げ物に用いる
厚い衣	100	140〜150	野菜のかき揚げなど

だけ冷たい水を使用する．冷蔵庫で冷やしたり氷を入れる．

　揚げ衣の配合割合は表2-8のとおりである．揚げる材料の種類や鮮度，水分量に応じて衣を使い分ける．

　揚げ衣のつくり方（粉と水の合わせ方）は次のとおりである．粘りを出さないように注意をする．

① 水に粉を加え（逆にしない）太い菜箸などでさっくり混ぜる．かき混ぜると粘りが出るので，だまが残っていてもかまわない．

② 水と合わせた衣は時間がたつにつれて粘りが出るので，ほかの準備ができて油を火にかけてからつくる．また少しずつつくる．

③ 水と合わせた衣は温度が上がると粘りが出るので，合わせた衣を火のそばに置かない．

（3）揚げる準備と用具

　揚げ物は手早くしなければならない．そのために揚げる前に準備を完全にしておき，順序よく進める．

　揚げ材料の下処理ができたら油切り用バットと吸油紙，揚げかすすくい用網じゃくし，揚げ物処理用菜箸，揚げ鍋と油などを用意する．

（4）揚げ物のコツ

① 揚げ材料の水分を十分ふき取る．衣揚げの場合は衣をつける前に粉をはたくこともある．

② 材料に適した温度を保つように配慮する．

③ 材料を油に入れるときは油が跳ねないように鍋の縁から滑らせるように入れる．

④ 油の温度を下げないために材料を一度にたくさん入れないで，表面の50％ぐらいにとどめる．

⑤ 揚げ物をべとつかせないために油切りを

しっかりやり，また揚げたものを重ねない．
⑥ からりと揚げるために衣に0.2％ぐらい重曹を加えるとよく脱水する．
⑦ かき揚げを揚げるには，玉じゃくしでたねをすくって鍋の縁から入れ，鍋の中央で箸でくるくる回して形を整えて揚げる．
⑧ 空揚げを揚げるには，小麦粉をふったときは粉が材料に馴染んでから，でんぷんをふったときは粉をふってすぐ揚げる．

3）揚げ物の盛り付け

（1）薬味
揚げ物の味を引き立たせ，強調するのに役立つ．少量でよい．薬味の種類には，だいこんおろし，紅葉おろし，おろししょうが，さらしねぎ，ぽん酢，粉さんしょう，レモンなどが用いられる．

紅葉おろしは，だいこんに菜箸などで2カ所ほど穴を開け，鷹の爪（赤とうがらし）を詰め込み，すりおろす．

（2）添え汁
揚げ物の味をまろやかにし，熱さを調節するために添え汁を用意する．

添え汁の代表はてんつゆであるが，ほかに割りじょうゆ，しょうがじょうゆ，ゆずしょうゆ，ウスターソースなどがある．

てんつゆは，煮だし汁4：しょうゆ1：みりん1の割合で合わせ，一煮立ちして冷ましておく．1人分50〜60mL用意するとよい．

（3）塩・割塩
上物のえびなどは塩でいただくことがある．また，精製塩にうま味調味料を1割程度混ぜ合わせた味塩や抹茶を混ぜた抹茶塩，山椒を混ぜた山椒塩などの割塩も用いられる．

（4）盛り付け方
① 盛り付ける器は陶磁器のほか，ザル，かごなどの竹製品や塗り物など，変化をつけるためにいろいろな素材の器が用いられる．
② 吸油の効果のために，かい敷として和紙などを折って用いる．また，季節の植物の葉，たとえば紅葉，笹，しだ，南天などをあしらうと風情が出る．
③ 薬味は揚げ物の横に添え，添え汁は別の器を用いる．添え汁用の器は口の広い浅形の形が食べやすい．

基礎編 10 和え物・酢の物・浸し物

和え物とは，動物性食品や植物性食品を生のまま，または下処理（塩もみ，塩じめ，酢じめ，霜降り，湯引き，蒸す，ゆでて絞るなど）し，2，3種取り混ぜて和え衣とともに混ぜ合わせる．または和え衣を添える．

和え衣のうち，酢を基礎としたものを酢の物という．その場合の和え衣を合わせ酢という．温かくしたものを煮酢和えという．

和え衣のうち，しょうゆを基礎としたものを浸し物という．調味した煮だし汁にゆでた野菜を入れて煮る煮浸しという方法もある．

1）合わせ酢の種類

（1）基本合わせ酢とそのつくり方（表2-9）
二杯酢：酢，塩を配合する．
三杯酢：酢，塩，砂糖を配合する．
甘　酢：酢，塩，多めの砂糖を配合する．

（2）応用合わせ酢とそのつくり方
基本合わせ酢に表2-10のような材料を配合して応用することができる．このほかに，南蛮酢，りんご酢，さらし酢，松前酢などがある．

（3）その他の和え衣とそのつくり方（表2-11）
和え衣の主材料に調味料として，塩，しょうゆ，

表2-9　基本合わせ酢の配合割合

（材料に対する質量%）

	酢	塩	砂糖	だし汁
二杯酢	10	1～2		(5)
三杯酢	10	1～2	3～5	(5)
甘酢	10	1～2	10	(5)

注1）塩の一部または全部をしょうゆにかえることができる．塩としょうゆの代替割合は塩：しょうゆ＝1：6～7である．
　2）砂糖の一部または全部をみりんにかえることができる．砂糖とみりんの代替割合は，砂糖：みりん＝1：3である．

表2-10　応用合わせ酢の配合割合

（材料に対する質量%）

	基本合わせ酢	配合材料
わさび酢	二杯酢または三杯酢	わさび1～2
土佐酢	〃	かつおぶし0.5
吉野酢	甘酢または三杯酢	でんぷん0.5，煮だし汁5～10
黄身酢	吉野酢	卵黄10
たで酢	三杯酢	たでの葉1
ごま酢	二杯酢または三杯酢	ごま5～10
しょうが酢	〃	おろししょうが5～10
みぞれ酢	三杯酢	だいこんおろし10

表2-11　代表的な和え衣の配合割合

（材料に対する質量%）

	塩	しょうゆ	砂糖	みそ	その他
酢みそ和え			5～10	20	酢5～10
木の芽和え			5	白20	木の芽2
ごま和え		8～10	5～8		ごま10
落花生和え		8～10	10		ピーナッツ10～15，だし5
梅肉和え		5	10		梅肉3～5
白和え	1～2		10	白20	豆腐50，白ごま5～10
ずんだ和え	1～2		10		枝豆20

砂糖，みそ，酢が適宜配合される．

　み　そ（ぬた）：みそを基礎にしたもので，応用としてごまみそ，酢みそ，ゆずみそなどがある．あおやぎとわけぎのぬたなど．

　ご　ま：煎ったゴマをすりつぶす．ほうれんそうのごま和えなど．

　木の芽：木の芽をすり，青寄せを加える．たけのこなど．

　梅　肉：塩漬けした梅の実をすりつぶす．
　落花生：煎った落花生の実をすりつぶす．
　白和え：豆腐を水切りし，みそ，すりごまとともにすり合わす．
　その他：くるみ，おろし，とろろ，うの花，うに，たらこ，酒盗，このわた，枝豆（ずんだ），納豆，磯辺，黄金など．

2）和え物・酢の物・浸し物のコツ

① 和え物は主料理でなく，ほかの料理の引立て役なので，取り合わせる材料や和え衣については味，色，形，風味，季節感などの調和に配慮する．

② 材料に適した下処理を行う．たとえば，魚類は酢じめ，酢洗い，塩じめなど，野菜類は下ゆで（アク抜きを含む），しょうゆ洗い，塩もみなど，そのほか下煮，直焼き，空煎りなどがある．

③ 和え衣や材料は冷えてから和える．

④ 和えるのは供食の直前に行う．和えてから時間がたつと水っぽくなる．

なお，和え衣は敷みそや添えみそにすることがある．

3）和え物・酢の物・浸し物の盛り付け

　和え物を盛り付ける食器は，深めの小鉢が用いられる．場合によってはガラス器や浅めの小鉢を用いる．食器の側面に触れないように中央にこんもり盛り付ける．さらにその中央に季節感に富んだものや風味のよいものをいちばん上にほんの少しのせる．これを天盛りという．

　天盛りは食欲を誘うとともに，誰も箸をつけていないという食べる人に対する調理者の敬意を表わす．

　天盛りとしてよく用いられるものに，木の芽，青じそ，ごま，刻みのり，もみのり，糸かつお，花かつお，針しょうがなどがある．

基礎編 11 寄せ物・練り物

　寄せ物とは，寒天，ゼラチン，でんぷん（くずなど）などのゲル化剤を用いて種々の材料を寄せ固める料理で，甘味が強いと菓子として用いることができる．

　練り物とは，きんとんや魚のすり身のように，調理操作によって原材料の形をまったくとどめないように練り上げ，成形して固めたものである．

1）寄せ物・練り物の種類

（1）寄せ材料の違いによる寄せ物の分類

　寒天寄せ：寒天を用いる．滝川豆腐，そうめん寄せ，水ようかん，泡雪かんなど．

　ゼラチン寄せ：ゼラチンを用いる．

　でんぷん（くず）寄せ：片栗粉やくず粉を用いる．ごま豆腐，くるみ豆腐，くずもちなど．

　煮こごり：魚の皮や骨を煮だして味をつけたのち冷やす．寄せ材料の本体は食材から溶出したゼラチンであるが，濃度が足りないときはほかの寄せ材料を補う．寄せ材料の配合割合を表2-12に示す．

（2）練り物の分類

　きんとん類：くり，豆類（いんげん，そら豆，えんどうなど），根菜類（さつまいも，ゆり根など）などをゆでて裏ごしし砂糖を加えて練り上げる．おもに口取りにされる．きんとん，茶巾絞りなど．

　しんじょ：白身の魚やえびなどに塩を加えてよくすり（すり身），卵白，でんぷん，やまのいもなどのつなぎと調味料を加えてさらにすり混ぜ，蒸したりゆでたりしたもの．はんぺんは魚のすり身にやまのいもを混ぜて，ゆでたもの．

　つみれ（つみいれ）：いわしやあじ，きすなどを包丁でたたいてからよくすり，しんじょと同じようにする．成形するときつみとって丸くするので，つみれという．つくねも同義語である．

2）寄せ物・練り物の調理法

（1）寄せ物のコツ

① 寒天，ゼラチンは，はじめに20～30分吸水・膨潤させる．その後，寒天は弱火で煮溶かすが，ゼラチンは直火にかけず湯煎で溶かす．

② 砂糖は寒天やゼラチンが完全に溶けてから入れる．

③ 寒天やゼラチン液に果汁など酸を加えると凝固力が落ちるので，荒熱がとれてからいれる．ゼラチンの場合，たんぱく質分解酵素を含む果物は生では用いない．

④ 寒天液に泡立て卵白やあんなど比重の違うものを混ぜるときは，分離しないよう気を付ける．凝固点近くまで冷えてから強く攪拌しながら混ぜ込むときれいに分散する．

⑤ 寒天液を2層にするときは，下層の表面が完全に固まる前に熱くした上層を流し込むとうまく接着する．

⑥ 寒天やでんぷんは室温で固まるが，ゼラチンは冷却が必要である．型から取り出すとき，ゼラチン寄せは40～50℃ぐらいの湯にさっとつける．

⑦ でんぷん寄せは焦がさないように弱火でじっくり練って，でんぷんを糊化させる．

（2）練り物のコツ

① きんとんには水を入れず，砂糖だけで練り上げる．

② 魚などのすり身は鮮度のよいものを用いる．すり身につなぎとして卵白を加えるとだんごは軟らかくなり，でんぷんを加えると硬くなる．

3）寄せ物・練り物の盛り付け

　寄せ物や練り物はいろいろな料理に使用され

表2-12　寄せ材料の配合割合

	水（mL）	材料量（g）
寒　　天	100	1～2
ゼラチン	100	3～5
でんぷん	100	10～20

る．たとえば練り物の中できんとんは口取りや口替りに，また，しんじょやつくねは煮物や椀種に用いられる．それぞれの料理の盛り付け方に準ずる．寄せ物は多くの場合，かけ汁を張ることが多いので，少し深めの器が用いられ，上に天盛りをのせる．

基礎編 12 和菓子と飲物

日本料理における菓子は元来，食事の一部で穀類製品や乾燥果実であった．それがしだいに甘味のあるものが多くなり，茶道の興隆，南蛮菓子の渡来などにより今日にみられるような多様な和菓子に発展した．

現在，和菓子は季節や行事と関連して食生活を豊かにしている．季節を先取りして趣向を凝らした見た目も美しい菓子や，郷土色豊かな素朴な菓子などがある．

1）和菓子の種類

種々の分類の菓子が混在しているが，一般的な分類を示す．

蒸し菓子：蒸してつくるもので，まんじゅう類たとえばじょうよまんじゅう，利久まんじゅう，蒸しようかんなど．まんじゅう類の膨化剤にはすり下ろしたやまいもや重曹，B.P.などが使われる．

もち菓子：もち米やその加工品でつくるもので，もち類（鏡もち，のしもちなど），もち加工品（つきもちであんを包んだもの，大福もちなど），もち生類〔もち米加工品でつくったもの，桜もち，草もち，おはぎ〕など．

流し物：寒天液にあんや道明寺粉，果汁などを加えて流し固めたもの．ようかん類（寒天にあずきあんや白あんを混ぜて固めたもの），錦玉類（寒天にあん以外の材料を加えて固めたもの）など．

焼き菓子：焼いてつくるもので，鉄板焼きとしてどら焼き，天火焼きとして茶通，くりまんじゅうなど．

練り菓子：ぎゅうひ（白玉粉に砂糖や水あめを加えて練り上げる），練りきり（白あんにぎゅうひを加え練ったものに，細かい手細工をして造形的な美しさをだす）など．

揚げ菓子：揚げてつくるもので，かりんとうなど．

押し菓子：材料を押し型につめるもので，落雁など．

その他：あめ菓子，のし柿，のし梅，甘味豆類など．

これらの菓子は蒸し菓子やもち菓子などの日持ちのしない生菓子類と，せんべい，おこし，落雁などの日持ちのする干菓子類に分けられる．

2）和菓子の材料

粉類で最も用いられるのは米の粉で，うるち米の粉の米粉，上新粉や，もち米からつくる道明寺粉，白玉粉，みじん粉，寒梅粉がある．そのほかでんぷん類として片栗粉，くず粉，わらび粉がある．また，小麦粉も用いられる．

あんには，でんぷん含量の多い豆が用いられ，小豆あん，白あん（いんげん豆），黄身あん（白あんを卵黄で着色），などがある．

3）和菓子用器具

日常の調理に用いる物と同じ物あるいはそれで代用できる物，また洋菓子用の道具も用いるが，押型，木型，型紙，流し型，抜き型，焼きごて，焼き印などのような独特の道具もある．

4）和菓子の用い方

菓子は神社仏閣での供え物（供撰菓子）や祝儀・不祝儀時における引出物（引菓子）として用いられてきた．また現在でも茶席では欠かせないもので，このほか，来客時のもてなしや間食として疲労回復や気分転換に，緑茶とも味わうことが多い．

引菓子には祝賀用，宴席用，仏事用，神祭用があり，盛り方は流し物，練り切り，雪平（求肥）の三盛りが一般的である．

節句などの行事には，決まった菓子を用いる．端午の節句に柏餅などがある．

茶席の菓子は，濃い茶の場合は生菓子，薄茶の場合は干菓子を用いる．

日常の茶請けには，季節や好みに応じて自由に用いる．

5）緑茶の種類といれ方

緑茶には煎茶，玉露，番茶，抹茶などがあり，おいしく飲むには適したいれ方がある（表2-13）．

表2-13 緑茶のいれ方（1人分）

	茶葉(g)	湯量(mL)	湯温(℃)	浸出時間(秒)
煎茶	3	80	75～85	40～60
玉露	4	50	55～65	120～180
番茶	2	100	95～100	30
抹茶	1.2～1.5	50～60	70～80	―

用いる水は軟水がよく，しばらく沸騰させたものを用いる．湯呑みと急須はあらかじめ温めておく．適温の湯（熱い湯をいったん湯呑みに注ぐと湯呑みが温まり湯の温度も下がる）を茶葉を入れた急須に移す．所定の時間おいてから湯呑みに均等に注ぎ分ける．最後の一滴まで注ぐ．

抹茶は抹茶茶碗に抹茶を直接入れ，湯を注いで茶筅で手早くかき混ぜて，熱いうちに飲む．

COFFEE BREAK

はくさいの漬け物

はくさい（大2株）	6〜7kg
塩	はくさいの3%
赤とうがらし	10本
（押しぶた）	
（重石）	

①はくさいは水洗いしてから根元に5cmほどの切り込みを入れ，手でさいて4〜6割とする．

②葉先を下にして半日ほどおいて水気を切る．

③漬物容器に塩をひとふりする．はくさいの割り口に塩をふり，割り口を上にして並べ，隙間がないように詰める．このとき，塩は根元のほうに多めにふる．粗く刻んだとうがらしを散らす．

④2段目は1段目と直角方向にして，1段目と同じ要領で並べる．

⑤全部並べ終ったら全体に塩をふって押しぶたをする．その上にはくさいの重さの2倍の重石をのせる．時間がたつとかさが減るので，そのとき重石が平均にかかるようにならす．

⑥1〜2日して水が上がったら，重石を1/2量に減らし，はくさい全体が水に漬かるようにする．約1週間でおいしくなる．

コツ 重石が重すぎると水分が出すぎて筋っぽくなり，うまみが落ちる．また，はくさい全体が常に水に漬かっているようにしないとカビが生え，味が悪くなる．

参考 好みでゆずの皮やこんぶを入れる．だいこん，にんじんなども一緒に漬けて楽しむとよい．

きゅうりのピクルス

きゅうり（10本）	約1kg
10％塩水（きゅうりが十分浸る量）	
	約1,000mL
塩	20g
赤とうがらし	1本
ローリエ	1枚
クローブ	2個
A ┌ 酢	400mL
│ 砂糖	200g
│ 水	100mL
│ クローブ	12個
│ 粒こしょう	30粒
│ ローリエ	4枚
└ 赤とうがらし	3本

①きゅうりは洗ってから上下を切りおとす．塩水をつくり，一度沸騰させてから冷ます．

②容器にきゅうりを並べ，冷ました塩水を注ぎ，香辛料も散らす．軽い重石をかける．

③1日おいて20gの塩をふり入れ，1週間漬け込む．

④③のきゅうりを流水中で一昼夜，塩抜きをする．

⑤Aの甘酢液用材料を一度沸騰させて冷ます．香辛料はガーゼに包むとよい．

⑥塩抜きしたきゅうりの水気をふき取ってびんに詰め，冷ました調味液を注ぎ，香辛料を上にのせて密封する．

参考 2週間目くらいから食べられるので，前菜に用いたり洋酒の肴，サンドイッチやカレーの薬味などとして使う．キャベツ，かぶ，ピーマン，マッシュルーム，しょうがなどは生でそのままピクルスの材料として使うことができる．

れんこん，かぼちゃ，ブロッコリー，ビーツ，芽キャベツなどは歯ごたえを失わない程度にかために下ゆでして用いる．

実習編 1 ご飯物

エ エネルギー　た たんぱく質　脂 脂質　塩 食塩相当量

白米飯

●材　料（1人分）
米……………………………… 80 g
水（米の1.5倍）………… 120 mL

エ 274 kcal　た 4.2 g
脂 0.6 g　塩 0 g

●調理法
❶ 洗米は，米をはかり，たっぷりの水を加えて軽くかき混ぜ水を流す．これを3～4回行う．洗米後，米をざるにあげ水分を切る．
❷ ざるにあげた米を釜に入れ，分量の水を加えて30～120分浸す．
❸ 釜を火にかけ，沸騰までは強火で，その後，中～弱火にして20分ほど加熱を続け，水が引いたら極弱火にして10分ほど火にかけ，最後に30秒ほど強火にしたのち消火し，10分ほど蒸らす．
❹ 蒸らした後，上下を木杓子で軽く混ぜて空気を入れる．

■ 参　考
❶ 水の量は，米の種類や新古米により異なるが，新米の場合は米の1.3倍程度にする．
❷ 炊き上がった飯の水分量は65%で（白米の水分は15.5%），米の質量の2.2～2.4倍になる．
❸ 大量の米を炊くときや，急いで炊くときの方法として，湯炊き法がある．湯炊き法とは，洗米後，沸騰した湯の中に入れて炊く方法で，早く火が回るのでむら煮えになりにくい．

赤飯（おこわ）

●材　料（1人分）
もち米……………………… 100 g
ささげ（または小豆）
　（もち米の10～15%）……… 15 g
黒ごま（もち米の1%）………… 1 g
塩（ごまの1/2）…………… 0.5 g

エ 391 kcal　た 8.9 g
脂 1.7 g　塩 0.5 g

●調理法
❶ 洗ったささげに5～6倍の水を加え，沸騰したらゆで汁を捨てる（渋切り）．再び同量の水を加え，ささげが踊らないように弱火で固めにゆでる．
❷ ゆでたささげはざるにあげ，煮汁は冷ましておく．
❸ もち米は洗って，ささげのゆで汁に2～3時間浸しておく．
❹ 米は蒸す直前にざるにあげ，ささげと混ぜる．浸し汁はふり水に用いるので残しておく．
❺ 蒸し器に目の粗いふきんを敷いて米を入れ，強火で蒸す．途中で浸し汁を2～3回ふりかけて（ふり水），40分ほど蒸す．
❻ 蒸し上がったらすし桶などの広い器に移し，手早くあおいでつやを出す．
❼ 黒ごまを煎って塩と混ぜ，赤飯にふりかける．

■ コ　ツ
❶ ささげは，豆の皮が破れないように（指で押してつぶせる程度）に固ゆでにする．小豆よりささげのほうが「腹切れ」しにくい．
❷ 赤飯のふり水は，米を強火で蒸し始め，蒸気が上に抜けてから約15分後に1回目のふり水をする．2回目からは再び蒸気が上に抜けてから約10分後に行う．ふり水の量と回数は飯の硬さを見ながら，好みに応じて調節する．

■ 参　考
赤飯の蒸し上がりは米の質量の1.6～1.9倍になる．

炊きおこわ

●材料（1人分）
- もち米 ··············· 70 g
- うるち米 ············· 30 g
- ささげ（または小豆）
  （米の10～15%） ········ 15 g
- 豆の煮汁と水 ······ 合計 115 mL
  （もち米の質量×1.0＋うるち米の質量×1.5）
- 塩（米の1%） ············· 1 g
- 黒ごま（米の1%） ········· 1 g
- 塩（ごまの1/2） ·········· 0.5 g

●調理法
1. ささげは赤飯と同様にゆでる．
2. 米を洗い，ざるにあげ，水分を切る．
3. ざるにあげた米を釜に入れ，分量の水と豆の煮汁を加えて30～120分浸す．
4. 塩とささげをいれ，白米飯より5分ほど長く炊く．

■参考
1. もち米とうるち米の配合は好みによるが，7：3が標準である．
2. 炊きおこわは，湯炊き法を用いると炊きやすい．炊飯器を使用してもよい．

エ 391 kcal　た 8.8 g
脂 1.7 g　塩 1.5 g

グリンピース飯

●材料（1人分）
- 米 ···················· 80 g
- 水（米の1.5倍－酒） ····· 115 mL
- グリンピース（米の30%） ··· 24 g
- 塩（米と水の0.7%） ······· 1.4 g
- 酒 ····················· 5 g

●調理法
1. 米は洗って分量の水につけ，30分～2時間吸水させる．
2. 塩，酒を加えて火にかけ，沸騰したら洗ったグリンピースを加えて白飯と同様に炊く．

■コツ
調味料は米の吸水後に加える．

■参考
さや付きグリンピースの場合，廃棄率は60～70%位である．

■応用
くり飯，さつまいも飯なども同様にして炊く．くりやさつまいもは米の50%ぐらい加える．

エ 297 kcal　た 5.5 g
脂 0.7 g　塩 1.4 g

五目飯

●材料（1人分）
- 米 ···················· 80 g
- 水（120－液体調味料・酒） 110 mL
  - しょうゆ ············· 4.5 g
  - 塩 ··················· 0.6 g
- 酒 ····················· 5 g
- ごぼう ················ 10 g
- にんじん ·············· 10 g
- 干ししいたけ（1/2枚） ··· 2 g
- こんにゃく ············ 10 g
- 油揚げ ················· 8 g
- しょうゆ（具の3.5%） ··· 1.5 g
- みりん ················ 2.5 g
- 煮だし汁 ·············· 適量
- さやえんどう ··········· 3 g

●調理法
1. ご飯は塩分，酒を加えてしょうゆ味飯（桜飯，p.23参照）に炊く．
2. ごぼうはささがきにして水にさらす．にんじん，もどしたしいたけ，こんにゃく，油揚げは短いせん切りにする．
3. ②を全部合わせてしょうゆとみりん，ひたひたの煮だし汁を加えて汁気がほとんどなくなるまで煮る．
4. さやえんどうは色よくゆでて斜めにせん切りにする．
5. 桜飯に具を混ぜる．

■参考
ささがきとは，ごぼうやにんじんなどのような細長い材料を，鉛筆を削るように材料を回しながらそぎ切りにする．切り上がった形が笹の葉に似ているので，このようによばれる．ごぼうのように褐変しやすいものは，そぎ切ったはしから水にさらすとよいので，水を張ったボールの上で行う．

■応用
1. 具としては鶏肉やしめじもおいしい．また，青味はみつばやさやいんげん，グリンピース，ぎんなんでもよい．
2. 具を濃い味に煮つけて白飯に混ぜてもよい．

エ 335 kcal　た 7.0 g
脂 3.2 g　塩 1.5 g

第2章●日本料理　43

そぼろ飯

●材料（1人分）

米	80 g
水（米の質量の1.5倍−しょうゆと酒）	110 mL
しょうゆ	5 g
塩	0.4 g
酒	5 g
鶏挽肉	30 g
しょうゆ（肉の10％）	3 g
砂糖（肉の6％）	2 g
酒	5 g
卵（1/2個）	25 g
砂糖（卵の8％）	2 g
塩（卵の0.5％）	0.1 g
さやえんどう（3枚）	5 g
のり（1/4枚）	0.8 g
紅しょうが	5 g

エ 398 kcal　た 12.3 g
脂 6.3 g　塩 2.1 g

●調理法

1. 米は調味料を加えて桜飯に炊く．
2. 挽肉に調味料を混ぜ合わせて火にかけ，4本ぐらいの箸でかき混ぜながら汁気がなくなるまでパラパラに炒りつける．
3. 卵は割りほぐして調味料を加え混ぜ，火にかける．4本ぐらいの箸でかき混ぜながら細かい炒り卵にする．
4. さやえんどうは色よく塩ゆでにしてせん切りにし，紅しょうがもせん切りにする．のりは遠火であぶってもみのりにする．
5. 桜飯を盛り，とりそぼろ，炒り卵，さやえんどう，のり，紅しょうがを彩りよくのせる．

■コツ

炒り卵はときどき火からおろしてよく混ぜると細かくできる．

■応用

1. 桜飯のしょうゆと塩の割合は色と味の好みで加減する．
2. 炒り卵の砂糖の量は好みで加減する．

そぼろ・炒り卵の作り方

たけのこ飯

●材料（1人分）

米	80 g
水＋たけのこの煮汁	120 mL
ゆでたけのこ（米の40〜50％）	35 g
酒	5 g
しょうゆ	4 g
塩	0.8 g
のり（1/6枚）	0.5 g

エ 294 kcal　た 5.5 g
脂 0.7 g　塩 1.4 g

●調理法

1. 米は洗って120 mLの水につけておく（30分〜2時間）．
2. たけのこは根のほうのかたい部分は繊維に直角に扇型に，先のほうのやわらかい部分は繊維に平行のくし型に切る．食べやすさ，見た目のよさを考えて適当な大きさにそろえる．
3. たけのこに分量の調味料とひたひたの水を加えて，ざっと下煮をする．
4. 残った煮汁をはかり，①のつけ水から煮汁分だけ除いて，かわりに煮汁を加える．
5. 下煮したたけのこも加えて炊き上げる．
6. 盛り付けてもみのりをのせる．

■参考

1. たけのこのゆで方：先端を斜めに切り落とし，皮にだけ縦に1本切り目を入れる．大きなものは半分に切ってもよい．十分かぶるだけのぬか水（水1,000 mLにぬか50 mL）で根元のほうに金串を刺してみてすっとさせるようになるまでゆでる（40〜50分）．そのまま冷まして皮をむき，洗って用いる．ぬか水のかわりに米のとぎ汁を用いることもある．
2. たけのこは掘ってから時間がたつとともにえぐ味（シュウ酸など）が出て，かたくもなるので，入手後はできるだけ早くゆでる．ゆでたものは水につけて，ときどき水をかえて保存する．

■応用

鶏肉や油揚げを加えてもよい．

いなりずし

●材　料（10個分）
- 米（200 mL） ……………… 160 g
- 水（米の体積の1.1倍） … 220 mL
- だしこんぶ ………………… 1 g
- 合わせ酢
  - 酢（米の15％） …………… 24 g
  - 塩（米の1.8％） ………… 2.9 g
  - 砂糖（米の6％） ………… 10 g
- 油揚げ（5枚） …………… 100 g
  - 砂糖（油揚げの15〜20％） 15 g
  - しょうゆ（油揚げの15％） … 15 g
- 煮だし汁 ………………… 150 mL
- 煎りごま（白） …………… 10 g

1人分（5個）
- エ 559 kcal　た 17.6 g
- 脂 18.8 g　塩 2.8 g

●調理法
1. 米をだしこんぶとともに炊いてすし飯（ちらしずし，p.46参照）にし，ごまを混ぜる．
2. 油揚げはすりこぎで軽くたたき，半分に切って袋状に開く．熱湯をかけて油抜きをしてから調味料と煮だし汁を加え，落としぶたをして弱火で汁がなくなるまで煮る．
3. 酢水で手を湿らせてすし飯（1個分，約35 g）を軽く握り，油揚げに詰める．

■コ　ツ
ごまの煎り方は p.74 のほうれんそうのごま和え参照．

■参　考
1. 米に対する加水量は，米の体積の1.1倍で，質量で示すと1.3倍となる．
2. 関西では三角揚げに，関東では四角揚げに詰める．
3. 油揚げを用いた料理は，稲荷神社の眷族（けんぞく）がきつねであることから「きつね」とよばれたり，大阪府信田の森の稲荷神社が有名であることから「信田」とよばれたりする．

■応　用
油揚げを裏返してすし飯を詰める方法もある．

親子どんぶり

●材　料（1人分）
- 米 ………………………… 90 g
- 水（米の1.5倍） ………… 135 mL
- 鶏肉 ……………………… 30 g
- たまねぎ ………………… 30 g
- みつば …………………… 4 g
- 卵（1個） ………………… 50 g
- 煮だし汁 ………………… 50 mL
- しょうゆ（汁の30％） …… 15 g
- みりん（汁の30％） …… 15 g
- のり（1/6枚） …………… 0.5 g

- エ 488 kcal　た 17.0 g
- 脂 8.2 g　塩 2.5 g

●調理法
1. ご飯は普通に炊く．
2. 鶏肉は薄くそぎ切り，たまねぎはせん切りにし，みつばは2〜3 cmに切る．
3. 親子どんぶり用の鍋または小さなフライパンに煮だし汁と調味料を入れて火にかけ，鶏肉とたまねぎを煮る．だいたい煮えたところでみつばを入れ，溶き卵を全体に流し入れて半熟程度に煮る．
4. どんぶりに盛り付けた飯の上に③をすべらせるように移し，もみのりを散らす．

■応　用
鶏肉のかわりに豚肉や牛肉を用いると他人丼となる．

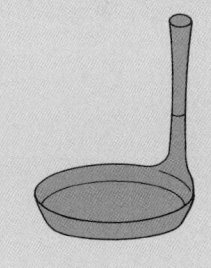

どんぶり用鍋

第2章●日本料理

ちらしずし

●材料（1人分）

米（100 mL）……………… 80 g
水（米の体積の1.1倍）… 110 mL
だしこんぶ ………………… 1 g
みりん ……………………3.5 g
合わせ酢
① ┌ 酢（米の15%）……… 12 g
　├ 塩（米の1.5%）……… 1.2 g
　└ 砂糖（米の3%）……… 2.4 g
② ┌ 干ししいたけ（小1枚）…… 3 g
　├ 砂糖 ……………………… 2 g
　└ しょうゆ ……………… 2.5 g
③ ┌ かんぴょう ……………… 3 g
　├ 砂糖 ……………………… 3 g
　└ しょうゆ ……………… 3.5 g
④ ┌ にんじん ………………… 5 g
　├ 塩 ……………………… 0.1 g
　└ 砂糖 …………………… 0.5 g
⑤ ┌ 白身魚（まだい）……… 20 g
　├ 塩（魚の1%）………… 0.2 g
　├ 砂糖 …………………… 1.5 g
　├ 酒 ………………………… 2 g
　└ 食紅 …………………… 少々
⑥ ┌ あじ …………………… 20 g
　├ 塩（魚の3%）………… 0.6 g
　└ 酢 ………………………… 2 g
⑦ ┌ しばえび（1尾）……… 10 g
　└ 甘酢（酢1 g, 塩0.1 g, 砂糖0.5 g）
⑧ ┌ 卵 ……………………… 25 g
　├ 塩 ……………………… 0.3 g
　├ 砂糖 …………………… 1.5 g
　└ 油 ………………………… 1 g
⑨ ┌ れんこん ……………… 10 g
　├ 砂糖 ……………………… 1 g
　├ 塩 ……………………… 0.2 g
　└ 酢 ……………………… 4.5 g
さやえんどう ……………… 5 g
のり（1/6枚）…………… 0.5 g
紅しょうが（または酢どりしょうが）
　………………………………… 3 g

●調理法

❶ 米は，だしこんぶを入れて炊き，すし桶などの広い器に移し，①の合わせ酢を回しかけ，うちわであおぎながら木じゃくしで切るように混ぜてつやを出し，すし飯にする．
❷ しいたけはもどして柄を取り，もどし汁と調味料で汁がなくなるまで煮てせん切りにする．
❸ かんぴょうは塩もみして洗い，やわらかくなるまでゆでる．調味料とひたひたのゆで汁を加え，汁がなくなるまで煮て1 cm長さに切る．
❹ にんじんはせん切りにして調味料と少量の煮だし汁で煮る．
❺ 白身魚は塩を加えた熱湯でゆでて皮や骨を除き，ふきんに包んでもみほぐす．調味料と食紅を加えて弱火にかけ，4〜5本の箸で混ぜながら炒り上げる（そぼろ）．
❻ あじは三枚におろして腹骨を取り，塩をふって20分ぐらいおく．ひたひたの酢に10分ほどつけて皮をむき，適当に切る．
❼ えびは頭と背わたを取り（図），さっと塩ゆでして殻を取って甘酢につける．
❽ 卵はほぐして調味料を加え，薄焼き卵にしてせん切りにする（錦糸卵）．
❾ れんこんは皮をむいて薄い輪切りにした後，花形にする．鍋に調味料を入れて，沸騰させ，れんこんを入れて4〜5分煮る．
❿ さやえんどうは塩ゆでして適当に切る．
⓫ のりはあぶって，もみのりにするか細く切る．
⓬ すし飯にしいたけ，かんぴょう，にんじんを混ぜて器に盛り，そのほかの材料を上に飾る．

■コツ

そぼろは鍋をときどき火からおろして，鍋肌についたものをこすり取ってまた火にかけるようにする．湯せんにしてもよい．

■応用

かまぼこ，あなご，しらす干し，イクラ，凍り豆腐，たけのこ，ふき，きゅうりなども用いられる．木の芽などを添えるのもよい．

エ 477 kcal　た 17.2 g
脂 5.6 g　塩 4.2 g

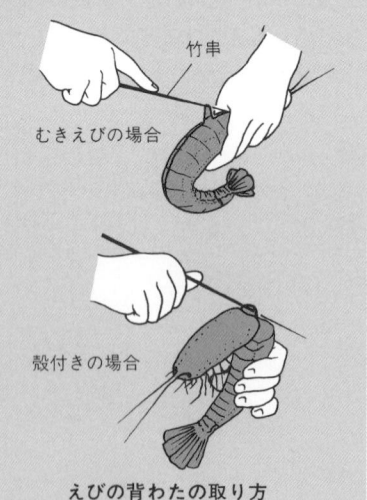

むきえびの場合　竹串
殻付きの場合
えびの背わたの取り方

巻きずし

●材 料（1本分）
- 米（110 mL） ………………… 90 g
- 水（米の体積の1.1倍） … 120 mL
- だしこんぶ …………………… 1 g
- 合わせ酢
  - 酢（米の15%） ………… 13 g
  - 塩（米の1.5%） ………… 1.3 g
  - 砂糖（米の3.5%） ……… 3 g
- のり（1枚） ………………… 3 g
- 含め煮しいたけ ………… p.46参照
- 含め煮かんぴょう ……… p.46参照
- 厚焼き卵
  - 卵（1/2個） …………… 25 g
  - 砂糖 …………………… 3.5 g
  - 酒 ……………………… 4.5 g
  - 塩 ……………………… 0.2 g
  - はんぺん ………………… 6 g
  - 油 ……………………… 0.5 g
- そぼろ …………………… p.46参照
- みつば（5本） ……………… 8 g

エ 478 kcal　た 14.1 g
脂 4.7 g　　 塩 3.1 g

●調理法
① 米を炊いて合わせ酢ですし飯にする．
② しいたけはせん切り，厚焼き卵は棒状に切る．みつばはさっとゆでる．
③ あぶったのりを表が下になるようにして巻きすの上に置く．のりの向こう側2～3 cm残してすし飯を広げる．手前から1/3ぐらいのところに具を置き，具を押えながら手前のすし飯の端を向こうのすし飯の端に合わせる．全体を軽く締めてから，巻きすの端を浮かせて残りののりの部分を巻き込み，巻き終わりを下にする（図）．
④ 両端の飯を軽く押えて落ち着かせてから巻きすをはずし，包丁をぬれぶきんでふきながら8～10切れに切る．

■コ ツ
① 含め煮しいたけ，含め煮かんぴょう，そぼろのつくり方はp.46のちらしずし参照．
② すし飯を扱うときは手を酢水で湿らせる．

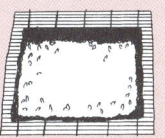

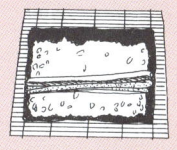

(1) のりの向こう側2～3 cm残してすし飯を広げる
(2) 手前から1/3ぐらいのところに具を置く
(3) 具を押えながら巻く
(4) 軽く締める

巻きずしの巻き方

第2章●日本料理

実習編 2 汁　物

エ エネルギー　た たんぱく質　脂 脂質　塩 食塩相当量

菊花豆腐のすまし汁

●材料（1人分）
絹ごし豆腐（3～4 cm角1切れ）
……………………………… 50 g
煮だし汁（かつお・こんぶ） 150 mL
塩（汁の0.6％）…………… 0.9 g
薄口しょうゆ（汁の1％）…… 1.5 g
しゅんぎくの葉（1枚）……… 10 g
しょうが……………………… 少々

エ 34 kcal　た 3.2 g
脂 1.6 g　塩 1.3 g

●調理法
❶ 豆腐は下から1 cmぐらいを残して縦横に0.5 cmぐらいの間隔で切り込みを入れる（図）．
❷ 穴じゃくしにのせて熱湯の中で静かに揺り動かして開かせ，水気を切って椀に盛る．
❸ 煮だし汁を調味して煮立て，椀に注ぐ．さっとゆでたしゅんぎくを添え，豆腐の中心におろししょうがをおく．

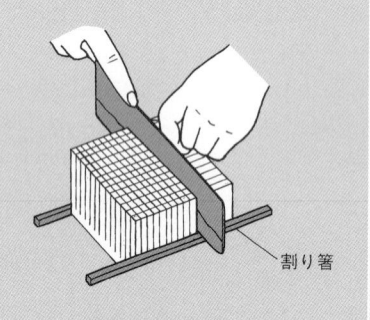

■コツ
❶ 豆腐に切り込みを入れるとき，豆腐の手前と向こう側に割り箸を添えておくと切りやすい．
❷ 豆腐を直接煮だし汁の中で開かせると汁が濁る．

■応用
しゅんぎくのかわりに菊の葉，おろししょうがのかわりにゆずでもよい．

割り箸

菊花豆腐のつくり方

いわしのつみれ汁

●材料（1人分）
いわし………………………… 30 g
みそ（魚の10％）…………… 3 g
かたくり粉（魚の5％）……… 1.5 g
しょうが……………………… 少々
水……………………………… 150 mL
塩（水の0.6％）……………… 0.9 g
しょうゆ（水の1％）………… 1.5 g
ねぎ…………………………… 5 g
しょうが……………………… 少々

エ 60 kcal　た 5.4 g
脂 2.4 g　塩 1.6 g

●調理法
❶ いわしの頭を取り，わたを出して洗う．手開きにして，身を包丁でたたいてからすり鉢でする．みそ，おろししょうが，かたくり粉を加えてすり混ぜる．
❷ ねぎは4 cm長さの細いせん切り，しょうがは針しょうがにする．
❸ 分量の水を煮立て，①を丸めて入れる（3個ぐらい）．静かに煮ながらアクを取り，つみれが浮いてきたら汁に調味し，ねぎを加えて火を止める．
❹ 椀に盛り，針しょうがを浮かす．

■参考
つみれとは，「つみ入れ」ともいわれ，すりつぶした材料（すり身）をつまんで，汁に入れることから名付けられた．だんご状にしてゆでたり，蒸すこともある．略して「つみれ」という．おもに魚を用いるが，いもや豆腐を主体にして，つなぎを入れるものもある．

■応用
みそ仕立てにするときは，つみれの中にはみそのかわりに塩を入れる．

えびしんじょの椀盛り

●材料（1人分）

- えび ……………………………… 10 g
- 白身魚のすり身（すけとうだら）
   ……………………………… 35 g
- 塩（えびとすり身の0.5%） …0.2 g
- 卵白（えびとすり身の10%） 5 g
- 本くず粉
   （えびとすり身の4%） …1.8 g
- 煮だし汁（こんぶ）
   （えびとすり身の10%）…… 5 mL
- 酒（えびとすり身の3%）……1.5 g
- みりん
   （えびとすり身の1%）……0.5 g
- だいこん ……………………… 15 g
- 二番だし ……………………… 75 mL
- 塩 ……………………………… 0.1 g
- 薄口しょうゆ ………………… 0.5 g
- こまつなの若い葉（1枚） …… 2 g
- 一番だし ……………………… 150 mL
- 塩（汁の0.5%） ……………… 0.8 g
- 薄口しょうゆ（汁の2%）…… 3 g
- ゆずの皮 ……………………… 少々

●調理法

❶ えびは皮をむいて頭と背わたを取り、刻んですり鉢でよくすり、魚のすり身も入れてよくする．塩を加えてさらにする．

❷ ①に卵白，煮だし汁で溶いたくず粉，みりん，酒も入れてよくすり混ぜる．

❸ 沸騰した湯の中に②をスプーンで形を整えて落とし入れ，5分ほどゆでる．水にとって冷まし，水を切る．

❹ だいこんは皮をむいて輪切り（1人1枚）にし，小麦粉少々を入れた湯でゆでた後，調味液で煮る．

❺ こまつなはさっと塩ゆでにして水にとる．

❻ 一番だしに調味し，③を入れてさっと煮る．

❼ 椀の中にだいこんをおいて，その上にこまつなを広げ，汁ごと⑥のしんじょをのせる．

❽ ゆずの皮をそいで松葉に切り，しんじょの上におく．

■参考

しんじょ（真薯）ははんぺんの一種．本来は魚肉のすり身にやまのいも，卵白，小麦粉などを加えて調味し，蒸すかゆでてつくる．真薯とは正真正銘のやまのいもを使ってつくったという表示であろうといわれる．また，以前はきれいな円形につくったため「真如」といったという説もある．

■応用

しんじょのつくり方は，ゆでるほかにラップで包んだり，湯のみ茶碗に入れて蒸してもよい．

エ 63 kcal　た 7.8 g
脂 0.1 g　塩 2.0 g

吉野鶏とみつばの吸い物

●材料（1人分）

- 鶏ささ身 ……………………… 20 g
- 塩 ……………………………… 少々
- 酒 ……………………………… 0.1 g
- かたくり粉 …………………… 0.1 g
- 煮だし汁（かつお・こんぶ） 150 mL
- 塩（汁の0.6%） ……………… 0.9 g
- しょうゆ（汁の0.6%） ……… 1 g
- みつば（2本）………………… 3 g
- ゆずの皮 ……………………… 少々

●調理法

❶ ささ身は2切れに薄くそぎ切りにし，塩・酒をふりかけて15分ほどおく．かたくり粉を薄くまぶし，すりこぎで軽くたたいて平らにする．熱湯でゆで，でんぷんが透明になって浮いてきたらすくい上げる．

❷ 煮だし汁を火にかけ調味する．

❸ 椀に吉野鶏，結びみつばを盛って汁を注ぎ，松葉ゆずを浮かせる．

■参考

❶ でんぷんは口ざわりをよくし，肉のうま味の溶出を防ぐ．

❷ 吉野鶏，吉野煮など，でんぷんを用いた料理の名前に「吉野」をつけるのは，くずの産地である吉野山にちなんだものである．かつてはくずでんぷんを用いた．

❸ 動物性食品にでんぷんをまぶしてゆで，椀種にすることを「くずうち」という．結びきすのくずうちなど．

エ 24 kcal　た 4.3 g
脂 0.1 g　塩 1.2 g

第2章●日本料理

かきたま汁

●材料（1人分）
- 卵‥‥‥‥‥‥‥‥‥‥‥‥‥20g
- 煮だし汁‥‥‥‥‥‥‥‥150 mL
- 塩（汁の0.6％）‥‥‥‥‥0.9g
- しょうゆ（汁の1％）‥‥‥1.5g
- かたくり粉（汁の1％）‥‥1.5g
- みつば（2本）‥‥‥‥‥‥‥3g
- のり（1/6枚）‥‥‥‥‥‥0.5g

エ 39 kcal　た 2.8 g
脂 1.9 g　　塩 1.3 g

●調理法
1. 卵は泡立てないようによく溶きほぐす.
2. みつばは2cm長さに切る.
3. 煮だし汁を煮立てて調味し，水溶きかたくり粉を加えてとろみをつける.
4. 汁を静かに沸騰させながら，卵を少量ずつ流し入れる.
5. 卵がふわっと煮えたらみつばを入れて火を止める. 椀に盛り，もみのりを添える.

■コ　ツ
汁に卵を入れる方法として，箸に伝わらせながら入れる，穴じゃくしを通して入れる，汁を静かにかき回しながら入れる，などがある.

■参　考
でんぷんを加えることにより，卵が沈まずによく分散し，口当たりが滑らかになる. また汁が冷めにくい.

■応　用
青みや吸い口として，あさつき，木の芽，露しょうがなどもよい.

はまぐりの潮汁

●材料（1人分）
- はまぐり（2個）‥‥‥身の部分20g
- 水‥‥‥‥‥‥‥‥‥‥‥150 mL
- こんぶ（水の2％）‥‥‥‥‥3g
- 塩（水の0.6％）‥‥‥‥‥0.9g
- 酒（水の2％）‥‥‥‥‥‥‥3g
- うど‥‥‥‥‥‥‥‥‥‥‥‥2g
- 木の芽‥‥‥‥‥‥‥‥‥‥1枚

エ 18 kcal　た 1.2 g
脂 0.1 g　　塩 1.6 g

●調理法
1. はまぐりは砂をはかせて，ていねいに洗う（砂だし）.
2. うどはよりうど（うどのかつらむきを斜めに切ったもの）にして水に放す.
3. 鍋にはまぐり，こんぶ，水，酒を入れて火にかけ，煮立つ直前にこんぶを取り出して火を弱める. はまぐりの口が開いたら味をみながら塩を加え，アクをすくって火を止める.
4. 椀にはまぐりと，よりうどを盛って汁を注ぎ，木の芽を手の平でたたいてから浮かす.

■コ　ツ
1. 貝類は加熱しすぎるとかたくなる. また汁を強火で沸騰させると濁るので気をつける.
2. 砂がある場合は貝の身を汁の中で静かにふり洗いし，汁はふきんでこす.

■参　考
貝の砂をはかせるには，3〜4％の塩水につけて一晩ぐらい冷暗所におく.

■応　用
潮汁の材料としてはほかに，あさり，たい，すずき，さば（船場汁）などがある.

油揚げとわかめのみそ汁

●材料（1人分）
- 油揚げ‥‥‥‥‥‥‥‥‥‥‥5g
- わかめ（もどしたもの）‥‥‥8g
- 煮だし汁（煮干し）‥‥‥150 mL
- みそ（汁の8％）‥‥‥‥‥12g
- 細ねぎ‥‥‥‥‥‥‥‥‥‥‥5g

エ 45 kcal　た 2.8 g
脂 2.4 g　　塩 1.8 g

●調理法
1. 油揚げは熱湯をかけて油抜きし，たて半分に切って細切りにする. わかめはもどして2cm角に切る. ねぎは小口から刻む.
2. 煮だし汁を火にかけ，油揚げを入れて煮，みそを溶かし入れる.
3. わかめを入れてひと煮立ちしたらねぎを入れて火を止める.

■コ　ツ
みそを入れてから長く煮たり煮返したりすると風味が劣るので，供する間際にさっと仕上げる.

かつおのすり流し汁

●材 料（1人分）
かつお……………………… 25 g
煮だし汁（こんぶ）……… 150 mL
みそ（汁の8％）…………… 12 g
かたくり粉（汁の1％）…… 1.5 g
ねぎ………………………… 5 g

エ 63 kcal　　た 6.9 g
脂 0.7 g　　　塩 1.9 g

●調理法
① かつおは，骨，皮などを除き，包丁でたたいてからすり鉢ですり．みそを加えてさらにすり，煮だし汁ですりのばす．
② ねぎは小口切りにする．
③ ①を鍋に移して火にかけ，水溶きかたくり粉を加えて煮立ったらすぐにねぎを加えて火を止める．
④ 椀に盛り，粉ざんしょうをふる．

■参 考
かすみ汁ともいう．粉ざんしょうは好みで使う．煮だし汁は水でもよい．

■応 用
① あじも用いられる．あらからこそげ取った身を使うのもよい．
② 豆腐，納豆，枝豆などでもすり流し汁にする．
③ かきのすり流し汁は独特の風味がある．

かす汁

●材 料（1人分）
生さけ……………………… 50 g
だいこん…………………… 40 g
にんじん…………………… 10 g
こんにゃく………………… 20 g
ねぎ………………………… 5 g
煮だし汁（こんぶ）……… 180 mL
酒かす……………………… 15 g
みそ………………………… 10 g

エ 133 kcal　　た 13.3 g
脂 2.6 g　　　塩 1.8 g

●調理法
① さけは半分に切る．だいこん，にんじん，こんにゃくは厚めの短冊に切り，こんにゃくはさっとゆでる．ねぎはぶつ切りにする．
② さけとねぎ以外の野菜をだし汁で煮てアクをとる．酒かすは，細かくちぎって煮汁でとく．
③ 野菜が煮えたら酒かすとみそを入れ，5分ほど煮て味を調え，ねぎを入れてさっと煮る．

■コ ツ
みそはさけの塩味により加減する．酒かすの量も好みで加減する．

■応 用
① 材料はほかにさといも，ごぼう，油揚げ，しいたけなどもよい．
② さけのあらを用いてもよい．

さつま汁

●材 料（1人分）
豚肉（こま切れ）…………… 40 g
さといも…………………… 30 g
だいこん…………………… 30 g
にんじん…………………… 10 g
ごぼう……………………… 10 g
ねぎ………………………… 5 g
煮だし汁（こんぶ）……… 180 mL
みそ………………………… 11 g
粉ざんしょう……………… 少々

エ 140 kcal　　た 9.7 g
脂 6.2 g　　　塩 1.8 g

●調理法
① さといも，だいこん，にんじんはそれぞれ輪切りか半月切り，またはいちょう切りにする．さといもは厚め（1 cmぐらい）に切る．ごぼうは皮をこそげて斜め切りにし，水にさらす．ねぎは小口切りにする．
② 煮だし汁にねぎ以外の野菜を入れて火にかけ，煮立ったら豚肉と半量のみそを入れ，野菜がやわらかくなるまで煮る．最後に残りのみそとねぎを加えてひと煮立ちさせる．
③ 椀に盛り，粉ざんしょうをふる．

■コ ツ
みそは材料の風味と混ざり合って渾然としたうま味を出すために，半量は先に入れ，みそ特有の風味をいかすためにあとの半量は仕上がり時に入れる．

■応 用
しいたけ，こんにゃく，油揚げなどを入れてもよい．また，豚肉でなく鶏の骨付きぶつ切り肉を用いるときは30～40分水炊きしてから野菜を入れて煮る．煮だし汁は水でもよい．

第2章●日本料理　51

けんちん汁

●材　料（1人分）
- 木綿豆腐 … 70 g
- 油揚げ … 5 g
- さといも … 20 g
- ごぼう … 10 g
- だいこん … 20 g
- にんじん … 10 g
- 干ししいたけ（1/2枚） … 2 g
- ねぎ … 5 g
- 油 … 6 g
- 煮だし汁 … 180 mL
- 塩（汁の0.5％） … 1 g
- 薄口しょうゆ（汁の1％） … 2 g
- 七味とうがらし … 少々

エ 157 kcal　た 7.1 g
脂 10.6 g　塩 1.5 g

●調理法
1. 豆腐はふきんに包んで水気を絞り，粗くつぶす．油揚げは油抜きをして短冊切りにする．根菜類は輪切り，半月切り，またはいちょう切りにして，さといもは塩でもんでぬめりを洗い，ごぼうは水にさらす．しいたけはもどして4〜6つに切る．ねぎは小口切りにする．
2. 鍋に油（好みでごま油でもよい）を熱してねぎ以外の野菜を炒め，豆腐も加えて炒める．
3. 煮だし汁を加え，煮立ったら弱火にしてアクをすくう．
4. 野菜が煮えたら調味し，ねぎを加える．
5. 椀に盛り，七味とうがらしをふる．

■コ　ツ
野菜は火の通りやすさや，煮くずれを考えて切る．

■参　考
けんちんとは，中国料理の巻繊（ケンチェン）からなまったとされる．巻繊はもともとせん切りした材料を巻いた料理だったものが，今ではせん切り材料とくずした豆腐が入る料理を指す．けんちん蒸し，けんちん焼きなど．

のっぺい汁

●材　料（1人分）
- さといも … 20 g
- ごぼう … 10 g
- にんじん … 10 g
- だいこん … 20 g
- 干ししいたけ（1/2枚） … 2 g
- こんにゃく … 20 g
- ちくわ … 10 g
- 焼き豆腐 … 25 g
- 煮だし汁 … 180 mL
- かたくり粉（汁の1％） … 1.5 g
- 塩（汁の0.5％） … 1 g
- 薄口しょうゆ（汁の1％） … 2 g
- みりん（汁の1％） … 1.5 g

エ 76 kcal　た 4.3 g
脂 1.5 g　塩 1.7 g

●調理法
1. 根菜類，干ししいたけの下ごしらえは，けんちん汁を参照．こんにゃくはたづな切り，ちくわは小口切りにし，焼き豆腐は他の材料よりやや大きめに切る．
2. 材料を煮だし汁と塩でやわらかくなるまで煮て，しょうゆ，みりんを加えて味を調える．
3. かたくり粉の水溶きを加えてとろみをつける．

■参　考
全国各地の郷土料理で能平，濃餅，野平などと書く．のっぺりとしたとろみからついたともいわれる．

雑煮（すまし仕立て）

●材料（1人分）
鶏肉……………………… 30 g
こまつな………………… 30 g
しいたけ（1枚）………… 10 g
煮だし汁（こんぶ）…… 150 mL
塩（汁の0.5%）………… 0.8 g
薄口しょうゆ（汁の1.5%）…… 2.5 g
切りもち（1切れ）……… 50 g
ゆずの皮………………… 少々

エ 167 kcal　た 8.0 g
脂 2.0 g　塩 1.5 g

●調理法
❶ 鶏肉は一口大のそぎ切りにし，しいたけは洗って柄を取る．こまつなはゆでて3～4cmに切る．
❷ もちを焼き，熱湯を通して椀に盛る．
❸ 煮だし汁を煮立て，鶏肉，しいたけをさっと煮て，こまつなとともに②に盛り合わせ，汁（アクがあれば除く）に調味して注ぎ，ゆずをそいでのせる．

■参　考
薬味としてさんしょうを用いることがある．これを「祝いの粉」という．

■応　用
かまぼこ，なると巻き，にんじんなども用いられる．亀甲しいたけ，梅花にんじんなどにするのもよい．

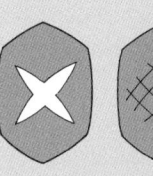

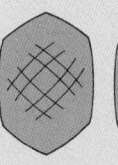

亀甲しいたけの例

雑煮（白みそ仕立て）

●材料（1人分）
さといも（小1個）……… 30 g
だいこん………………… 20 g
にんじん………………… 5 g
みつば（2本）…………… 3 g
煮だし汁………………… 120 mL
白みそ（汁の15%）……… 18 g
丸もち（1個）…………… 50 g

エ 172 kcal　た 4.1 g
脂 0.8 g　塩 1.2 g

●調理法
❶ さといもは鶴の子（図）に，だいこんは5mm厚さの亀甲に，にんじんは皮をむいて3mm厚さの輪切りにし，それぞれかためにゆでておく．みつばはさっとゆでて3～4cmに切りそろえる．
❷ 煮だし汁を煮立てて半量のみそを溶かし，さといも，だいこん，にんじんを加えて弱火で煮る．
❸ 焼いたもちと野菜を椀に盛り，汁に残りのみそを加えてひと煮立ちさせて椀に注ぐ．

■コ　ツ
野菜が煮くずれないように，もちがやわらかくなりすぎないように気をつける．

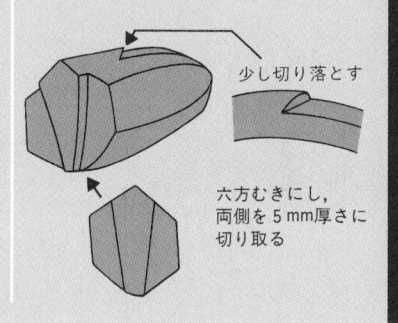

少し切り落とす

六方むきにし，両側を5mm厚さに切り取る

第2章●日本料理

実習編 3 煮 物

エ エネルギー　た たんぱく質　脂 脂質　塩 食塩相当量

ふろふきだいこん

●材　料（1人分）
だいこん……………………… 150 g
こんぶ………………………… 2～3 g
米のとぎ汁…………………… 適量
塩（ゆで水の0.5％ぐらい）…… 少々
練りみそ
　赤みそ（だいこんの10％）　15 g
　砂糖（みその40％）………　6 g
　みりん（みその20％）……　3 g
　酒（みその30％）…………　5 g
　煮だし汁（みその50％）… 8 mL
　いりごま（黒）（みその10％）2 g
ゆずの皮（せん切り）……… 少々

エ 98 kcal　た 2.6 g
脂 1.8 g　塩 2.0 g

●調理法
❶ だいこんは輪切りにして皮をむき，面取りをして，裏側に深さ約1.5 cmの十文字の切り目を入れる（隠し包丁）（図）．
❷ 鍋にこんぶを敷いてだいこんを並べ，十分かぶるだけの米のとぎ汁，塩を加えて，弱火でだいこんがやわらかくなるまでゆでる．
❸ ごまはよくすっておく．
❹ ごま以外の練りみその材料を小鍋に入れて，木じゃくしで混ぜながら中火でポッテリとなるまで練り上げ，ごまを混ぜて火を止める．
❺ 温めた器にだいこんを盛り，練りみそをかけてゆずをあしらう（天盛り）．

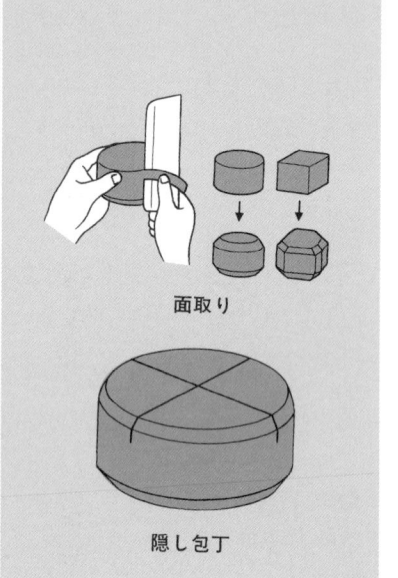

面取り

隠し包丁

さといもの含め煮

●材　料（1人分）
さといも……………………… 100 g
煮だし汁……………………… 90 mL
砂糖（さといもの3％）………　3 g
みりん（さといもの5％）……　5 g
塩（さといも0.8％）………… 0.8 g
しょうゆ（さといもの4％）……　4 g
ゆずの皮……………………… 少々

エ 82 kcal　た 1.6 g
脂 0.1 g　塩 1.5 g

●調理法
❶ さといもは皮をむいて大きさをそろえて乱切りにし，水から4～5分ゆでてぬめりを洗う．
❷ 鍋に煮だし汁，砂糖，みりん，さといもを入れて火にかけ，沸騰したら火を弱めて5分ぐらい煮る．塩，しょうゆを加え，紙ぶたをしてさといもがやわらかくなるまで煮，火を消して味を含ませる（煮汁は半量ぐらい残るのがよい）．
❸ 器に盛り，煮汁を適量かけてゆずの皮のすりおろしたものをふる．

■コツ
　煮だし汁の量は，1回に煮るさといもの量と鍋の大きさによって加減する．また，煮上がり時の煮汁の残りの量により，いもの味の濃さが違うので注意する．

■参　考
❶ さといもには，親いもを利用する筍いも，子いもを利用する石川早生，土垂，えぐいも，親いも・子いもともに利用できる海老いも，セレベス，八頭など，多くの品種がある．
❷ 味は淡泊だが，えぐ味やぬめりがあるので，ゆでて用いるとよい．

かぼちゃの甘煮

●材　料（1人分）
かぼちゃ……………………………80 g
煮だし汁……………………………70 mL
砂糖（かぼちゃの7〜10％）……7 g
みりん（かぼちゃの3％）………2.5 g
塩（かぼちゃの0.8％）…………0.6 g
しょうゆ（かぼちゃの1％）……1 g

エ 98 kcal　た 1.2 g
脂 0.2 g　塩 0.8 g

●調理法
❶ かぼちゃは3〜4 cm幅のくし形に切り，種とわたを除いて角切りにする．面取り（図）をしてところどころ皮をむく．
❷ 鍋に煮だし汁とかぼちゃを入れて強火にかけ，煮立ったら弱火にして2〜3分煮る．砂糖とみりんを加えて7〜8分煮たら，塩，しょうゆを加えて紙ぶたをしてやわらかくなるまで煮含める．
❸ 火を消したまま味を含ませる．

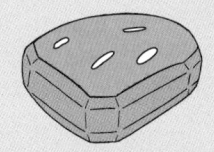

かぼちゃの面取り

にんじんのうま煮

●材　料（1人分）
にんじん……………………………50 g
煮だし汁……………………………50 mL
砂糖（にんじんの2％）…………1 g
みりん（にんじんの6％）………3 g
塩（にんじんの0.5％）…………0.3 g
薄口しょうゆ（にんじんの4％）
………………………………………2 g

エ 28 kcal　た 0.5 g
脂 0.1 g　塩 0.7 g

●調理法
❶ にんじんは皮をむいて1〜2 cm厚さの輪切りにする．
❷ 煮だし汁と調味料を加えて静かに煮含め，やわらかくなったら火を止めてそのまま含ませる．

■応　用
　炊き合わせとして，他の煮物と盛り合わせることが多い．切り方や分量は他の材料とのバランスで決める．正月の重詰めには，梅花，ねじり梅，末広などの切り方が一般的である．

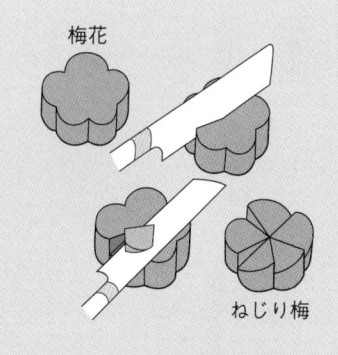

梅花　ねじり梅

ふきの青煮

●材　料（1人分）
ふき…………………………………40 g
煮だし汁……………………………40 mL
塩（ふきと煮だし汁の1％）……0.8 g
薄口しょうゆ（ふきと煮だし汁の2.5％）……………………………2 g
みりん（ふきと煮だし汁の3％）
………………………………………2.5 g

エ 12 kcal　た 0.3 g
脂 0 g　塩 1.2 g

●調理法
❶ ふきは鍋に入る長さに切って洗い，多めの塩をこすりつけ，たっぷりの熱湯で数分ゆでる．水にさらして皮をむく．
❷ 煮だし汁と調味料を煮立て，ふきを入れてざっと煮て取り出し，広げて冷ます．汁も冷ましてふきをもどし，十分に味を含ませる．
❸ 4 cmぐらいの長さに切りそろえ，盛り付ける．

■コ　ツ
　煮だし汁の量はふきがちょうど浸るぐらいに適宜加減する．

■応　用
❶ 他の材料と炊き合わせにする場合は1人分20 gぐらいでもよい．
❷ さやいんげん，さやえんどう，オクラなども同様の方法で青煮にする．

第2章●日本料理　55

しいたけの煮しめ

●材料（1人分）
- 干ししいたけ（小1枚）
  ……………………3g（もどして15g）
- しいたけもどし汁 ………………… 30 mL
- しょうゆ（もどしたしいたけの10%）
  ……………………………………1.5g
- 砂糖（もどしたしいたけの4%）
  ……………………………………0.5g
- みりん（もどしたしいたけの6%）
  ………………………………………1g

●調理法
① しいたけはもどして柄を取り，もどし汁を加えて火にかける．
② 沸騰したらアクをすくい，火を弱めて3～4分煮て砂糖，みりんを加える．さらに5分ほど煮てしょうゆを加えて煮汁がほとんどなくなるまで煮る．

■コツ
① しいたけは中までふっくらするように十分にもどす．
② はじめの煮汁の量はしいたけが十分かぶるぐらいにし，ゆっくり煮しめて中まで味をしみ込ませる．

エ 14 kcal　た 0.5g
脂 0.1g　　 塩 0.2g

茶せんなすの揚げ煮

●材料（1人分）
- なす（1個）……………………… 60g
- 揚げ油 ……………………………… 適量
- 煮だし汁 ………………………… 40 mL
- しょうゆ（なすの8%）………… 4.8g
- 砂糖（なすの3%弱）…………… 1.5g

エ 96 kcal　た 0.8g
脂 8.2g　　 塩 0.7g
吸油量8.4gとして

●調理法
① なすはがくを切り取り，縦に4～5mm間隔に包丁目を入れる（茶せんなす）（図）．水につけてアクを抜き，ふきんで水気をふく．
② 180℃の油に入れて箸でくるくる回しながら30秒ぐらい揚げる．
③ 熱湯をかけて油抜きをし，調味した煮だし汁に入れ弱火で煮汁がほとんどなくなるまで煮る．
④ なすをねじるようにして盛り，いんげんの青煮などを添える．

■参考
なすはゆでてから煮てもよいが，油で揚げると皮の色が固定し，色よく煮上がる．

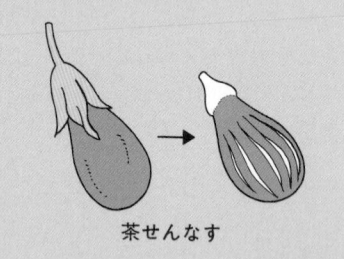

茶せんなす

れんこんの酢煮

●材料（1人分）
- れんこん ………………………… 30g
- 煮だし汁 ………………………… 50 mL
- 酢（れんこんと煮だし汁の15%）
  ………………………………………12g
- 砂糖（れんこんと煮だし汁の10%）
  ………………………………………8g
- 塩（れんこんと煮だし汁の1.5%）
  ……………………………………1.2g

●調理法
① れんこんは皮をむいて，適当な厚さの輪切りにし，酢水につけてアクを抜く．
② 煮立てた調味液に入れてすきとおった感じになるまで煮る（薄切りでは1～2分，厚切りでは3～4分ぐらい）．そのまま含ませておく．

■参考
鍋は耐酸性のものを用いる．

■応用
① 切り方は目的に応じてかえる．ちらしずしには薄切り，正月の重詰めには矢羽根や花れんこんなどにする．
② 薄切りの場合は酢水でさっとゆでて甘酢につけてもよい．

エ 55 kcal　た 0.5g
脂 0g　　　 塩 1.3g

きんかんの砂糖煮

●材 料
きんかん（7〜10個）……… 100 g
砂糖（きんかんの30〜40％）40 g

1人分（全量の1/4）
エ 56 kcal　た 0.1 g
脂 0.1 g　塩 0 g

●調理法
❶ きんかんは洗って上下を残して縦に8本ぐらい切り目を入れる（図）．
❷ たっぷりの水を加えて火にかけ，ゆでて水にさらす．
❸ 指で押しつぶすようにして切り口から種を出す．
❹ 砂糖とひたひたの水を加え，紙ぶたをして煮る．砂糖が溶けて煮立ってきたら火を弱め，煮汁が少し残るぐらいまでゆっくりと煮詰める．
❺ 押しつぶして菊の花のようにして盛り付ける．

■コ ツ
　砂糖液が煮詰まってくると，焦げやすいので気をつける．

■応 用
❶ 焼き物の前盛りや正月料理の口取りとして用いられる．菊の葉を添えるのもよい．
❷ 砂糖の量は，好みで加減する．

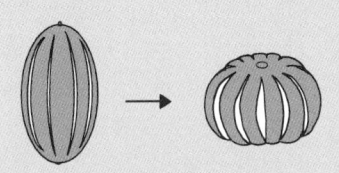

きんかんの切り方

煮豆（黒豆）

●材 料
黒豆………………………… 100 g
塩（豆の1％）……………… 1 g
砂糖（豆の80％）………… 80 g
しょうゆ（豆の10％）…… 10 g
水（豆の体積の5倍）…… 約700 mL

1人分（全量の1/5）
エ 134 kcal　た 6.4 g
脂 3.3 g　塩 0.5 g

●調理法
❶ 鍋に分量の水と調味料，ガーゼに包んださび釘を入れて沸騰させる．火を止めて洗った豆を入れ，5時間ぐらいそのまま置く．
❷ ①を火にかけて豆が十分やわらかくなるまで静かに煮て火を止め，一晩そのまま味を含ませる．

■コ ツ
❶ やわらかくなるまでの時間は豆の種類や質により異なる．
❷ 煮ている間，豆は煮汁に十分ひたっているように気をつける．

■参 考
❶ 釘を入れないと，色がきれいに仕上がらない．
❷ ふっくら煮た黒豆は，ぶどう豆と呼ばれる．
❸ 大粒種（丹波黒豆）がよい．

高野豆腐の含め煮

●材 料（1人分）
高野豆腐（1枚）………… 15 g
煮だし汁（乾物の10倍）… 150 mL
酒（汁の5％）……………… 7 g
塩（汁の0.8％）…………… 1.2 g
薄口しょうゆ（汁の2％）… 3 g
砂糖（汁の6％）…………… 9 g

エ 122 kcal　た 7.9 g
脂 4.8 g　塩 2.0 g

●調理法
❶ 高野豆腐は60℃ぐらいのたっぷりの湯に浸し，落としぶたをしてもどす．両手の平で挟むようにして水気を絞り，水をかえて濁った汁が出なくなるまで押し洗いし，水気を絞る．
❷ 煮だし汁に調味料を加え，一煮立ちしたら①を並べ入れ，落としぶたをして弱火で20分ぐらい煮る．火を止めてそのまま味を含ませる．
❸ 適当に切って盛り付ける．

■コ ツ
❶ 高野豆腐は中まで十分にもどし，汁をよく絞ってから弱火で煮含めると，味の含みがよい．
❷ 高野豆腐のような加工品は，加工法によってその取り扱いも違うので，包装の表示を確かめる．
❸ 高野豆腐は空気に触れると酸化しやすいので，開封したら早目に使う．

第2章●日本料理　57

がんもどきの含め煮

●材料（1人分）
- 木綿豆腐……………………50 g
- 卵（豆腐の10%）……………5 g
- やまのいも（豆腐の20%）…10 g
- 塩（豆腐の0.5%）…………0.2 g
- しばえび……………………10 g
- きくらげ……………………0.5 g
- にんじん………………………5 g
- ゆり根…………………………5 g
- 絹さや…………………………3 g
- 揚げ油………………………適量
- 煮だし汁…………………70 mL
- みりん（汁の6%）……………4 g
- 酒（汁の6%）…………………4 g
- 薄口しょうゆ（汁の4%）……3 g
- 塩（汁の0.2%）……………0.1 g

エ 137 kcal　た 6.3 g
脂 7.9 g　塩 0.9 g
吸油量 5.3 g として

●調理法
① 豆腐はふきんに包んで重石をのせ、かために水気を切り、裏ごす。
② しばえびは殻と背わたを取り、さっと湯に通して細かく切る。きくらげは水でもどしてせん切りにする。にんじんは5 mm角に切ってゆで、ゆり根は1枚ずつはがしてゆでておく。絹さやはさっとゆでて斜めのせん切りにする。
③ やまのいもをすり鉢ですりおろし、豆腐を加えてすり混ぜ、溶き卵と塩もすり入れる。これに②の具を合わせてよく混ぜる。
④ 揚げ油を160℃ぐらいに熱し、③をスプーンですくって形を整えながら落とし入れ、色がつくまでゆっくりと揚げる（スプーンを油にくぐらせてからすくうとよい）。熱湯をかけて油抜きをする。
⑤ 煮だし汁を調味して煮立て、がんもどきを入れて落としぶたをして10分ほど煮含める。

■コ　ツ
豆腐の水の絞り方が足りないと、生地がやわらかくなりすぎる。

■参　考
がんもどきとは「雁擬」であり、精進料理では動物性食品が使えないので、がん（かも）の肉の味に似せてつくられたことから名づけられた。この呼び名は関東で主に使われ、関西では、その形が竜の頭に似ていることから「ひりょうず、ひろうす、飛竜頭」とよばれる。

■応　用
具にはゆでたぎんなん、枝豆、ひじきなどを入れても合う。

かれいの煮付け

●材料（1人分）
- かれい（1切れ）……………80 g
- しょうゆ（魚の10%）…………8 g
- 砂糖（魚の2%）……………1.5 g
- 酒（魚の15%）………………12 g
- 水（魚の25%）……………20 mL
- わかめ（もどしたもの）……20 g
- しょうが……………………少々

エ 100 kcal　た 15.1 g
脂 0.8 g　塩 1.5 g

●調理法
① 水と調味料を合わせて煮立たせ、かれいを表を上にして並べ入れる。
② 落としぶたをして中火～弱火で10～15分煮て、皿に盛り付ける。
③ わかめはもどして食べやすい大きさに切り、かれいを取り出したのちの煮汁でさっと煮て付け合わせる。かれいに煮汁を少しかけ、針しょうがをのせる。

■コ　ツ
① 魚は煮くずれしやすいので、途中で裏返したりしない。煮汁が全体に回るように落としぶたをする。また竹の皮を敷いた上に魚を並べて煮ると、焦げつきを防ぎ、盛り付けるときも取り出しやすい。
② 鮮度のよい魚は薄味でさっと煮るとおいしい。鮮度の落ちたものは味を濃いめにし、しょうがを入れた煮汁で煮る。

さばのみそ煮

●材　料（1人分）
さば（1切れ）･････････････80 g
みそ（魚の10％）･････････････8 g
しょうゆ（魚の2％）･････････1.5 g
砂糖（魚の5％）･････････････4 g
酒（魚の5％）･･･････････････4 g
水（魚の50％）･････････････40 mL
しょうが･････････････････････少々

エ 204 kcal　た 15.2 g
脂 10.7 g　塩 1.5 g

●調理法
❶ さばは三枚におろして半身を2つに切り，皮に×印の切り目を入れる．
❷ しょうがは少量の針しょうがを取り，残りは薄切りにする．
❸ さばがひと並べになるぐらいの鍋に水，調味料，薄切りしょうがを入れて火にかけ，煮立ったら火を弱めてさばを並べ入れる．落としぶたをして10～15分煮る．
❹ 器にさばを盛って煮汁をかけ，針しょうがをのせる．

■参　考
❶ みそは魚臭を吸着するので，さばなど生臭みの強い魚にはみそ煮が適している．
❷ 「さばの生き腐れ」といわれるように，さばは自己消化酵素の作用が強いので，魚臭が出なくても腐敗していることがある．

いわしの梅煮

●材　料（1人分）
いわし（小2尾）
　（頭，わた抜きで）･････････80 g
梅干し･････････････････････10 g
しょうゆ（魚の5％）･･････････4 g
砂糖（魚の4％）･････････････3 g
酒（魚の5％）･･･････････････4 g
水（魚の30％）･････････････25 mL
しょうが･････････････････････少々

●調理法
❶ いわしはうろこ，頭を取り，腹びれを斜めに切り取ってそこからわたを出し，尾も取ってよく洗う．しょうがはせん切りにする．
❷ 鍋に水，酒，しょうゆ，砂糖を煮立て，いわしを並べ入れる．梅干しをちぎってところどころにおき，しょうがを散らす．梅干しの種も入れる．
❸ 再び煮立つまで強火で，後は中火にして，落としぶたをして10分ぐらい煮含める．

■コ　ツ
しょうゆの量は梅干しの食塩含量によって加減する．

エ 147 kcal　た 13.4 g
脂 5.9 g　塩 2.6 g

たづくり

●材　料（1人分）
ごまめ･････････････････････8 g
砂糖（ごまめの60％）･･･････5 g
しょうゆ（ごまめの40％）･････3.5 g
みりん（ごまめの40％）･･････3.5 g

エ 55 kcal　た 4.7 g
脂 0.2 g　塩 0.7 g

●調理法
❶ ごまめはごく弱火で炒る（100～120℃の天火で乾燥焼きもよい）．冷ましてポキッと折れるぐらいを目安にする．
❷ 調味料をみつ状に煮詰め，ごまめ（細かいくずは残す）を入れて煮汁をからませる．すぐに皿に広げて冷ます．

■コ　ツ
❶ 低温で十分に炒ると，カリッとして香ばしく仕上がる．
❷ 調味液の煮詰め加減は，2本の箸の先に液をつけ，箸先を開いたとき少し糸を引く程度（105℃ぐらい）がよい．煮詰めすぎたら，酒を少量加えて火にかけるとほぐれる．

■参　考
ごまめは銀青色の小ぶりがよい．茶色がかったものは避ける．

第2章●日本料理

こんにゃくのおかか煮

●材料（1人分）
- こんにゃく……………………… 70g
- 煮だし汁………………………… 50mL
- 酒………………………………… 10g
- 砂糖（材料の4〜5%）………… 3g
- しょうゆ（材料の15%）……… 10.5g
- 削りぶし………………………… 2g

エ 41 kcal　た 2.1g
脂 0g　塩 1.6g

●調理法
1. こんにゃくは両面に斜めに切り目を入れてから2cmぐらいの角切りにし，鍋でからいりする．
2. だし汁と調味料を加えて汁気がほとんどなくなるまで煮る．
3. 削りぶしをからいりしてもみ，粗い粉にしたものを振りかけ，しばらく蒸して味をなじませる．

■参考
1. 土佐煮ともいう．
2. だし汁を使わずに水と削りぶしを加えて煮る方法もある（地がつお煮）．

■応用
たけのこやれんこんもよく用いられる．

鶏肉団子の揚げ煮

●材料（1人分）
- 鶏挽肉…………………………… 30g
- 卵（肉の10〜20%）…………… 5g
- 砂糖（肉の1〜2%）…………… 0.5g
- しょうゆ（肉の5%）…………… 1.5g
- 小麦粉（肉の5%）……………… 1.5g
- 揚げ油…………………………… 適量
- 水………………………………… 3mL
- しょうゆ………………………… 7g
- 砂糖……………………………… 3g
- 酒………………………………… 2g

エ 89 kcal　た 5.6g
脂 4.2g　塩 1.3g
吸油量0.4gとして

●調理法
1. 挽肉，砂糖，しょうゆ，小麦粉，卵を合わせて粘りが出るまで手でよくこね混ぜる．
2. 左手で①をにぎるようにして親指と人差指の間から一口大に絞り出し，油をつけたスプーンですくって，2〜3個分をつくる（図）．170℃ぐらいの油に入れて揚げる．
3. ゆっくりときつね色に揚げて，煮立てた調味液に入れ，煮汁をからめて引き上げる．

肉団子のつくり方

■コツ
1. 肉団子をつくるとき，左手の親指でなでるようにして絞り出すと滑らかにできる．
2. 挽肉は脂身の少ないものがよい．

■参考
炊き合わせや重詰め，弁当に向く．

■応用
揚げずに直接調味液に入れて煮てもよい．その場合は味が煮含められるので，水の量をふやして薄い調味液にして煮る．また，かたくり粉でとろみをつけた調味液をからめる方法もある．

鶏レバーのしょうゆ煮

●材　料（1人分）

鶏レバー	70 g
ねぎ	5 g
しょうが薄切り	少々
にんにく	少々
水	30 mL
しょうゆ（レバーの10％）	7 g
砂糖（レバーの4％）	3 g
酒（レバーの10％）	7 g
ごま油	2 g

エ 114 kcal　た 11.8 g
脂 3.3 g　塩 1.2 g

●調理法

① レバーに心臓がついていたら，切り離して心臓は縦に包丁を入れて開く．レバーは2つに切り離し，緑色の部分をそぎ取る．

② ①を塩水で洗って固まった血も除き，熱湯に入れてひと煮立ちさせて水にとり，ザルにあげる．

③ ねぎは縦に割って細いせん切りにし，水にさらしてふきんで絞る（白髪ねぎ）．芯の部分は香辛料として煮るときに加える．

④ 小鍋に水，香辛料，酒，しょうゆを入れて火にかけ，煮立ったら②を入れて沸騰後中火よりやや弱めの火で10分ほど煮る．

⑤ ごま油，砂糖を加えてさらに5分ぐらい，煮汁をすっかりからめるように煮上げる．

⑥ 冷めたら適当に切って盛り付け，白髪ねぎをのせる．

■参　考

レバーは，牛・豚・鶏などの肝臓のことで，内臓のなかでは最もやわらかく，またグリコーゲンが多いので，甘みがあっておいしい．しかし，牛や豚は臭みが強いので，水洗いを十分にして血抜きをしてから用いる．

鶏肉のじぶ煮

●材　料（1人分）

鶏むね肉	40 g
小麦粉（肉の7％）	3 g
煮だし汁（肉の75％）	30 mL
しょうゆ（汁の20％）	6 g
砂糖（汁の10％）	3 g
酒	3 g

エ 84 kcal　た 7.6 g
脂 2.2 g　塩 0.9 g

●調理法

① 鶏肉は一口大のそぎ切りにし，小麦粉をまぶす．余分の粉ははたき落とす．

② 煮だし汁と調味料を煮立て，火を弱めて①を入れ，肉に火が通るまで煮る．

■コ　ツ

① まぶした粉がべたつかないうちに煮る．

② 煮汁に肉を入れるときは，一度にまとめて入れないで1切れずつ重ね入れるようにする．

■参　考

① 野菜との炊き合わせに向く．

② 石川県の郷土料理で，"じぶじぶ"煮えるからとか治部右ヱ門の人名に由来するなど諸説ある．

第2章●日本料理

炒りどり

●材料（1人分）
- 鶏もも肉 ………………………… 30g
- ごぼう・にんじん・れんこん
  ………………………………… 各20g
- こんにゃく ……………………… 25g
- 干ししいたけ …………………… 2g
- きぬさや ………………………… 10g
- 油（材料の5％） ………………… 6g
- 煮だし汁（材料の30％）…… 40mL
- 砂糖（材料の2％） ……………… 2g
- みりん（材料の3％） …………… 4g
- しょうゆ（材料の7％） ………… 9g

●調理法
1. 鶏肉は一口大のそぎ切り，ごぼう，にんじん，れんこんは乱切り，こんにゃくは一口大にちぎって，鍋で空炒りする．しいたけはもどして適当な大きさに切る．きぬさやは筋を取って塩ゆでにし，適当に切る．
2. 鍋に油を熱して鶏肉をさっと炒めて取り出す．
3. ②の鍋でごぼうを炒め，きぬさや以外の野菜を入れてさらに炒める．鶏肉も加えて調味料と煮だし汁を加え，混ぜながら野菜が煮えて煮汁がほとんどなくなるまで煮る．きぬさやを混ぜ合わせて火を止める．

■参考
1. 日常食，客膳用の煮物，重詰め，弁当など利用の幅が広い．
2. 筑煎煮ともよばれ，福岡県の郷土料理である．古くは鶏肉でなくスッポンを用いたといわれ，スッポンは福岡県で「ガメ」とよばれていることからがめ煮ともいわれる．

エ 176 kcal　　た 6.8 g
脂 10.0 g　　塩 1.4 g

うどのきんぴら

●材料（1人分）
- うど ……………………………… 50g
- 酒 ………………………………… 8g
- 薄口しょうゆ（うどの10％）… 5g
- みりん（うどの5％） ………… 2.5g
- 油（うどの8％） ………………… 4g

●調理法
1. うどを太めのせん切りにし，水にさらしてアクを抜き，ザルにあげて水をきる．
2. 鍋に油を熱してうどを炒め，しんなりしたら調味料を加えて汁気がなくなるまで炒りつける．

■応用
1. きんぴらごぼうの場合は，だし汁を加えて好みのやわらかさに煮て，炒りつける．
2. 好みで，とうがらしを加えたり，煎った白ごまをふってもよい．

エ 63 kcal　　た 0.7 g
脂 3.9 g　　塩 0.8 g

かぼちゃのそぼろあんかけ

●材料（1人分）
- かぼちゃ ………………………… 80g
- 煮だし汁 ……………………… 70mL
- 砂糖（かぼちゃの7～10％）…… 6g
- 塩（かぼちゃの0.5％） ………… 0.4g
- しょうゆ（かぼちゃの5％）…… 4g
- 酒 ………………………………… 2g
- 鶏挽肉 …………………………… 15g
- かたくり粉（残り汁の3％）…… 1.5g
- しょうが ………………………… 少々

●調理法
1. かぼちゃを煮る．
2. かぼちゃを器にとり，残りの煮汁（30～40mL）に挽肉を入れてほぐす．火にかけて肉が煮えたら水溶きかたくり粉を入れてとろみをつける．
3. かぼちゃにそぼろあんをかけて上に針しょうがをおく．

■コツ
かたくり粉は残り汁の量によって加減する．とろみの程度を見ながら加えるとよい．

■応用
さといも，なす，だいこん，とうがんなどもそぼろあんかけによい．

エ 123 kcal　　た 3.5 g
脂 1.8 g　　塩 1.1 g

ひじきの煮物

●材　料（1人分）
ひじき（乾5g）…… もどして約30g
油揚げ……………………………… 5g
にんじん………………………… 10g
油（材料の10％）…………… 4.5g
煮だし汁（材料の50％）…… 20mL
しょうゆ（材料の15％）……… 6g
砂糖（材料の5％）……………… 2g

エ 84 kcal　た 2.0g
脂 6.0g　塩 1.1g

●調理法
❶ ひじきはさっと洗ってたっぷりの水につけてもどす（20〜30分）．手で静かにすくってザルに上げ，長いものは3〜4cmに切る．
❷ 油揚げは油抜きして短冊切り，にんじんはせん切りにする．
❸ 材料を油で炒め，煮だし汁と調味料を加えて，ときどき混ぜながら煮汁がほとんどなくなるまで煮る．

■参　考
常備菜としてよい．

■応　用
切干しだいこんの煮物もほぼ同じようにしてできる．

青菜の煮浸し

●材　料（1人分）
青菜（こまつな）……………… 50g
厚揚げ…………………………… 40g
煮だし汁………………………… 50mL
酒…………………………………… 3g
薄口しょうゆ…………………… 7g

エ 72 kcal　た 5.2g
脂 4.3g　塩 1.2g

●調理法
❶ 青菜は塩少々加えた沸騰湯でゆでて水にとり，絞って適当な長さに切る．厚揚げは油抜きをして縦半分に切って5〜7mmの厚さに切る．
❷ 煮だし汁と調味料を合わせて煮立たせ，厚揚げを入れて4〜5分煮，青菜を入れてひと煮立ちさせる．
❸ 汁も一緒に器に盛る．

■応　用
❶ 青菜は，こまつな，かぶの葉，だいこんの葉などがよい．
❷ 厚揚げのほかに，薄揚げ，ちりめんじゃこなどが合う．

第2章●日本料理　63

実習編 4 蒸し物

エ エネルギー　た たんぱく質　脂 脂質　塩 食塩相当量

卵豆腐

●材料（1人分）
- 卵（1個）……………………50 g
- 煮だし汁（卵の1～1.3倍）
  …………………50～60 mL
- 塩（卵と汁の0.5%）…0.5～0.6 g
- しょうゆ（卵と汁の0.5%）
  …………………………0.5～0.6 g

かけ汁
- 煮だし汁（かつお・こんぶ）50 mL
- 塩（汁の0.8%）……………0.4 g
- しょうゆ（汁の0.8%）……0.5 g
- みりん（汁の1%）…………0.5 g

わさび………………………少々

エ 75 kcal　た 5.9 g
脂 4.7 g　塩 1.4 g

●調理法
① 卵を溶きほぐし，冷めた煮だし汁と調味料を加え，泡立てないように混ぜて裏ごし，またはふきんでこす（卵液）．
② 卵液を流し箱に入れ，泡があればすくい，蒸気の上がった蒸し器に入れて，初め1～2分は中火，後は弱火で10～15分蒸す．蒸し器のふたと身の間にふきんをかけて水滴が落ちないようにし，ふたは少しずらして蒸し器内の温度が85～90℃を保つようにする．
③ 竹串を刺してみて濁った汁が出なければ蒸し上がりとし，冷たく冷やす．
④ かけ汁は材料をひと煮立ちさせて冷やす．
⑤ 卵豆腐を型から出して切り整えて器に盛り，かけ汁をかけてわさびをのせる．

■コツ
蒸すときの温度が高すぎたり時間が長すぎたりすると，すが立つので，火加減と蒸し時間に十分注意する．

■応用
豆腐とともに2 cm角ぐらいに切り，氷水に浮かして金銀豆腐とするのもよい．また，温かいまま吸い物の椀種にもする．

二色卵

●材料（5人分）
- かたゆで卵の卵黄（4個分）…80 g
- 砂糖（卵黄の20%）…………15 g
- 塩（卵黄の0.8%）……………0.6 g
- かたゆで卵の卵白（4個分）…120 g
- 砂糖（卵白の12%）…………15 g
- 塩（卵白の0.8%）……………1 g

1人分
エ 87 kcal　た 4.5 g
脂 4.4 g　塩 0.4 g

●調理法
① かたゆで卵を卵黄・卵白に分けて裏ごし，卵白はふきんに包んで軽く水気を絞る．それぞれに砂糖と塩を加えてよく混ぜ合わせる．
② 流し箱などにセロハン紙を敷き，卵白をすきまなく詰める．その上に卵黄を広げて平らにし，セロハン紙で包む．
③ 蒸気の上がった蒸し器に入れて，中火で約10分蒸す．押してみて弾力があるようになればよい．
④ 冷めてから適当に切る．

■参考
正月料理などで口取りとしてよくつくられる．

■応用
ぬれぶきんに卵白を広げ，卵黄を芯にして巻き，ふきんの上から箸5本で押えて蒸すと花形になる．

茶碗蒸し

●材料（1人分）
- 卵 …………………………… 30 g
- 煮だし汁（一番だし）
  - （卵の3倍）……………… 90 mL
- 塩（卵＋汁の0.6％）……… 0.7 g
- 薄口しょうゆ（卵＋汁の0.5％）
  - ………………………………0.5 g
- 鶏ささ身 …………………… 15 g
- 薄口しょうゆ（肉の3％）…0.5 g
- 酒（肉の3％）……………… 0.5 g
- えび（小1尾）……………… 10 g
- 塩（えびの1％）…………… 0.1 g
- 酒（えびの5％）…………… 0.5 g
- かまぼこ …………………… 10 g
- しいたけ（1枚）…………… 10 g
- ぎんなん（2～3個）………… 4 g
- みつば ………………………… 2 g
- ゆずの皮 ……………………… 少々

エ 88 kcal ／ た 9.7 g
脂 3.0 g ／ 塩 1.5 g

●調理法

❶ ささ身はそぎ切りにし，えびは頭と殻，背わたを取り，それぞれ下味をつける．かまぼこは3 mm厚さにして大きいものは半分に切る．しいたけは柄を取ってかさに包丁目を入れる．ぎんなんは鬼皮を取り，ゆでて薄皮をむく（ひたひたの水でゆでながら穴じゃくしでこすると薄皮がむける）．みつばはむすびみつばにする．

❷ 卵液をつくる．

❸ ①のみつば以外の材料を蒸し茶碗に入れ，卵液を静かにそそぐ．

❹ 蒸し器で蒸す（卵豆腐の項を参照）．みつばは蒸し上がりの直前に入れる．

❺ へぎゆず，または松葉ゆずをのせる．へぎゆずは包丁の刃元で，ゆずの黄色い皮のみを丸くそぎとり，水をさっとくぐらしてつくる．

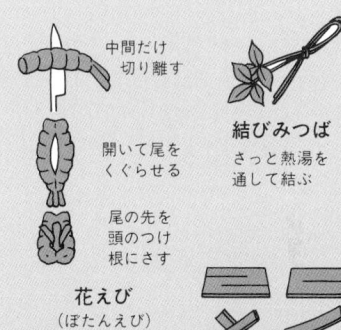

■応用

❶ 中に入れる材料は，ほかに白身魚，あなご，はも，なると巻き，くり，ゆり根，くわい，たけのこ，にんじん，さやえんどう，えのきだけ，しめじなどもよい．

❷ うどんを加えたものを小田巻き蒸しという．

❸ えびは花えび，みつばは結びみつばにしてもよい．

花えび（ぼたんえび）／結びみつば／松葉ゆず

白身魚のかぶら蒸し

●材料（1人分）
- 白身魚（1切れ）…………… 50 g
- 塩（魚の0.5％）…………… 0.3 g
- 酒（魚の4％）……………… 2 g
- ほうれんそう（葉先1枚）… 5 g
- かぶ ………………………… 55 g
- 卵白（かぶの20％）……… 10 g
- 塩（かぶ＋卵白の1.5％）…0.9 g
- あん
  - 煮だし汁 ………………… 50 mL
  - 塩（汁の0.6％）………… 0.3 g
  - 薄口しょうゆ（汁の2％）… 1 g
  - 砂糖（汁の2％）………… 1 g
  - かたくり粉（汁の2％強） 1 g強
- わさび ……………………… 少々

エ 78 kcal ／ た 9.5 g
脂 1.3 g ／ 塩 1.9 g

●調理法

❶ かぶは厚目に皮をむき目の細かいおろし金ですってざるに入れて水切りをし，卵白と塩を入れて混ぜる．

❷ 魚は骨抜きで骨を抜いて，塩と酒をふりかけておく．ほうれんそうはさっとゆでる．

❸ 器に魚を入れてほうれんそうを広げてのせ，その上に①をのせ，ふたをして15分蒸す．

❹ あんの材料を小鍋に入れて，かき混ぜながらとろみがつくまで煮る．

❺ かぶら蒸しにあんをかけてわさびをのせる．

■応用

❶ 魚はさわら，あまだいなどがよい．

❷ 魚のほかに，ぎんなん，ゆり根，木くらげ，麩なども使われる．かぶらのかわりに大根を使うこともあるが，味は劣る．

第2章●日本料理

実習編 5 焼き物

エ エネルギー　**た** たんぱく質　**脂** 脂質　**塩** 食塩相当量

あじの姿焼き

●材料（1人分）
- あじ（1尾）……………… 70 g
- 塩（魚の2％）…………… 1.4 g
- 化粧塩……………………… 適量
- 筆しょうが（1本）………… 5 g

エ 81 kcal　た 11.8 g
脂 2.5 g　塩 1.7 g

●調理法
① あじはぜいごを取り，えらを取ってわたを出し，水洗いして水気を切り，塩をふっておく（20～30分）．
② さっと水洗いして水気をふき取り，うねり串を刺して化粧塩をふる．尾，ひれには多めにすりつける．
③ 強火の遠火で表になるほうから焼き，きれいな焦げ目がついたら，裏返して中まで火が通るように焼く．
④ 熱いうちに金串を回しておき，串を抜いて盛り付ける．
⑤ 魚の手前に筆しょうが（または杵しょうが）を添える（前盛り）．

■コツ
ガス火で焼くときは，焼き網をのせ，鉄弓などを用いて魚を熱源から離して強火の遠火で焼く．

■参考
あじのぜいごは，ぜんごともいわれる．

■応用
たい，にじます，あゆ，いわな，やまめなども姿焼きに向く．あゆは内臓を出さずに塩をしてすぐ焼く．

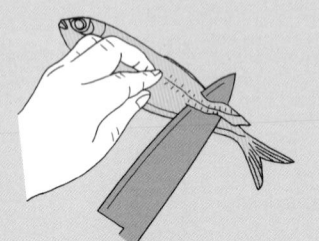

ぜいごの取り方

ぶりの照り焼き

●材料（1人分）
- ぶりの切身………………… 80 g
- しょうゆ（魚の10％）……… 8 g
- みりん（魚の10％）………… 8 g
- 菊花かぶ（1個）……… p.82参照
- 菊の葉……………………… 1枚

エ 230 kcal　た 15.5 g
脂 10.5 g　塩 2.0 g

●調理法
① しょうゆとみりんを合わせ，ぶりの切身を15～20分つける．
② 串を刺して（行木打ち）上身を焼き（強火），焦げ目がついたら裏返して中まで火が通るように焼く（中火）．
③ 照り汁（つけ汁を少し煮詰める）を刷毛で塗り，乾かす程度に焼く．これを2回繰り返して照りをつける．串は熱いうちに回しておく．
④ 串を抜いて皿に盛り，菊花かぶを前盛りにする．菊の葉を敷いてかぶをのせ，中央に赤とうがらしの輪切りをのせる．

■コツ
照り汁が焦げると見た目も悪く，また苦味が出るので，照り汁を塗ってからは焦がさないようにする．

■参考
ぶりは出世魚といわれ，成長するにつれて名前が変わる．関東では「ワカシ，イナダ，ワラサ，ブリ」，関西では「ツバス，ハマチ，メジロ，ブリ」と呼ばれている．

■応用
① さわら，かつお，さけ，さばなどでもよい．
② つけ汁につけずに素焼きにし，たれを塗ってあぶり，照りを出す方法もある．
③ フライパンに油を熱して焼く鍋照り焼きの方法もある．

あまだいの銀紙焼き

●材料（1人分）
- あまだい（1切れ）……………… 70 g
- 塩（魚の1.5%）………………… 1.1 g
- 酒 ………………………………… 少々
- 生しいたけ（大1枚）…………… 15 g
- ぎんなん（3個）………………… 6 g
- ゆずの輪切り …………………… 1枚

エ 85 kcal　た 11.8 g
脂 1.9 g　塩 1.2 g

●調理法
1. あまだいは塩，酒をふっておく（約10分）．しいたけは柄を取り，大きくそぎ切りにする．ぎんなんは鬼皮を取り，茹でて薄皮をむく．
2. アルミ箔（20 cm角）にあまだい，しいたけ，ぎんなんをのせてきっちり包み，やや強火のオーブンで10〜15分焼く．フライパンで蒸し焼きにしてもよい．
3. 皿に盛り，ゆずを添える．

■コツ
ぎんなんの薄皮のむき方はp.65参照．

■応用
1. さけ，鶏肉，えび，しめじ，えのきだけなども用いられる．
2. ゆずのかわりにすだちもよい．

まながつおの西京焼き

●材料（1人分）
- まながつお（1切れ）…………… 70 g
- 西京みそ ………………………… 50 g程度
- みりん（みその20%）… 10 g程度
- 酒（みその20%）………… 10 g程度

エ 126 kcal　た 10.2 g
脂 6.9 g　塩 0.6 g
調味料の吸収分を10%として

●調理法
1. まながつおはうす塩をして30分ぐらいおき水気をふく．
2. みそに酒，みりんを混ぜて魚をつける（1晩）．魚の上下にガーゼをあてると魚にみそがつかなくてよい．
3. 水気をふいて串を打ち，焼く．

■参考
西京みそは色の白い甘みそで，関西地方でよく使われる．

■応用
前盛りには，筆しょうが，菊花かぶ，きんかんの砂糖煮などが用いられる．

いかのうに焼き

●材料（1人分）
- いか ……………………………… 40 g
- 塩（いかの1%）………………… 0.4 g
- 酒（いかの5%）………………… 2 g
- 練りうに ………………………… 5 g
- 卵黄 ……………………………… 4 g
- みりん …………………………… 3 g

エ 62 kcal　た 6.4 g
脂 1.4 g　塩 1.0 g

●調理法
1. いかは足と内臓，エンペラを除き，胴を開いて皮をむく．胴の内側にかのこに切り目を入れる．串を刺して（すくい串），塩と酒をふりかける．
2. 練りうに，卵黄，みりんをよく混ぜる．
3. いかを白焼きにして，切り目を入れたほうに②を塗り，あぶって乾かす．2回繰り返す．
4. 串を抜き1人分2切れずつに切る．

■応用
うにを使わずに，卵黄に塩とみりんを加えて塗ったものを黄金焼き（黄身焼き）という．

① 背の中央に切り目を入れ，甲を抜き取ってから，足を引っぱって内臓を除く

② きれいに洗って皮をはがす

甲のあるいかの場合

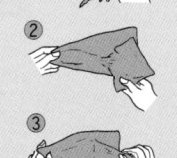

① 胴と足のついている所を指ではずし，足を持って内臓を引き出す．軟骨も抜き取る．

② エンペラを引っぱってはずす

③ 開いてきれいにし，皮をむく（指に塩をつけるか，かたく絞ったふきんを使うとむきやすい）．

甲のないいかの場合

いかの扱い方

第2章●日本料理

のしどり

●材料（4人分）
- 鶏挽肉 ……………… 200g
- 卵（1/2個）………… 25g
- しょうがみじん切り … 少々
- しょうゆ（肉の5%）… 10g
- 砂糖（肉の4%）…… 8g
- 酒 …………………… 10g
- かたくり粉（肉の2%）… 5g
- 油 …………………… 16g
- 照り汁
  - しょうゆ（肉の4%）… 8g
  - みりん（肉の7%）… 14g
  - 砂糖（肉の1%）…… 2g
- けしの実（または白ごま）… 10g

1人分
- エ 172 kcal
- た 8.8 g
- 脂 11.2 g
- 塩 0.7 g

●調理法
① 挽肉をよくすり，1/2量を鍋にとって，調味料の1/2量としょうがを加えてかき混ぜながら火にかけ，パラパラのそぼろにする．
② 残りの挽肉に溶き卵を少しずつ加えてすり混ぜ，残りの調味料とかたくり粉を加え混ぜる．①も加えてよくすり混ぜる．
③ パラフィン紙にサラダ油を薄く塗り，②をのせて好みの厚さに四角く平らにのばす（図参照）．
④ 油を熱したフライパンに紙を上にして入れてから紙を除き，ときどき揺り動かしながら均一なきれいな焦げ色をつける．裏返してふたをし，中まで火を通す．
⑤ 肉を取り出して鍋をきれいにし，照り汁用の調味料を煮立てて肉をもどし入れ，煮汁をからませる．
⑥ 肉が冷めたら長方形（末広にしてもよい，図参照）に切り，けしの実または切りごまをふる．

■参考
松風焼きともいう．表面にけしの実をふることにより，表面がにぎやかな反面，裏が寂しいので，「裏寂しい松風の音」と連想して名づけられたという．焼き菓子の「松風」も同じ由来．

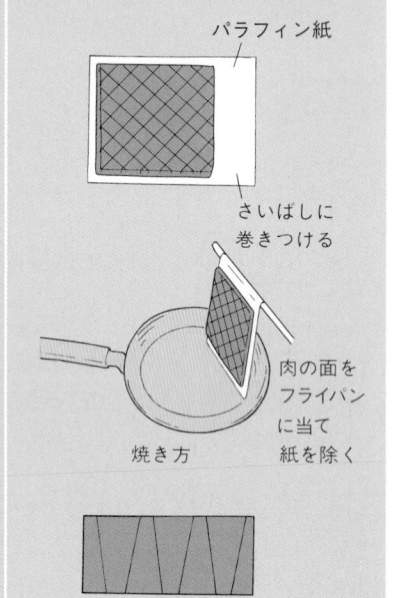

パラフィン紙
さいばしに巻きつける
肉の面をフライパンに当て紙を除く
焼き方

末広切り

牛肉の八幡巻き

●材料（1人分）
- 牛肉薄切り ………… 40g
- しょうゆ（肉の10%）… 4g
- みりん（肉の10%）… 4g
- ごぼう ……………… 40g
- 煮だし汁（ごぼうの30%ぐらい）……………… 12mL
- 砂糖（ごぼうの3%）… 1g
- しょうゆ（ごぼうの7%）… 3g
- 酒 …………………… 3g
- 青のり粉 …………… 少々

- エ 116 kcal
- た 8.1 g
- 脂 3.9 g
- 塩 1.1 g

●調理法
① ごぼうは皮をこそげて12～13cmに切り，太いものは4つ割りか6つ割りにしてぬか水でやわらかくゆで，洗って調味液で汁がなくなるまで煮る．
② しょうゆとみりんを合わせた中に牛肉をつける（10分ぐらい）．
③ 牛肉でごぼうを巻いて巻き終りを楊枝で止め，金串2本を縦に刺して焼く．肉に火が通って表面に少し焦げ目がついたら，2回ほどつけ汁をかけてあぶる．
④ 2cmの厚さに切って盛り付け，青のり粉をかける．

■参考
ごぼうはぬかを入れてゆでると，アクが抜けて色も白くゆで上がる．米のとぎ汁でもよい．

■応用
八幡巻きにはもともとあなごが使われることが多いが，牛肉や豚肉でもよい．

だし巻き卵

●材 料（4人分）
- 卵（4個）……………………… 200 g
- 煮だし汁（卵の30%）……… 60 mL
- 塩（卵液の0.8%）……………… 2 g
- 薄口しょうゆ（卵液の1%）…… 3 g
- みりん（卵液の3%）…………… 8 g
- 砂糖（卵液の4%）……………… 10 g
- 油（卵液の1%）………………… 2.5 g
- だいこんおろし………………… 100 g

1人分
エ 98 kcal　た 5.8 g
脂 5.3 g　塩 0.9 g

●調理法
① 卵を泡立てないように溶きほぐし、調味料と煮だし汁を加えてよく溶き混ぜる.
② 卵焼き器に油を入れて熱し、よくなじませてから油をあけ、油布でふく. 卵液を1滴落としてジュッと音がするぐらいに熱したところへ1/3量の卵液を流し入れ、半熟状になったら手前に巻く.
③ あいた部分を油布でふき、卵を移動させて手前の部分にも油を塗る. 残りの卵液の半量を流し入れ、巻いた卵をちょっと持ち上げて下にも卵液が入るようにする. 半熟状になったら巻いた卵を芯にして巻く.
④ 残りの卵液も同様に焼いて巻く.
⑤ 巻きすで巻いて形を整え、冷めてから切り、だいこんおろしを添える.

■コ ツ
① 卵焼き器に油がなじんでいなかったり、卵液を流し入れるときの温度が低すぎたりすると卵焼き器にくっつきやすい.
② 煮だし汁の量は多いほうが口当たりがやわらかいが焼きにくい. 慣れないうちは20%ぐらいで焼くとよい.
③ 調味料は好みで加減する.

■応 用
巻きずしの具にする場合は、だし汁の量を少なくして厚焼きにする.

薄焼き卵

●材 料
- 卵（1個）……………………… 50 g
- 塩（卵の0.8%）………………… 0.4 g
- 砂糖（卵の1%）………………… 0.5 g
- かたくり粉（卵の1%）………… 0.5 g
- 油（卵液の0.1%）……………… 少々

エ 75 kcal　た 5.7 g
脂 4.7 g　塩 0.6 g

●調理法
① 卵をよく溶きほぐして調味し、水溶きかたくり粉を加えて裏ごしを通す.
② 卵焼き器またはフライパンを空焼きしてから油を入れ、余分な油はもどして軽くふき取る.
③ 卵液を入れて手早く全体にいきわたらせ、余分はもとの器にもどす. 固まったら裏返してさっと焼く.

■コ ツ
卵液を流すときの鍋の温度は、液を1滴落としてみてジュッというぐらいがよい.

■応 用
細く刻んだり（錦糸卵）、具を巻いたり、包んだりと用途が広い. 用途により調味や大きさ、薄さなど加減する. かたくり粉は加えないこともある.

第2章●日本料理

だて巻き卵

●材　料（4人分）
- 卵（4個） ················ 200 g
- 白身魚（卵の30％） ········ 60 g
- 酒（または煮だし汁）（卵液の10％）
  　 ··················· 25 g
- 塩（卵液の0.5％） ·········· 1.3 g
- 薄口しょうゆ（卵液の1.5％）··· 4 g
- 砂糖（卵液の15％） ·········· 40 g
- 油（卵液の1％） ············· 2.5 g

1人分
- エ 138 kcal　た 7.9 g
- 脂 5.3 g　塩 0.7 g

●調理法
① 白身魚は骨，皮を取り，細かくたたいてすり鉢でよくする．酒，塩を加えてさらによくすり，砂糖，しょうゆも加えてすり混ぜる．
② 溶きほぐした卵を少しずつ加えて滑らかにすり混ぜ，こしておく．
③ 卵焼き器を熱し，油を多めに入れて全体によくなじませてから，余分の油をあける．
④ 卵液を落としてジュッというぐらいに熱した鍋に卵液を流し入れ，ふたをして弱火で焼く．均一に焼き色がつくようにときどき鍋の位置をかえる．
⑤ きれいな焦げ色がつき，表面が流れなくなったら裏返して焼く（裏返すとき，もう一度鍋を油布でふく）．
⑥ 全体に火が通ったら巻きすにとり，巻きはじめのほうに2〜3本包丁で筋目をつけてからきっちり巻く．
⑦ 上からふきんで巻いて押さえ，そのまま冷まして適当な厚さに切る．

■参　考
巻きすのかわりに，断面が三角形に切った太い棒状の竹を連ねた鬼すだれを用いると美しい筋目がつく．

■応　用
① 白身魚のかわりにはんぺんを用いてもよい（塩分を加減する）．
② 天火で焼いてもよい．

鬼すだれ

ふくさ焼き

●材　料（4人分）
- 卵（4個） ················ 200 g
- 木綿豆腐 ················ 200 g
- むきえび ················ 100 g
- 干ししいたけ（小2枚） ······ 6 g
- グリンピース ·············· 10 g
- 塩（材料の0.6％） ··········· 3 g
- 薄口しょうゆ（材料の0.6％）··· 3 g
- 砂糖（材料の1％） ··········· 5 g
- 油（材料の0.8％） ··········· 4 g
- だいこんおろし ············ 100 g

1人分
- エ 154 kcal　た 13.6 g
- 脂 8.0 g　塩 1.2 g

●調理法
① 豆腐はふきんに包んで重石をして水を切り，粗くつぶす．
② しいたけはもどして柄を取り，小さいせん切りにする．むきえびは塩水でさっと洗って水を切る．グリンピースは塩を入れた熱湯でゆでる．
③ 卵を溶きほぐして調味し，豆腐と具を混ぜる．
④ 鍋に移し，箸4〜5本で混ぜながら火を通す．半熟より少しやわらかめになったら火を止める．
⑤ 卵焼き器に油を入れて熱し，④を平らに入れてふたをして弱火で3〜4分焼く．焦げ目がついたら裏返して同様に焼く．
⑥ 切って盛り付け，だいこんおろしを添える．

■参　考
ふくさとは，袱紗のことで，布を2枚縫い合わせたものからきており，2種以上の材料を混ぜ合わせたもの，またはその状態が柔らかいことから，やわらかい料理のことを指す．さらに派生して，本式でなく略式であることをも意味する．また「ふくさ包み」という言葉から「ふくさずし」のように，包んだ料理にも使われることがある．

■応　用
えびのかわりに，かに，ハム，挽肉でもよい．

実習編 6 揚げ物

エ エネルギー　た たんぱく質　脂 脂質　塩 食塩相当量

かき揚げ

●材　料（1人分）

たまねぎ	30 g
ピーマン	10 g
さくらえび	3 g
にんじん	10 g
ごぼう	10 g

衣

小麦粉（材料の40％）	25 g
卵 （粉の1.4倍）	10 g
水	25 mL
揚げ油	適量

てんつゆ・薬味（下のてんぷら参照）

●調理法

❶ たまねぎは薄切りにし，ピーマンは細く切る．にんじん，ごぼうは4cm長さのせん切りにし，ごぼうは水にさらす．
❷ 溶きほぐした卵と冷水を混ぜ，ふるった小麦粉を入れてさっくり混ぜる．
❸ 2/3量の衣にたまねぎ，ピーマン，さくらえびを混ぜ，1個分ずつ玉じゃくしにとって油（160〜170℃）の中に平たく入れて揚げる．残りの衣ににんじん，ごぼうを混ぜて箸で適量ずつ油に入れて揚げる．
❹ 紙を敷いた皿に盛り，薬味，てんつゆを添える．

■コ　ツ

揚げ油にたねを入れたあと油を回すようにすると，たねが同心円状に集まってまとまりやすい．

■応　用

材料はほかに貝柱，むきえび，ちりめんじゃこ，いか，ハム，れんこん，さつまいも，みつばなど．

エ 348 kcal　た 5.8 g
脂 20.8 g　塩 1.7 g
吸油量 20 g として

てんぷら

●材　料（1人分）

えび（1尾）	40 g
きす（1尾）	30 g
しいたけ（1枚）	10 g
さつまいも	20 g
青じその葉（1枚）	0.5 g

衣

小麦粉（材料の20％）	20 g
卵 （粉の1.7倍）	10 g
冷水	25 mL
揚げ油	適量

てんつゆ（50〜60 mL）

煮だし汁	40 mL
しょうゆ	10 g
みりん	10 g
だいこん	30 g
しょうが	少々

●調理法

❶ えびは頭，背わたを取り，尾の一節を残して殻を取る．腹側に2〜3カ所切り目を入れて軽くのばす．尾と剣の先を切り，水をしごき出す．
❷ きすはうろこを除いて頭を取り，背開きにして内臓と中骨を除く．
❸ しいたけはかたく絞ったぬれぶきんでかさをふき，柄を取る．
❹ さつまいもは薄めの輪切りにする．
❺ しその葉は洗って水気をふく．
❻ 溶きほぐした卵と冷水を混ぜ，ふるった小麦粉を入れてさっくり混ぜる．
❼ 油を熱し，材料に衣をつけて揚げる．えびときすは尾を持って尾以外の全体に衣をつけ，180℃で揚げる．しいたけはかさの裏に衣をつけて170℃で，さつまいもは全体に衣をつけて160〜170℃で，青じそ葉は裏に衣をつけて160℃でそれぞれ揚げる．
❽ だいこんは，おろして軽く水気を切り，おろししょうがをのせて山型に整える（薬味）．
❾ 器に掻敷を敷いて揚げたてのてんぷらを盛り，薬味を添える．てんつゆは材料を合わせてひと煮立ちさせ，器に入れて添える．

■コ　ツ

基礎編・揚げ物の項を参照．

■参　考

てんぷらの語源はポルトガル語のテンペロ（調理）とか，スペイン語のテンプロ（寺）など諸説あり，また天麩羅については「油を天（あ）麩（ぶ）羅（ら）と書いた」「天は揚げる，麩は小麦粉，羅は薄衣の意」などのいわれもある．もとはキリスト教伝来と同じ頃に伝わった欧風料理といわれている．東京湾の豊富な小魚を材料として，おもに江戸で発達した．魚介類を使っ

エ 387 kcal　た 16.0 g
脂 20.9 g　塩 1.8 g
吸油量 20 g として

第2章●日本料理　71

てんぷら（つづき）

た物をてんぷら，野菜類を使った物を精進揚げと区別することもある．またおもに関西で，揚げかまぼこ（さつま揚げ）をてんぷらともいう．

■応用
材料はほかに，いか，わかさぎ，さやいんげん，なす，ピーマン，れんこん，のりなど．

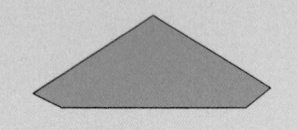

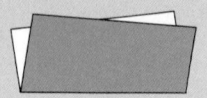

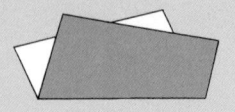

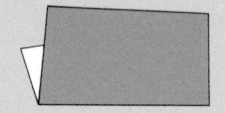

搔敷の折り方（例）

さばの竜田揚げ

●材料（1人分）
- さば切身‥‥‥‥‥‥‥‥60g
- しょうゆ（魚の10%）‥‥‥6g
- 酒（魚の10%）‥‥‥‥‥‥6g
- しょうが汁‥‥‥‥‥‥‥少々
- かたくり粉（魚の7%）‥‥‥4g
- 揚げ油‥‥‥‥‥‥‥‥‥適量

エ187 kcal　た11.1g
脂11.6g　塩1.1g
吸油量4gとして

●調理法
① さばは三枚におろして1～2cm厚さのそぎ切りにし，調味液をからませて15～20分おく．
② 水気をよく切ってかたくり粉をまぶし，170～180℃の油でからりと揚げる．

■参考
① 素揚げにしたししとうを添えたり，紅葉の葉などをあしらって盛り付けるとよい．
② 揚げた色が紅葉のように紅いので，紅葉の名所である奈良の竜田川にちなんで名付けられたものである．

■応用
① 下味を薄くして，おろしだいこんとおろししょうが，しょうゆを添えてもよい．
② 鶏肉や白身魚なども用いてよい．

わかさぎの南蛮漬け

●材料（1人分）
- わかさぎ‥‥‥‥‥‥‥‥50g
- 小麦粉（魚の7%）‥‥‥‥3.5g
- 揚げ油‥‥‥‥‥‥‥‥‥適量
- つけ汁（魚の50～60%）
  - しょうゆ‥‥‥‥‥‥‥10g
  - 酢‥‥‥‥‥‥‥‥‥‥10g
  - 酒‥‥‥‥‥‥‥‥‥‥10g
  - 砂糖‥‥‥‥‥‥‥‥‥3g
  - ねぎ‥‥‥‥‥‥‥‥‥8g
  - 赤とうがらし‥‥‥‥1/4本

エ114 kcal　た6.9g
脂4.1g　塩1.7g
吸油量3.5gとして

●調理法
① わかさぎはざるに入れて，薄い塩水でふり洗いする．水気をよく切って小麦粉をまぶし，170～180℃の油でからっと揚げる．
② ねぎは3～4cmに切って強火で焼き，赤とうがらしは種を出して輪切りにする．調味料にねぎと赤とうがらしを加えてひと煮立ちさせる．
③ 揚げたてのわかさぎを熱いつけ汁に漬ける．2時間ぐらいおいたほうがおいしい．

■参考
① ねぎやとうがらしは「なんばん」と俗称され，また室町時代に油で揚げた料理を南蛮料理とよばれたことに由来する．
② 島根県ではわかさぎのことを甘さぎとよんで，あまさぎの柳がけという郷土料理がある．

■応用
① 小あじの南蛮漬けもおいしい．
② 好みでしょうゆの割合を減らし，甘酢をきかせてもよい．

揚げなすのとりみそあん

●材料（1人分）
- なす（1個） ……………………… 70g
- 鶏挽肉 …………………………… 10g
- 油（なす+肉の5％） ……… 4g
- みそ（肉の60％） ……………… 6g
- みりん（肉の30％） …………… 3g
- 砂糖（肉の10％） ……………… 1g
- 酒（肉の10％） ………………… 1g
- ししとう（2本） ………………… 8g
- 揚げ油 ………………………… 適量

●調理法
1. 挽肉を炒め，調味料を加えて練る．
2. なすはがくを取り，皮に縦に包丁目を入れて油で全体がやわらかくなるまで揚げる．ししとうは竹串で3～4カ所をあけて素揚げにし，塩少々ふっておく．
3. なすの包丁目を入れた皮を1本おきに竹串で取り除いて縞模様にし，縦半分に包丁を入れて（へたは切り離さない），とりみそあんを挟む．
4. 食べやすいように真ん中に包丁を入れて器に盛り，ししとうを添える．

| エ 161 kcal | た 2.7 g |
| 脂 13.1 g | 塩 0.8 g |

吸油量8gとして

しいたけの陣笠揚げ

●材料（1人分）
- 生しいたけ（3枚） …………… 30g
- 鶏挽肉 …………………………… 30g
- しょうが汁 …………………… 少々
- ねぎみじん切り ………………… 3g
- 酒（肉の10％） ………………… 3g
- 塩（肉の1％） ………………… 0.3g
- しょうゆ（肉の2％） ………… 0.5g
- 卵（肉の10％） ………………… 3g
- 衣
  - 小麦粉（材料の20～30％）15g
  - 卵 ……… （粉の1.5倍） 7g
  - 水 ……… 15mL
- 揚げ油 ………………………… 適量
- つゆ（30mL）
  - しょうゆ …………………… 4g
  - みりん ……………………… 4g
  - 煮だし汁 ………………… 20mL
- だいこん ……………………… 20g

●調理法
1. しいたけは柄を取り，ぬれぶきんでふいてかさを上からたたいてひだの間のごみを落とす．
2. 挽肉にしょうが汁，ねぎ，調味料を混ぜ，よくこねる．
3. しいたけのかさの裏に粉をふり，具をのせて落ちつかせる．
4. 衣をつくり，③の具のほうにだけ衣をつけて具を下にして油に入れ，途中で裏返して揚げる（160～170℃）．
5. だいこんおろしを添え，ひと煮立ちさせたつゆを別器に入れて添える．

■参考
陣笠の名は，昔の武士がかぶっていた陣笠に似ていることから付けられた．

■応用
具をれんこんやなすで挟んで揚げるのもよい．

| エ 237 kcal | た 7.7 g |
| 脂 14.2 g | 塩 1.1 g |

吸油量10gとして

揚げ出し豆腐

●材料（1人分）
- 木綿豆腐 ……………………… 150g
- 小麦粉（豆腐の5％） ………… 7.5g
- 揚げ油 ………………………… 適量
- かけ汁（p.71のてんつゆ参照） ………………… 50～60mL
- だいこん ……………………… 50g
- しょうが ……………………… 少々
- 糸がつお ……………………… 少量

●調理法
1. 豆腐をふきんに包んで軽い重石をして水気を切る（10分ぐらい）．
2. 水気をふいて小麦粉をまぶし，余分な粉はたたいて落とす．180℃の油で薄く色づくぐらいに揚げる．
3. 揚げたての豆腐を器に盛って煮立てたかけ汁をかけ，だいこんおろしとおろししょうが，糸がつおをのせる．

■コツ
1. 粉をまぶしたらすぐ揚げる．
2. 油の温度が低いとからっと揚がらないので，たっぷりの高温の油で揚げる．

■応用
小麦粉のかわりに片栗粉を用いてもよい．かけ汁をくず仕立てにしてもよい．

| エ 269 kcal | た 11.6 g |
| 脂 16.7 g | 塩 1.5 g |

吸油量10gとして

実習編 7 和え物・酢の物・浸し物

エ エネルギー　た たんぱく質　脂 脂質　塩 食塩相当量

たけのこの木の芽和え

●材　料（1人分）
- ゆでたけのこ ……………… 25 g
- 煮だし汁（たけのこの80%）20 mL
- しょうゆ（たけのこの4%）… 1 g
- 砂糖（たけのこの2%）…… 0.5 g
- いか ………………………… 20 g
- うど ………………………… 15 g
- 木の芽みそ
  - 白みそ（材料の20%）…… 12 g
  - 砂糖（材料の5%）………… 3 g
  - 煮だし汁 ………………… 少量
  - 木の芽 …………………… 3〜4枚
  - ほうれんそうの葉先 ……… 5 g

エ 64 kcal　　た 4.1 g
脂 0.5 g　　塩 1.0 g

●調理法
① たけのこは一口大の乱切りにし，下煮用調味料で煮る．
② いかはわたを抜き，皮をむいて布目に包丁を入れて短冊に切り，さっと熱湯をかけて霜降りにする．
③ うどは皮をむいて乱切りにして酢水につけ，塩を加えた熱湯でさっとゆでる．
④ ほうれんそうの葉先を刻んですり鉢ですり，水を加えて裏ごしを通す．こし水を静かに煮立て，青みが浮いたらふきんにあけて軽く絞る（青よせ）．
⑤ 木の芽をすり鉢ですり，みそ，砂糖を加えてすり混ぜ，色を見ながら青よせを加える．煮だし汁で濃度を調節する．
⑥ ①〜③を⑤の木の芽みそで和えて器に盛り，天盛りに木の芽をのせる．

■参　考
① たけのこのゆで方はp.44参照．
② たけのこの部位による使い分け
根元：揚げ物，煮物，炒め物（薄切り，細切りにする．またはすりおろしてまとめて揚げるなど）
中央：煮物，炒め物，揚げ物，たけのこ飯
穂先：椀種，和え物，煮物（形をいかす）
絹皮：椀種，酢の物，和え物

■応　用
わかめとともに和えると若竹和えとなり，春らしい料理となる．

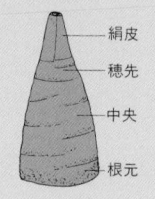

絹皮
穂先
中央
根元

ほうれんそうのごま和え

●材　料（1人分）
- ほうれんそう ……………… 70 g
- 白ごま（ほうれんそうの10%）
  ……………………………… 7 g
- しょうゆ（ほうれんそうの8%）
  ……………………………… 5.5 g
- 砂糖（ほうれんそうの3〜5%）
  ……………………………… 3 g

エ 71 kcal　　た 2.9 g
脂 3.9 g　　塩 0.8 g

●調理法
① 大きめの鍋に水を沸騰させ，塩一つまみ加えてほうれんそうを根元のほうから入れてゆでる．ゆだったらすぐに水にさらして冷やし，絞ってしょうゆ洗いし，3〜4cm長さに切る．
② ごまは弱火で香ばしく煎り，すり鉢でよくする．調味料を加えてほうれんそうを和える．
③ 盛り付けて，天盛りに切りごまをのせる．

■コツ
① 青菜をゆでるときは，たっぷりの水を必ず沸騰させてから入れ，ゆだったらすぐ水にとる．アクの強いものはしばらく水にさらす．
② ごまの煎り加減は，全体がふっくらして2〜3粒はねる程度を目安とし，焦がさないように注意する．
③ しょうゆ洗いとは，絞った後，軸を切り落とし，しょうゆをたらして再び絞る．これを2〜3度くり返す．水っぽさがなくなり，味が引き締まる．

■応　用
ごまは黒ごまでもよく，和える材料としてはしゅんぎく，さやいんげん，うどなどもよい．

白和え

●材料（1人分）
- にんじん……………………25 g
- こんにゃく…………………20 g
- しいたけ……………………10 g
- 煮だし汁（材料の40％）……25 mL
- 砂糖（材料の4％）…………2 g
- しょうゆ（材料の5％）……3 g
- 和え衣
  - 木綿豆腐（材料の50％）……25 g
  - 白ごま（豆腐の20％）……5 g
  - しょうゆ（豆腐の2.5％）……0.5 g
  - 塩（豆腐の1.5％）…………0.4 g
  - 砂糖（豆腐の10％）………2.5 g

エ 80 kcal　た 3.3 g
脂 3.8 g　　塩 1.0 g

●調理法
1. にんじん，こんにゃくは細く切り，こんにゃくは空炒りする．しいたけは薄切りにする．調味料と煮だし汁で，汁気がなくなるまで煮て冷ます．
2. 豆腐はゆでてふきんにとり，水気を絞る．
3. 白ごまは煎ってすり鉢でよくすり，豆腐を加えて滑らかにすり，調味してさらにすり混ぜる．
4. ①を③の衣で和える．

■コツ
豆腐の水気は絞り足りないと衣が水っぽくなり，絞りすぎると衣がかたくなる．かた過ぎたらだし汁を加える．質量の70％ぐらいになるのをめやすとする．

■参考
電子レンジにかけて水気をとる方法もある．

■応用
1. ひじき，ぜんまい，きくらげ，油揚げ，さやいんげんなども白和えに合う．
2. 塩，しょうゆのかわりに白みそを使うこともある．

あおやぎとわけぎのぬた

●材料（1人分）
- あおやぎ……………………20 g
- わけぎ………………………25 g
- わかめ（生）…………………10 g
- からし酢みそ
  - 白みそ（材料の20％）……11 g
  - 砂糖（材料の5％）…………3 g
  - 酢（材料の6〜8％）………4 g
  - 練りがらし………………適宜

エ 56 kcal　た 3.1 g
脂 0.4 g　　塩 1.0 g

●調理法
1. あおやぎはさっと熱湯を通してすぐ水にとって冷まし，水気を切る．
2. わけぎはゆでて手早く広げて冷まし，3 cmぐらいに切る．
3. わかめは熱湯を通して水にとり，2〜3 cm角に切る．
4. みそ，砂糖，酢を鍋に入れて弱火で練り，冷まして練りがらしを混ぜる．
5. ①〜③の材料をからし酢みそで和える．

■コツ
調味料は，みその塩分量と好みで加減する．

■参考
1. ぬたとは，からし酢みそが沼田を連想させることからつけられた．
2. あおやぎはバカ貝のむき身のことで，昔千葉県青柳村（現・市原市）で多くとれたのでこの名がある．

■応用
まぐろ，いか，あさり，うどなどもよい．

第2章●日本料理　75

いかときゅうりの吉野酢和え

●材 料（1人分）
- いか（胴）………………… 30 g
- きゅうり…………………… 20 g
- きくらげ…………………… 2 g
- 吉野酢
  - 酢（材料の10%）………… 7 g
  - 砂糖（材料の5%）………… 4 g
  - 塩（材料の1%）………… 0.7 g
  - 煮だし汁………………… 7 mL
  - かたくり粉……………… 0.5 g

●調理法
1. いかは皮をむき，松笠いかにする．2～3 cm角に切り，塩，酒をふってさっと炒る．
2. きゅうりは板ずりし，縦半分に切ってから2 mm厚さの斜め切りにして軽く塩をまぶす．
3. きくらげはもどしてから熱湯を通して1 cm幅に切る．
4. 吉野酢の材料を合わせて弱火にかけ，とろみがついたら冷ます．
5. ①～③を器に盛り，吉野酢をかける．

■参 考
1. 吉野の意味はp.49の吉野鶏とみつばの吸い物を参照．
2. 松笠いかの切り方はp.219を参照．

エ 45 kcal　た 3.4 g
脂 0.2 g　塩 0.9 g

かずのこの土佐じょうゆ和え

●材 料（4人分）
- 塩かずのこ……………… 100 g
- 土佐じょうゆ
  - しょうゆ………………… 3 g
  - みりん，酒……………… 各0.5 g
  - かつお節………………… 適宜
- 糸がつお…………………… 適宜

1人分
エ 21 kcal　た 4.1 g
脂 0.4 g　塩 0.4 g

●調理法
1. かずのこは薄い塩分（0.5%）に4～5時間浸け，真水にかえて少し塩味が残る程度に塩出しする．薄い膜を除き，きれいに洗い，適当な大きさに切る．
2. 土佐じょうゆをつくる．鍋にしょうゆとみりんを合わせ，かつお節を入れて煮立て，こしたものを冷ましておく．
3. ①を土佐じょうゆで和え，器に盛り，糸がつおをかける．

■コ ツ
塩抜きは，塩味が少し残る程度．

■参 考
かずのこは，春頃とれる「にしん」の卵巣で，にしんの別名「かど」の子がなまったともいわれる．正月や結婚式の祝儀に用いられる．

湯引きささ身の黄身酢和え

●材 料（1人分）
- 鶏ささ身…………………… 30 g
- 塩（肉の1%）…………… 0.3 g
- 酒（肉の5%）…………… 1.5 g
- きゅうり…………………… 30 g
- トマト……………………… 20 g
- 黄身酢
  - 卵黄（材料の10%）……… 8 g
  - 酢（材料の10%）………… 8 g
  - 砂糖（材料の5%）………… 4 g
  - 塩（材料の1%）………… 0.8 g
  - 煮だし汁（材料の10%）…8 mL
  - かたくり粉（材料の0.5%）
    ……………………………… 0.4 g

●調理法
1. ささ身は筋を取ってそぎ切りにし，塩，酒をふってしばらくおき，熱湯にさっとくぐらせて冷水にとって冷やす．
2. きゅうりは蛇腹切りにして1～2 cmに切り，軽く塩をしてしんなりしたら水気を絞る．
3. トマトはくし形に切る．
4. 黄身酢の材料を小鍋に入れ，よく混ぜながら湯煎にかけ，とろりとしたら冷ましておく．
5. ①～③をきれいに盛り合わせて黄身酢をかける（黄身酢を下に敷いてもよい）．

■応 用
ささ身は大きいままで霜降りにしてから適当に切ることもある．

湯煎の仕方
（黄身酢は加熱しすぎない）

エ 85 kcal　た 7.4 g
脂 2.4 g　塩 1.1 g

焼きなすのごま酢みそ和え

●材　料（1人分）
なす（1個） …………………… 70g
ごま酢みそ
　ごま（白）（なすの10%）… 7g
　白みそ（なすの15%） …… 10g
　砂糖（なすの7～8%）…… 5g
　酢（なすの5～10%） …… 5g
　煮だし汁 ……………………… 少々
しょうが ……………………… 少々

●調理法
① なすは丸のまま焼き網にのせて焼く．箸で押えてみて中までやわらかくなったら，水にとってさっと冷まして皮をむく．
② へたを取って適当に切り（さいてもよい），器に盛り付ける．
③ ごまを煎ってすり，調味料をすり混ぜ，煮だし汁で適当な濃度にのばす．
④ なすを盛り付けてごま酢みそをかけ，天盛りに針しょうがを添える．

■コ　ツ
　焼きなすを水にとらないで皮をむく場合は，熱いので指を冷水で冷やしながら行うとよい．

エ 96 kcal　　た 2.7g
脂 4.0g　　　塩 0.6g

たたきごぼう

●材　料（1人分）
ごぼう ………………………… 50g
ごま酢
　ごま（白） ………………… 5g
　酢（材料の10%） ………… 5g
　砂糖（材料の10%） ……… 5g
　塩（材料の2%） ………… 1g
　煮だし汁 ……………………… 少々

●調理法
① ごぼうは皮をこそげて鍋に入る長さに切り，水につけてアクを抜く．米のとぎ汁（または酢水）でゆで，すりこぎで軽くたたいて3～4cmに切る．
② ごまを煎ってすり，三杯酢（酢，砂糖，塩）を加え，煮だし汁で適当な濃度にのばす．
③ ごぼうをごま酢で和える．

■コ　ツ
　ごぼうは細めのものがよく，太いものは縦に2つ割か4つ割にしてゆでる．

■参　考
　正月料理としてよくつくられる．

エ 80 kcal　　た 1.5g
脂 2.7g　　　塩 1.0g

五色なます

●材　料（1人分）
しらたき ……………………… 20g
だいこん ……………………… 30g
きゅうり ……………………… 20g
にんじん ……………………… 5g
きくらげ（乾） ……………… 1g
白ごま ………………………… 3g
三杯酢
　酢 …………………………… 9g
　塩 ………………………… 0.9g
　砂糖 ………………………… 3g

●調理法
① しらたきはさっとゆでて4cm長さに切る．だいこん，きゅうり，にんじんはせん切りにして別々に塩少々でもんでおく．しんなりしたら絞って酢少々ふりかけて混ぜ，水気を絞る（酢洗い）．きくらげはもどして石づきを取り，熱湯をかけてせん切りにする．
② 三杯酢をつくって①を和える．器に盛り，白ごまをかける．

■参　考
　しかやいのししの肉のなまじし（生肉）が訛って，または生を酢で食べるからなますとなったという．現在では生の魚や野菜などを調味酢で和えたものをいう．

■応　用
① くらげ，糸こんぶ，菊の花，ゆず，下煮したしいたけなどが用いられる．
② 大根とにんじんのせん切りでつくったものを紅白なます，二色なます，源平なますという．

エ 44 kcal　　た 0.9g
脂 1.6g　　　塩 0.9g

第2章●日本料理

レタスとわかめの酢の物

●材料（1人分）
- レタス……………………25 g
- わかめ（生）………………8 g
- 小貝柱……………………10 g
- セロリー…………………10 g
- 合わせ酢
  - 酢（材料の6～8%）……4 g
  - 砂糖（材料の2%）………1 g
  - 塩（材料の1.2%）………0.6 g
  - 煮だし汁（材料の6～8%）…4 mL
- しょうが…………………少々

エ 19 kcal　た 1.5 g
脂 0 g　塩 0.8 g

●調理法
1. セロリーは筋を取って小口から切り，塩少々ふっておく．
2. レタスは手でちぎり，塩水（3～4%）につけながら軽くもんで少ししんなりさせ，水を切る．
3. わかめは熱湯を通して水にとり，2～3 cm角に切る．
4. 小貝柱は酢洗いする
5. 合わせ酢をつくる．
6. ボールにレタス，わかめ，セロリー，小貝柱を入れて合わせ酢の1/3をかけ，軽く混ぜて絞る．
7. 器に盛って残りの合わせ酢をかけ，上に針しょうがを添える．

■参考
酢のもの，和えものなどの際，材料を酢洗いすることにより水っぽさはなくなり，生臭みが抑えられ，合わせ酢や和え衣となじみやすくなる．

■応用
大きい貝柱を使う場合は酢洗いまたは霜降りにしていちょうに切るとよい．

あじときゅうりの酢の物

●材料（1人分）
- あじ（小1尾）……………30 g
- 塩（あじの3～4%）………1 g
- 酢……………………………適量
- きゅうり…………………30 g
- 合わせ酢
  - 酢（材料の10%）………6 g
  - 砂糖（材料の3%）………2 g
  - 塩（材料の0.8%）………0.5 g
  - しょうゆ（材料の1%）…0.6 g
- しょうが…………………少々

エ 46 kcal　た 5.2 g
脂 0.9 g　塩 1.7 g

●調理法
1. あじは三枚におろして腹骨を取り，塩をふって20分ぐらいおく．ひたひたの酢に5～10分ほどつけて皮をむき，表側に1 cm幅に切り目を入れて1枚を2切れに切る．
2. きゅうりは板ずりして薄い短冊に切り，薄く塩をふり，しんなりさせて軽く絞る．
3. あじときゅうりを器に盛って針しょうがを天盛りにし，合わせ酢をかける．

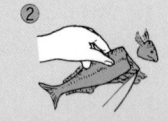

■コツ
三枚おろし

① ② 水洗いをしてうろこを取ってから，頭を落とす　わたを出す．ここでていねいに洗う

③ 包丁を中骨の上にあて中央（背骨）まで切り込む．背の方も同様にする

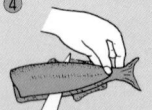

④ 中央部の骨の部分を切り離す．反対側の身も③，④と同様にする

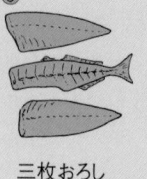

⑤ 三枚おろし

⑥ 腹骨をすき取る

78

しゅんぎくとしめじのお浸し

●材 料（1人分）
- しゅんぎく ……………………… 40 g
- 煮だし汁 ………………………… 3 mL
- 薄口しょうゆ …………………… 2 g
- しめじ …………………………… 10 g
- 煮だし汁 ………………………… 5 mL
- 酒 ………………………………… 1 g
- 薄口しょうゆ ………………… 2.5 g
- みりん …………………………… 1 g
- 黄菊（花びら） ………………… 10 g
- ゆずじょうゆ
  - 煮だし汁 …………………… 15 mL
  - 薄口しょうゆ ………………… 6 g
  - みりん ……………………… 3.5 g
  - ゆずの絞り汁 ……………… 1 mL

エ 32 kcal　た 1.6 g
脂 0.1 g　塩 1.8 g

●調理法
① しゅんぎくは塩を加えたたっぷりの沸騰湯に入れてゆで、水にとって絞る。煮だし汁としょうゆを混ぜてかけ、下味をつけて2～3 cmに切る。
② しめじは根元を切ってほぐし、さっと洗って煮立てた調味液に入れて混ぜながら煮る。
③ 黄菊の花びらをつんで、酢を加えた沸騰湯でゆで、水にしばらくさらして絞る。
④ ①～③を混ぜて器に盛り、ゆずじょうゆをかける。

■参　考
　しめじは、本しめじも、栽培ひらたけも共にしめじと呼ばれている。本しめじは「匂いまつたけ、味しめじ」と言われるように味が良く、歯ごたえもよい。しかし市場では、しろたもぎたけの栽培品が「本しめじ」として、また栽培ひらたけが「しめじ」として売られている。

■応　用
　しゅんぎくのかわりにみつば、ぬき菜、ほうれんそうなどでもよく、しめじのかわりにえのきだけやしいたけなどでもよい。

実習編 8　寄せ物・練り物

エ エネルギー　た たんぱく質　脂 脂質　塩 食塩相当量

ごま豆腐

●材 料（1人分）
- 白ごま …………………………… 15 g
- 本くず粉 ………………………… 15 g
- 煮だし汁（こんぶ、くず粉の6～8倍）
  ……………………………… 90～120 mL
- 塩 ……………………………… 0.3 g
- 砂糖 ……………………………… 3 g
- 酒 ………………………………… 3 g
- 割りじょうゆ
  - しょうゆ …………………… 5 g
  - 煮だし汁 …………………… 5 g
  - わさび ……………………… 少々

エ 167 kcal　た 3.4 g
脂 8.0 g　塩 1.2 g

●調理法
① ごまは煎って油が出るまで十分にする。くず粉を合わせ、だし汁を少しずつ加えてよく混ぜ、目の細かい裏ごしでこす。
② 調味料を加え、木じゃくしでよく混ぜながら加熱し、粘りと透明感のある光沢が出るまで十分に時間をかけて練り上げる。
③ 水でぬらした型に流し入れ、冷やし固める。
④ 切り分けて器に盛り、わさびと割りじょうゆを添える。

■コ　ツ
　ごまを十分にすることと、くずは十分に練ることが大切である。

■参　考
　精進料理によく用いられる。

■応　用
① 市販のあたりごまを利用すると手軽である。
② 酢みそやあんかけにしてもよい。
③ すったごまをふきんに包んでだし汁の中でもみ出し、ごま汁として使うとより滑らかにできる。だし汁は2～3回に分けてもみ出しを繰り返し、ごまの成分を十分出すようにする。

第2章●日本料理

そうめん寄せ

●材 料（2人分）
そうめん……………………40 g
かに（缶）…………………20 g
さやえんどう（1枚）……… 2 g
寒天液
　╭ 煮だし汁……………… 80 mL
　│ 寒天（角）（煮だし汁の2%）…1.6 g
　│ 塩（煮だし汁の0.7%）……0.6 g
　│ 砂糖（煮だし汁の0.7%）…0.6 g
　╰ 酒………………………… 2 g
かけ汁
　╭ 煮だし汁……………… 25 mL
　│ しょうゆ………………… 5 g
　╰ みりん………………… 5 g
わさび………………………少々

1人分
エ 86 kcal　　た 3.3 g
脂 0.2 g　　　塩 1.6 g

●調理法
① 寒天は洗って水に浸しておく（30分以上）．
② かにには軟骨を除き，粗くほぐす．さやえんどうは塩ゆでにして斜めに細く切る．
③ そうめんは片端を糸で束ねてゆで，水洗いして（ゆで方は，p.25 参照），流し箱の長さにそろえて切る．
④ ①の寒天の水を絞って細かくちぎり，煮だし汁で完全に煮溶かしてから調味料を加える．
⑤ 流し箱に寒天液を少量流し入れ，固まりかけたらさやえんどう，かにをのせ，そうめんを並べて残りの寒天液を流し入れ，冷やし固める．
⑥ かけ汁はひと煮立ちさせて冷やす．
⑦ そうめん寄せを切って盛り付け，回りからかけ汁を注ぎ，上にわさびを添える．

■コツ
① はじめに流し入れた寒天液が固まりすぎると分離するので，後の寒天液を流すまでの操作は手早くする．残りの寒天液は流す前に固まってしまわないように気をつける．
② 寒天液を煮詰めすぎないこと．

■応用
ほかにえびと青じそなど彩りよく取り合わせるとよい．薬味はおろししょうがにしてもよい．

きんとん

●材 料（1人分）
さつまいも… 50 g（裏ごして35 g）
砂糖（裏ごしいもの50%）……18 g
みりん（裏ごしいもの10%）
………………………………3.5 g
水（裏ごしいもの50%）…… 20 mL
くりの甘露煮の煮汁…………適宜
くりの甘露煮…………………25 g

エ 200 kcal　　た 0.9 g
脂 0.1 g　　　塩 0 g

●調理法
① さつまいもは1～2 cm厚さの輪切りにして厚めに皮をむき，すぐに水につける．0.5%のみょうばん水でさっとゆで，水をかえてやわらかくゆでる．熱いうちに裏ごしする．
② いもに砂糖，みりん，くりの煮汁，水を加えてよく混ぜ，火にかけて適当なかたさに練る．
③ くりを加え，静かに混ぜながらくりに火が通るまで煮る．

■コツ
① さつまいもは厚めに皮をむき，すぐに水につけることで色がきれいに仕上がる．黄色が薄いいもの場合は，みょうばん水でゆでたのち，くちなしの実（2つに切ってガーゼに包む）を入れてゆでるとよい．
② 砂糖の量はくりの甘露煮の汁の量によって加減する．

■参 考
p.89の茶巾しぼりを参照．

■応用
くりのかわりにりんごを混ぜるのもよい．

実習編 9 めん類

冷やしそうめん

エ エネルギー　た たんぱく質　脂 脂質　塩 食塩相当量

●材料（1人分）
- そうめん……………………70g
- えび（1尾）…………………20g
  - 塩（えびの1％）…………0.2g
  - 酒（えびの5％）……………1g
- しめ卵
  - 卵（1個）…………………50g
  - 塩（卵の1％）……………0.5g
- しいたけ（1枚）……………15g
  - 煮だし汁……………………30mL
  - しょうゆ（しいたけの7～8％）
    …………………………………1g
  - みりん（しいたけの6％）……1g
- さやえんどう…………………5g
- つけ汁
  - 煮だし汁（かつお・こんぶ）
    …………………………………50mL
  - しょうゆ……………………15g
  - みりん………………………15g
- 青じその葉（1枚）…………0.5g
- おろししょうが………………少々

●調理法
1. そうめんはゆでて水で冷やし、ザルにあげる（ゆで方はp.25参照）.
2. えびは背わたを取り、少量の塩湯でゆでて冷まし、尾の1節を残して殻をむく.
3. 卵は塩を加えて溶きほぐす. 沸騰している湯の中に静かに少しずつ流し入れ、浮き上がったらふきんにあけて絞り、棒状に形を整える. 冷めたらふきんをはずして切り分ける.
4. しいたけは柄を取って薄味に煮、さやえんどうは筋を取って塩を加えた湯でゆでる.
5. つけ汁はひと煮立ちさせて冷やす.
6. 青じそはせん切りにして水にさらし、しょうがはすりおろす.
7. 器にそうめんを盛って水を張り、氷と具をのせる. 薬味とつけ汁を添える.

■コツ
つけ汁の煮だし汁は混合だしがよい. 味は好みで加減する.

■応用
具は、ほかに錦糸卵、卵豆腐、鶏肉、きゅうり、みょうが、トマトなどが合う.

エ 380kcal　た 16.7g
脂 5.5g　塩 6.0g

実習編 10 漬物

セロリーのレモン漬け

エ エネルギー　た たんぱく質　脂 脂質　塩 食塩相当量

●材料（1人分）
- セロリー……………………40g
- たまねぎ……………………10g
- レモン………………………10g
- 塩（材料の1％）……………0.6g

●調理法
1. セロリーは4cm長さの短冊切りにし、たまねぎは縦に薄く切って水にさらす. レモンの汁を絞り、皮は少量をせん切りにする.
2. たまねぎの水気を絞り、セロリーとともにレモンの皮、レモン汁、塩をふって混ぜ、軽い重石をしてしばらく漬ける.

■参考
レモンの酸味と風味で食塩が少なくてもおいしい.

エ 12kcal　た 0.3g
脂 0.1g　塩 0.6g

第2章●日本料理

ちぐさ漬け（即席漬け）

●材　料（1人分）
キャベツ ……………………… 30 g
きゅうり ……………………… 20 g
にんじん ……………………… 5 g
みょうが ……………………… 3 g
こんぶ ………………………… 1 g
煎りごま（白） ……………… 2 g
塩（材料の2％） …………… 1.2 g

エ 25 kcal　た 0.9 g
脂 1.1 g　塩 1.3 g

●調理法
① キャベツ，きゅうり，にんじん，みょうが，こんぶはそれぞれせん切りにする．
② ごま，塩，しょうゆを加え，全体をよく混ぜて軽く重石をし，30分～1時間ぐらいおく．

■応　用
① 材料はほかにピーマン，しょうがなど適宜取り合わせる．
② 「ちぐさ」とは，千草または千種のことで，多くの材料を取り混ぜてつくる料理につけられる．ちぐさ焼き，ちぐさ蒸しなど．

小かぶの即席漬け

●材　料（1人分）
小かぶ（葉つき1/2個） ……… 60 g
塩（かぶの2％） …………… 1.2 g
赤とうがらし ……………… 小1/4本

エ 11 kcal　た 0.7 g
脂 0.1 g　塩 1.2 g

●調理法
① かぶは葉を切り離して縦2つに切って薄切りにし，葉の方は熱湯にさっと通して水にとり，水気を絞って2 cm長さに切る．
② 赤とうがらしは種を出して，小口に切る．
③ ①に赤とうがらしと塩を混ぜ，軽い重石をして2～3時間漬ける．

■コ　ツ
葉を湯通しすることにより，緑色がさえ，あお臭みが消えて早く漬かる．

菊花かぶの甘酢漬け

●材　料（1人分）
小かぶ（1個） ……………… 30 g
塩（かぶの2％） …………… 0.6 g
甘酢
　酢（かぶの20％） ………… 6 g
　塩（かぶの0.5％） ……… 0.2 g
　砂糖（かぶの15％） ……… 5 g
　煮だし汁（かぶの5％）… 2 mL
赤とうがらし ……………… 1/4本

エ 27 kcal　た 0.2 g
脂 0 g　塩 0.8 g

●調理法
① かぶは皮をむき，2本の割り箸の間において下を切り離さないように縦横に細かい切り込みを入れる．塩をふって軽い重石をしてしんなりさせる．
② 赤とうがらしは種を出して輪切りにし，甘酢に混ぜる．
③ かぶの水気を切って甘酢につける．
④ 盛り付けるとき，かぶを花のように開いて芯に赤とうがらしをおく．

■参　考
① 焼き魚の前盛りや口取りなどに用いる．菊の葉などを添えるとよい．
② あちゃら漬けともいう．

■応　用
だいこんを用いてもよい．

酢どりしょうが

●材 料（1人分）
葉つきしょうが（1本）………… 15 g
甘酢　しょうがの根が浸る程度
- 酢……………………………… 10 g
- 塩……………………………… 1 g
- 砂糖…………………………… 10 g

エ 10 kcal　　た 0.1 g
脂 0 g　　　　塩 0.2 g
甘酢の吸収分を20%として

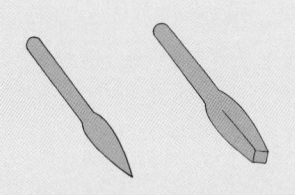

●調理法
① しょうがは茎を6～7 cm残して切り、根を筆または杵の形に整える（筆しょうが，杵しょうが）（図）．
② 塩を加えた熱湯でさっとゆで（10～20秒），甘酢につける．

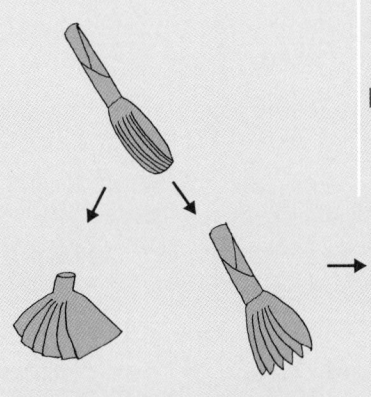

■コ ツ
　甘酢の量は容器としょうがの量により調節する．グラスなどを利用するとよい．

■参 考
　形を整えるために切り取った残りは一緒に漬け込み，みじん切りにしてすし飯に混ぜるとよい．

■応 用
　根しょうが（新しょうが）の薄切りでも同様にできる．

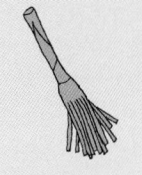

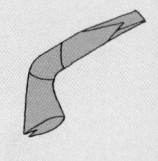

筆しょうが　杵しょうが　扇しょうが　千枚しょうが　すすきしょうが　駒爪しょうが
しょうがの細工例

はりはり漬け

●材 料（6人分）
切干しだいこん ………………… 40 g
にんじん ………………………… 40 g
こんぶ …………………………… 5 g
赤とうがらし …………………… 1本
つけ汁
- 酢（材料の40%）……… 100 g
- 砂糖（材料の8%）……… 20 g
- しょうゆ（材料の6%）…… 15 g
- 塩（材料の0.6%）……… 1.5 g
- 酒（材料の6%）………… 15 g
- 水（材料の6%）……… 15 mL

1人分
エ 44 kcal　　た 0.8 g
脂 0 g　　　　塩 0.7 g

●調理法
① 切干しだいこんは水でもみ洗いして，ひたひたの水につけて10分ほどおき，かたく絞る．
② こんぶはかたく絞ったぬれぶきんでふいて細く切り，にんじんはせん切りにする．
③ 赤とうがらしは種を抜いて小口切りにする．
④ 調味料はひと煮立ちさせる．
⑤ 容器に①～③を入れて④を注ぎ，よく混ぜて軽い重石をする．

■コ ツ
　はりはり漬けにする場合は，切干しだいこんはもどしすぎると歯ざわりが悪くなる．

■参 考
① 切干しだいこんはもどすと4～6倍になる．調味料の割合は約5倍になるものとして示してある．
② 常備菜としてつくりおきするとよい．
③ 容器は耐酸性のものを用いる．
④ 「はりはり」とは，歯切れがよく，かむとパリパリ音がするところからついたといわれる．そのほかに「はりはり鍋」があり，水菜の歯ごたえからきているといわれる．

第2章●日本料理

実習編 11 和菓子

エ エネルギー　た たんぱく質　脂 脂質　塩 食塩相当量

泡雪かん

●材　料（6人分）
寒天液（仕上がり300g）
　寒天（角）（仕上がり寒天液
　　の1.5%）……………4.5g
　水……………………300mL
　砂糖（仕上がり寒天液の30%）
　　……………………90g
卵白（1個分）…………約30g
バニラエッセンス………少々

1人分
エ 62kcal　た 0.5g
脂 0g　塩 0g

●調理法
① 寒天は洗って水に浸し（30分以上），絞って細かくちぎる．分量の水を加えて弱火で完全に煮溶かし，砂糖を加えて溶かす（仕上がりが約300gになるようにする）．こして，40～50℃に冷ます．
② 卵白をかたく泡立て，よくかき混ぜながら寒天液を徐々に加えて混ぜ，バニラエッセンスも加える．
③ ②を型に流し入れて冷やし固め，適当に切る．

■コ　ツ
卵白泡に混ぜる寒天液の温度が高いと泡と寒天液が分離する．また冷ましすぎると固まり始めて滑らかに混ざらないので注意する．砂糖の一部を卵白泡に混ぜるのも分離を防ぐのに役立つ．

■参　考
泡立てた卵白は，降ってもすぐ消える春の淡雪に似ていることから淡雪かんともよぶ．

■応　用
① 型に輪切りのいちご，みかん（缶）などを並べてから流し固めるのもよい．
② 粉寒天を使う場合は角寒天の約1/2量（2.2g）を用いる．水の量は加熱溶解時の蒸発分が少ないので，220mL程度とする．使用法については，水ようかんの項を参照．

水ようかん

●材　料
（8人分，仕上がり500g）
寒天（粉）（仕上がり質量の
　0.4%）…………………2g
水………………………300mL
砂糖（仕上がり質量の25～40%）
　………………………150g
生こしあん（仕上がり質量の25～
　30%）…………………150g
塩…………………………0.5g
桜の葉……………………8枚

1人分
エ 101kcal　た 1.6g
脂 0.1g　塩 0.1g

●調理法
① 寒天に分量の水を加えてかき混ぜながら煮溶かし（弱火で沸騰2分くらい），砂糖を入れて溶かす．
② 生こしあんに①の寒天液を徐々に加えてよく混ぜ，塩も加える．
③ 静かに混ぜながら5～10分ほど煮て，500gぐらいに仕上げる．かき混ぜながら45℃ぐらいに冷まして流し箱に入れ，冷やし固める．
④ 切り分けて桜の葉で包む．

■コ　ツ
冷ましてから流し箱に入れないとあんが分離する．また，冷ましすぎると流し入れる前に固まってしまうので注意する．40～45℃ぐらいがよい．

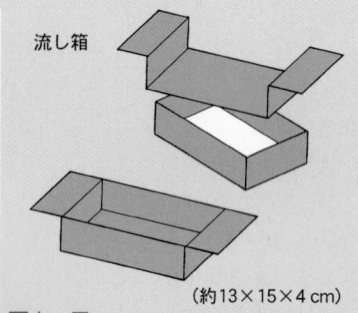

流し箱

（約13×15×4cm）

■応　用
あんはさらしあん（乾燥こしあん）を用いてもよい．さらしあん60gに水150mLを加えて混ぜ，30分～1時間もどす．これに粉寒天2g，砂糖150g，塩少々，水250mLを加えて火にかけ，調理法③④のようにして仕上げる（さらしあんは水にもどさず，そのまま用いてもよい）．

果汁かん（夏みかん寄せ）

●材 料
（4人分，仕上がり380g）
寒天（粉）（仕上がり質量の
　0.6％）……………………2.3g
水……………………… 200mL
夏みかん（1個）
　［絞り汁（仕上がり質量の25〜
　　30％）…………………110g］
砂糖（仕上がり質量の20〜30％）
　………………………… 80g

●調理法
❶ 夏みかんの上部を切り取り，皮を破らないように中身を出し，ふきんで果汁を絞る．皮は内側の白い筋を取り，きれいにしておく．
❷ 寒天に分量の水を加えてかき混ぜながら煮溶かし（弱火で沸騰2分ぐらい），砂糖を入れて溶かす．
❸ 60℃ぐらいに冷まして果汁を加えて混ぜ，❶の皮にいっぱいに流し入れて冷やし固める．
❹ 縦4つ割りにして皿に盛る．

■コ ツ
寒天は果汁の酸により凝固力が弱まるので，必ず寒天液を冷ましてから混ぜる．

1人分
エ 100kcal　た 0.3g
脂 0.1g　　 塩 0g

おはぎ（ぼたもち）

●材 料（1人分）
もち米………………………… 50g
うるち米……………………… 25g
水………………………… 90mL弱
粒あん………………………… 30g
　［きな粉………………………… 5g
　　砂糖……………………… 5〜10g
　　塩…………………………0.1g］
　［黒ごま………………………… 5g
　　砂糖………………………… 5g
　　塩…………………………0.1g］

エ 440kcal　た 8.4g
脂 4.7g　　 塩 0.2g

●調理法
❶ もち米とうるち米を合わせて洗い，水を加えて30分〜2時間つけておく．米をザルにあげ，つけ水を炊飯鍋に入れて沸騰させ，ここに米を入れて手早く混ぜてふたをする．再び沸騰したら火を弱め，普通の飯より少し時間をかけて炊く（湯炊き）．
❷ すりこぎの先をぬらして飯をつきつぶす（半分ぐらい飯粒が残る程度）．
❸ あんを用意する．きな粉は砂糖と塩を混ぜる．ごまは煎って半ずりにして砂糖と塩を混ぜる．
❹ 飯を3つに分けて形を整え，1つはあんで包み，残り2つはそれぞれきな粉とごまをまぶす．でき上がりが同じぐらいの大きさになるように，あんで包むものは飯を少なくする．あんは絞ったふきんにのせて広げ，飯を包んで形を整えるときれいにできる．

■参 考
❶ もち米とうるち米の割合は好みでかえられる．加水量は，〔もち米の質量×1.0〕＋〔うるち米の質量×1.5〕で算出する．
❷ 自動炊飯器の場合は分量の水で普通に炊く．
❸ 別名ぼたもち（牡丹餅）とよばれる．江戸時代は春秋の彼岸に仏前に供えて食したことから，春につくるとぼたもち，秋につくるとおはぎ（御萩）とよぶとされる説がある．

■応 用
❶ きな粉やごまをまぶすおはぎは，飯の中にあんを包み込んでもよい．
❷ 表面を包むあんは白さらしあんでつくったり，それにひき茶を加えたりしたものもよい．くるみのおはぎもおいしい．
❸ 米を炊く際に少量の塩（炊き上がり質量の0.7％ぐらいまで）を加えてもよい．

第2章●日本料理

桜もち（薄焼き）

●材料（2個分）
- 小麦粉　　　　　　　　　15g
- 白玉粉　　　　　　　　　3g
- 砂糖　　　　　　　　　　3g
- 水　　　　　　　　　　35mL
- 食紅　　　　　　　　　　少々
- 練りこしあん　　　　　　50g
- 油　　　　　　　　　　0.1g
- 桜の葉（塩漬け）　　　　2枚

1人分（1個）
エ 101kcal　た 1.9g
脂 0.2g　塩 0g

●調理法
① 白玉粉に水を少しずつ加えてよく溶く．砂糖とふるった小麦粉を加えて，ダマのないようによく混ぜる．水で溶いた食紅で薄いピンク色にする．
② 鉄板（またはフライパン）を熱し，油をなじませて余分の油はふき取る．①の生地を大さじ1杯ぐらいすくって楕円形に流し，さじの丸い部分で形を整えながら薄くのばしてやや弱火で焦がさないように焼く．
③ 表面が乾いてきたら裏返してさっと焼く．
④ あんを1個分ずつ長めに丸め，③の皮で巻いて，桜の葉（湯で洗って水気をふいておく）で包む．

■参考
① 焼き菓子の一種で関東風．
② 桜もち用の桜の葉は，大島桜の葉を塩漬けにして，保存しておくとよい．使用の都度，数時間塩出しする．桜蒸しにも使用できる．

桜もち（道明寺）

●材料（2個分）
- 道明寺粉　　　　　　　　20g
- 水　　　　　　　　　　30mL
- 砂糖　　　　　　　　　　8g
- 水　　　　　　　　　　8mL
- 食紅　　　　　　　　　　少々
- 練りこしあん　　　　　　40g
- 桜の葉（塩漬け）　　　　2枚

1人分（1個）
エ 102kcal　た 1.6g
脂 0.1g　塩 0g

●調理法
① 道明寺粉は洗って分量の水を入れ，蒸し器にぬれぶきんを敷いて約20分蒸す．
② 砂糖に水を加えて煮詰め，シロップをつくり，水溶きの食紅で薄いピンク色にする．
③ シロップをボールに入れ，①を入れてよく混ぜ合わせ，10分ほど蒸らす．
④ あんは1個分ずつ丸めておく．
⑤ 手水をつけながら③であんを包んで俵形に整え，桜の葉（湯で洗って水気をふいておく）を巻く．

■参考
① もち菓子の一種で関西風．
② 道明寺粉は蒸したもち米を乾燥させて砕いたもの．

■応用
桜の葉のかわりに椿の葉2枚で挟むと椿もち，笹の葉で包んで蒸すと笹巻きもちになる．

■あん（小豆あん）の種類

こしあん（生こしあん）	小豆をやわらかく煮て，ボールの上にのせたざるにあけ，すりこぎ等でつぶしながら水を注いで皮（ざるに残る）を取り除く．ボールの中のこし汁はさらに裏ごし器を通す（または，小豆とゆで汁，水を加えて数秒ミキサーにかけた後，裏ごしをする）．裏ごし器を通ったこし汁を放置してあんが沈殿したら上澄みを捨てる．沈殿物に水を加えて撹拌，放置して上澄みを捨てる（3～4回繰り返す）．沈殿したあんを，ふきんか木綿袋で硬く絞ったものが生こしあんである．
さらしあん	生こしあんを乾燥・粉末化したもの（乾燥こしあん）がさらしあんである．生こしあんの約40％（質量）になる．
つぶしあん	やわらかく煮た小豆をつぶし，砂糖を加えて練ったあんをいう．
粒あん	やわらかく煮た小豆に砂糖を加え，粒を残すように練ったあんをいう．
練りあん	砂糖を加えて練り上げたあんの総称．

草もち

●材料（2個分）
- 上新粉……………………………30g
- 白玉粉……………………………3g
- 温湯（粉の80〜90%）
  ……………………………25〜30mL
- よもぎ……………………………7〜8g
- 練りあん…………………………50g
- （好みでこしあんでも粒あんでもよい）

1人分（1個）
エ 122 kcal　た 2.3g
脂 0.2g　塩 0g

●調理法
① ボールに白玉粉と上新粉と温湯を入れて耳たぶぐらいのやわらかさにこねる．
② 蒸し器にぬれぶきんを敷いて，①を15分蒸す（強火）．
③ よもぎは葉先をゆでて水にとり，絞って包丁で細かくたたき，すり鉢でする．
④ ②を手水をつけながらよくこね，色を見ながらよもぎを混ぜ込む．
⑤ ④の生地を2等分して丸くのばし，あんを包んで形を整える．

■コツ
蒸した生地をよくこねるとやわらかく滑らかな口ざわりのもちになる．白玉粉を加えるのも生地をやわらかくする効果がある．

■応用
① 形はかしわもちのような半円形にすると包みやすい．また，団子にしてきな粉またはゆるめのあんをかけた草団子もよい．
② 好みでもちの生地に砂糖を加えてもよい．

くずもち

●材料（1人分）
- 本くず粉…………………………15g
- 水…………………………………60mL
- 黒砂糖……………………………15g
- 水…………………………………10mL
- きな粉……………………………5g

エ 129 kcal　た 1.9g
脂 1.3g　塩 0g

●調理法
① くず粉を水でよく溶かし，火にかけて，絶えず混ぜながら，沸騰したら弱火にして完全に透明になるまで練る．
② 水でぬらした流し箱に入れ，手に水をつけて表面をたいらにし，冷やし固める．
④ 黒砂糖を削ってみつ状に煮詰めて冷やしておく．
⑤ くずもちを適当に切って皿に盛り，黒みつときな粉をかける．

■参考
くず粉は本来くずの根からとったでんぷんであるが，市販の「くず粉」には甘薯を原料としたものもある．「本くず粉」は純粋のくずでんぷんを指す．

■応用
わらびもち粉（わらびの根茎でんぷん）を用いて同様に行うとわらびもちになる．

うぐいすもち

●材料（2個分）
- 白玉粉……………………………15g
- 上新粉……………………………5g
- 水…………………………………20mL
- 砂糖………………………………10g
- 練りこしあん……………………50g
- きな粉（緑色）…………………5g

1人分（1個）
エ 129 kcal　た 2.6g
脂 0.7g　塩 0g

●調理法
① 白玉粉に水を加えて溶かし，砂糖，上新粉を加えて混ぜる．
② 蒸し器にぬれぶきんを敷いて，①をあけ，15〜20分蒸す．手水をつけて軽くこねる．
③ 皮，あんとも2個に分けて，皮であんを包み，きな粉をつける．やや細長くして両端をつまんでとがらせ，うぐいす型に整える．

■コツ
① こねるとき，手水をつけすぎると生地が柔らかくなりすぎるので注意．
② きな粉は分量より多めに準備するほうがつけやすい．

■参考
① ぎゅうひであんを包む方法もある．
② 仕上がった形がうぐいすに似ていることから，うぐいすもちとよばれる．

第2章●日本料理

じょうよまんじゅう

●材 料（2個分）
- 上新粉……………………15 g
- 砂糖………………………20 g
- やまといも…………………9 g
- 練りこしあん………………60 g

1人分（1個）
- エ 147 kcal
- た 2.0 g
- 脂 0.1 g
- 塩 0 g

●調理法
1. 上新粉と砂糖を混ぜておく.
2. やまといもをおろしがねですりおろし，さらにすり鉢でする.
3. ②に①を加えてよくすり混ぜる.
4. あんは1個分ずつ丸め，③の皮も等分する．皮であんを包み腰高に形を整えて，小さく切ったパラフィン紙にのせる.
5. 蒸気のたった蒸し器にふきんを敷いて④を並べ，強火で7〜8分蒸す.

■参 考

「薯蕷まんじゅう」と書き，「しょよまんじゅう」と読むこともある．「上用まんじゅう」ともよばれる.

利久まんじゅう

●材 料（2個分）
- 小麦粉……………………17 g
- ┌ 黒砂糖……………………6 g
- │ 砂糖………………………8 g
- │ 水…………………………2.5 mL
- │ 重曹………………………0.3 g
- └ 水…………………………2.5 mL
- 練りこしあん………………50 g

1人分（1個）
- エ 120 kcal
- た 1.9 g
- 脂 0.1 g
- 塩 0 g

●調理法
1. 黒砂糖は削って鍋に入れ，砂糖，水を加えて弱火にかけ，砂糖を煮溶かす.
2. ①がきれいに溶けたら，こして冷まし，水で溶いた重曹を加えて混ぜる.
3. ②にふるった小麦粉を加えて木しゃもじで混ぜ，手で種をまとめる（①の蒸発量により種のやわらかさが多少異なるので，小麦粉で加減する）.
4. あんは2個に丸め，③の種も手粉をつけながら2個に分ける．種であんを包んで腰高に形をつくり，底に小さく切ったパラフィン紙をつける.
5. 蒸気のたった蒸し器にふきんを敷いて④を並べ，強火で12〜13分蒸す.
6. 手にサラダ油をつけて取り出し，うちわであおいでつやを出す.

■コツ
1. 砂糖を煮溶かすとき煮詰めないようにする.
2. 熱い砂糖液に重曹を入れると炭酸ガスが出て，蒸すときの膨張力が衰えるので砂糖液は冷ましておく.

■参 考

大島まんじゅう，または茶まんじゅうともよばれる．皮に黒砂糖が入った茶色の素朴なまんじゅうである．一般に料理名に「利久」が使われる場合はごまを使った料理を指す．「利久」とは，千利休に由来し，「休」の字が忌み嫌われて「久」になったとされる.

フルーツ白玉

●材 料（1人分）
- 白玉粉 …………………… 20 g
- 水（白玉粉の約85％）… 約17 mL
- 砂糖 ……………………… 10 g
- 水 ………………………… 5 mL
- キウイフルーツ ………… 10 g
- パイナップル（缶）……… 20 g
- みかん（缶）……………… 20 g
- 缶詰汁 …………………… 10 mL

エ 148 kcal　た 1.4 g
脂 0.2 g　　塩 0 g

●調理法
① 白玉粉に水を加えてこねる．小さい団子に丸め，親指と人差指で中央を押えてくぼませる．
② 沸騰した湯に入れて浮き上がるまでゆで，水にとって冷やす．
③ 砂糖，水，缶詰の汁を合わせて冷やしておく．
④ キウイフルーツは皮をむいていちょうに切る．パイナップルも適当に切る．
⑤ 器に白玉団子とフルーツを盛り，シロップをかける．

■参 考
白玉粉は，もち米を水に浸して磨砕し，水にさらした後，布袋に入れて圧搾脱水し，乾燥してつくる．寒中に清水に晒してつくったことから寒晒し粉ともいわれる．

茶巾しぼり

●材 料（2個分）
- さつまいも（金時）…… 皮つき 90 g
　　（裏ごして 60 g）
- 砂糖 ……………………… 10 g
- 塩 ………………………… 0.2 g
- 抹茶 ……………………… 0.5 g 強
- くり甘煮（1個）………… 10 g

1人分（1個）
エ 89 kcal　た 0.5 g
脂 0.1 g　　塩 0.1 g

●調理法
① さつまいもは約2cmの輪切りにして皮を厚めにむき，20分ほど水につけてアク抜きをする．やわらかく蒸して熱いうちに裏ごし，砂糖，塩を加えてすりこぎでつき混ぜる．
② 抹茶を少量の水で溶いて色を見ながら加え，よく混ぜる．
③ くりは1/2に切る．
④ ②を2つに分け，かたく絞ったふきんにのせ，くりをのせて絞る．

■コ ツ
いもは熱いうちに裏ごすと，粘りが出ず楽にできる．

いもかりんとう

●材 料（1人分）
- さつまいも ……………… 40 g
- 揚げ油 …………………… 適量
- 砂糖 ……………………… 12 g
- 水 ………………………… 6 mL

エ 108 kcal　た 0.3 g
脂 1.2 g　　塩 0 g
吸油量 1.2 g として

●調理法
① さつまいもは細めの拍子木切りにして水にさらす．
② 水気をふき取り，油でからりと揚げる．
③ 砂糖と水を小鍋に入れ，弱火にかけて煮溶かし，静かに煮詰める．
④ 115〜117℃になったら火からおろし，②のいもを加えて手早く攪拌して，砂糖衣をつける．

■参 考
① 砂糖液を105〜125℃ぐらいに加熱し，温度を下げて攪拌すると結晶ができ，フォンダンや砂糖衣として利用される．
② 砂糖液は鍋についたりする損失分があるので，やや多めにする．4〜5人分まとめてつくるとよい．

■応 用
同様に，ピーナッツやくるみなどに砂糖衣をつけることができる．

第2章●日本料理

第3章──西洋料理

　西洋料理は，欧米諸国にみられる料理の総称で，国によって少しずつ特徴が違う．

　一般に，バター，牛乳，獣鳥肉中心の材料が多く，また西洋料理は香りを味わう料理といわれるように，多くの香辛料を使用し，料理の味覚を引き立てる．

　このように，香辛料が発達した背景には，臭気の強い獣鳥肉が中心であるため，アクの強いにおい消しが必要であったことによる．

　また生食に適していないため，調理法も加熱料理が中心である．しかも長時間加熱する調理法が発達し，あわせてソースが工夫されている．

　西洋料理は日本料理のように主食・副食の概念がなく，あたかも川の流れのように料理が一つ一つ順に出され，消化がよく，口当たりのよいものから，肉などの重い料理を経てお腹を整えるような料理で締めくくられる．

基礎編 1 西洋料理の形成と作法

1) 西洋料理の種類とその特徴

フランス料理：フランスは気候的にも温暖で，また食品材料は肉から魚介類，野菜，果実などが豊富であり，調理上欠かすことができないぶどう酒も良質であることから，西洋料理の代表格となっている．"フランス料理はソースで食べる"といわれるほどソースに重点がおかれる．

ドイツ料理：ハムなどの肉加工品や腸詰め，挽肉を使った料理（ハンバーグなど），じゃがいもを使った料理などが発達している．代表的な料理に Kartoffelknodel（じゃがいも団子），Sauerkraut（酢漬けキャベツ）などがある．

イタリア料理：めん料理と豊かな魚介類を多く用いた料理が発達している．代表的な料理に各種のパスタ料理や Pizza などがある．

スペイン料理：米飯料理と豊かな魚介類に恵まれた料理が多い．スペイン人が移住した南米や中米メキシコ料理にも影響を及ぼしている．代表的な料理に Paella（炊き込みご飯），Asado（肉の丸焼き），Gazpacho（冷野菜スープ）などがある．

イギリス料理：羊肉が多く，焼肉料理，煮込み料理が多い．代表的な料理に Roast beef などがある．

アメリカ料理：収穫量の多い大豆を用いて肉との煮込み料理が発達している．代表的な料理に Pork beans, Barbecue などがある．

その他：ロシアや北欧系，東欧系の国々では，湖や河川が多く，魚介類（マスなど）を中心にした料理が多く，また長期間保存させる必要から塩蔵された肉類の料理が多い．代表的な料理にスウェーデンの Smorgasbord（バイキング料理），ロシアの зakycka（酢漬け野菜）などがある．

2) 西洋料理の様式と献立

西洋料理の献立内容は，日常食と供応食で異なる．また，供応食の場合でも，会食の形式や食事を立食でとるか座食でとるかで，料理や飲み物などに多少の変化がある．

（1）日常食

朝食 Petit déjeuner, Breakfast：フランスではパンにバターまたはジャムおよびコーヒーまたは紅茶，ココアの飲物で，非常に簡素である．フランス（Continental）式と呼ばれる．イギリスでは上記のほかに卵，肉（ハム類），果物などが豊富で，飲物もジュースやミルクなどがある．イギリス式と呼ばれる．

昼食 Déjeuner, Lunch：とくに形式は決まっていない．一般的には前菜，肉料理，サラダ料理の形式が多い．

夕食 Dîner, Dinner：正餐の形式をとることが多い．日常は簡単な野菜スープ，前菜（夏はメロン，冬は生がきのレモン添えが多い），肉料理（何種類でもよい），野菜料理，果物，チーズ，コーヒーのことが多い．

夜食 Souper, Supper：西洋の生活習慣として，夜，観劇や音楽会に出かけるが，その後軽食をとることがある．

（2）正餐 Dîner, Dinner

正式な供応の際に用いられている．正餐の献立 Les menus, Menu と対応する飲物は表3-1のとおりである．

表3-1　正餐の献立と飲物

献立	仏語	英語	対応する飲物
前菜	Hors-d'œuvre（オールドゥブル）	Appetizers	シェリー酒
スープ	Potage（ポタージュ）	Soup	
魚料理	Poisson（ポワソン）	Fish	白ぶどう酒
肉料理	Entrèe（アントレ）	Entree	赤ぶどう酒
冷菓	Sorbet（ソルベ）	Sherbet	
肉料理	Rôti（ロティ）	Roast	シャンペン
野菜料理	Légumes（レギューム）	Vegetable	
サラダ	Salade（サラード）	Salad	
甘味料理	Entremets（アントルメ）	Dessert	
果物	Fruits（フリュイ）	Fruits	
コーヒー	Café（カフェ）	Coffee	

（3）立食　Buffet, Viking（ビュッフェ）

　パーティーなど多人数が同時に食事するときにとられることが多い形式である．料理は大皿または保温装置つきの保温缶に盛られて部屋の中心に置かれる．ビュッフェは原則として椅子はごく少しだけで，立食形式である．バイキングは椅子（席）が決まっていて，一カ所に準備された料理の中から，食べられる分ずつ取ってきて自分の席で食べる．何回席を立ってもよいが，取った料理は全部食べなければならない．取った料理を残すのは，美味しくなかったという表示につながる．

（4）その他

　食間に飲物（おもに紅茶）と菓子で行うティーパーティー Tea party, アルコール飲料を伴う大人中心のカクテルパーティー Cocktail party, アメリカで発達した形式で屋外で直火焼きまたは鉄板焼きするバーベキュー Barbecue などがある．

3）西洋料理の食事作法

　国や時間，場所，目的などにより異なるが，正餐の場合を中心に述べる．

（1）席の座り方

　部屋の中心にテーブルが置かれ，正餐のときには上座（窓側，または入口から遠いほう）のテーブル中心に主賓が座り，向かいに主人（ホスト）が座る．主賓の横に女主人（ホステス）が座り，以後男女は交互に座る（図3-1）．主賓と主人が近いので会の進行がスムーズにいく．

　また着席するときは，左側から椅子に入り，テーブルからこぶし2つぐらい空くように深く腰掛け，背筋をのばす．

（2）食卓のととのえ方（テーブルセッティング）

　テーブルクロス：白が基本．端から30 cmぐらいは垂れるようにする．弾力をもたせ，食器の音を吸収させるために下にフランネルなどを敷く．またテーブルが美しい場合は，ランチョンマットだけにすることもある．

　食卓飾り：雰囲気がよくなるので用意するとよい．おもに食卓花が準備される．どこから見ても裏が出ないように，また目線より下になる高さに生け，テーブルの中央に置く．香りの強い花は避ける．そのほか彫刻や置物，キャンドルスタンドなどが用いられる．

　ナプキン（Serviette）（セルビエット）：テーブルクロスと同じ模様で60 cmまたは67 cm角の白布を用い，位置皿（各人の座席を指定した皿）の上に簡素にたたんでおく．祝い事などでは，おめでたい形や美しい形にたたむ．使用時は2つ折りにして折り目を手前にしてひざの上にのせる（あごの下にかけない）．

　ナイフやフォークの置き方：西洋料理では着席する前にすでにナイフやフォーク，スプーンなどが図3-2のように配置されている．1人分60～70 cmぐらいの幅に収める．

　飲物とグラス：正餐のときは料理に合わせて酒類が用意される（表3-1）．また酒に合わせたグラスが準備され，それらは図3-2のように配置される．

（3）テーブルマナー

　テーブルマナーは他人に不愉快な感じを与えないために自然に生まれた習慣である．

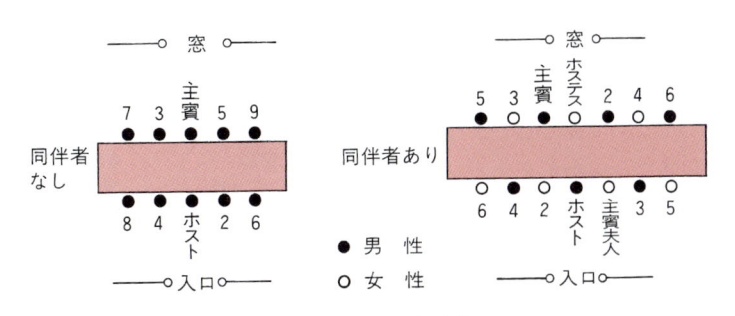

図3-1　席の座り方

```
     1  オードブル用デザートナイフとフォ
        ーク
     2  スープスプーン
     3  フィッシュナイフとフォーク
     4  ミートナイフとフォーク
     5  ミートナイフとフォーク
     6  アイスクリームスプーン
     7  フルーツナイフとフォーク
     8  コーヒースプーン(デミタス)
     9  バターヘルパー(パンのときに出る)
    10  バターボウル(パンのときに出る)
    11  パン皿(パンのときに出る)
    12  位置皿
    13  ナプキン

     A  ゴブレット
     B  シャンパングラス
     C  タンブラー(水用)
     D  シェリーグラス
     E  白ワイングラス
     F  赤ワイングラス
```

図3-2　正餐用配膳図

① ナプキンはひざの上に置き，中座するときは椅子の背に掛け，食事終了後はざっとたたんで食卓の上に置く．

② 姿勢は背筋をまっすぐのばし，テーブルや皿の上にかがみこまない．また両ひじをテーブルにつかない．

③ 回りの人と適宜会話をし，和やかな雰囲気をつくるように心がける．

④ 飲物を飲むときはナプキンで口を押えてグラスを汚さないようにする．

⑤ スープは,手前から向こうへすくって飲む．少なくなったら皿を向こう側に少し傾ける．飲むときは音をたてないで流し込むようにする．飲み終えたらスプーンの柄をテーブルと平行に皿の中に置く（図3-3）．

⑥ 前菜が終るとパン類が出される．種類はバターロール，食パン，ぶどうパン，黒パンなどである．これは，スープが終ったら食べはじめ，デザートの前までに食べ終る．一口ぐらいにちぎってバターを少しつけて食べる．

⑦ 魚料理，肉料理は，ナイフ，フォークを使用する．料理が運ばれたら，外側に置かれているナイフ，フォークを使用する．魚用のナイフ，フォークは装飾が施されて豪華である．やわらかい場合は適宜フォークを右手に

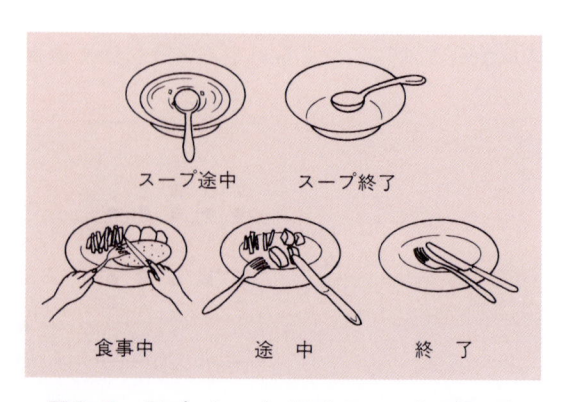

図3-3　スプーン，ナイフとフォークの扱い方

持ちかえて食べてもよい．ただし，肉などをはじめに全部切っておくのはよくない．食事中にナイフとフォークを置く場合は八の字に置き，終了時は並べて斜めに置く（図3-3）．
⑧ レモンを絞るときは反対の手でおおって汁が飛ばないようにする．
⑨ 甘味料理は位置皿の向こうに置かれた手前のスプーンを用い，食べている途中は器の中に置き，食べ終ったら受け皿の手前に置く．
⑩ 果実は，果実用のナイフ，フォークを使用する．食べ終りをできるだけ美しくする．フィンガーボールには両手を同時に入れない．
⑪ 食事中にナイフ，フォーク，スプーンなどを落としたら自分で拾わず，給仕人を呼ぶ．
⑫ 食事の早さは主役の食べ方に合わせる．

基礎編 2　フォン Fonds，ルウ Roux，リエゾン Liaison

これらは西洋料理の基本的・特徴的な調理操作を含み，基本ソースをつくるのに必須である．またルウ Roux は濃度のあるスープ Potage lie にも欠かすことができない．

1）フォン Fonds

フォンとはソースをつくるための基本的な煮だし汁である．ソースにはフォンのかわりにブイヨンで代用することがあるが，逆にフォンは一般には強い香りと濃い味があるのでスープには用いない．

① **フォン・ブラン Fonds Blanc（普通の白色煮だし汁）**

1,000 mL 分〔水 2,000 mL，牛すね肉 400 g，鶏骨 2 羽分，にんじん 50 g，たまねぎ 50 g，セロリー 40 g，Bouquet garni 1 束，塩 10 g〕

スープ鍋に大切りのすね肉，よく洗い細かくたたいた鶏骨，大切りの野菜，香草を入れて強火にかけ，浮き上がったアクを取りつつ沸騰の続く程度に火を弱め，3 時間ほど煮だす．ネルまたは 2 枚重ねのふきんでこし，浮いた油は取る．

ブーケガルニ Bouquet garni のつくり方を図3-4に示す．

② **フォン・ブリュン Fonds Brun（澄んだ褐色煮だし汁）**

1,000 mL 分〔水 2,000 mL，牛骨付きすね肉 600 g，仔牛すね肉 400 g，ベーコン 100 g，にんじん 50 g，たまねぎ 50 g，セロリー 40 g，Bouquet garni 1 束，塩 10 g〕

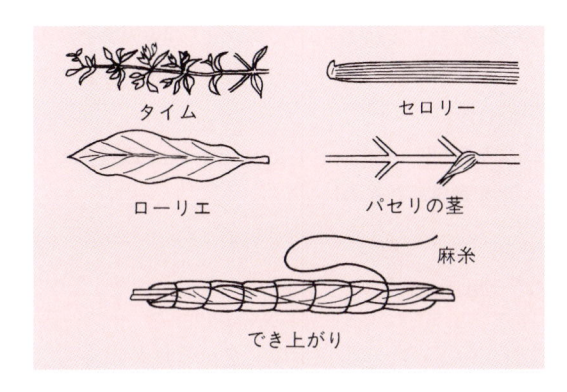

図3-4　ブーケガルニ Bouquet garni のつくり方

肉類は 1 cm 幅に，また野菜類は 5 mm 幅に切り，色づく程度に炒めて鍋に移し，分量の水を入れてアクを取りながら 4～5 時間沸騰の続く程度に煮だす．ふきんでこし，浮いた油は取る．

③ **フォン・ド・ボウ Fonds de Veau（仔牛肉の煮だし汁）**

1,000 mL 分〔水 2,000 mL，仔骨 400 g，仔牛肉 500 g，にんじん 50 g，たまねぎ 50 g，セロリー 40 g，Bouquet garni 1 束，塩 4 g，タイムとローリエ少々〕

牛骨はたたき砕いておく．肉は 1 cm 幅に，また野菜類は 5 mm 幅に切り，色づく程度に炒めて鍋に移し，分量の水を入れて香辛料などを入れ，アクを取りながら 3 時間ぐらい沸騰の続く程度に煮だす．ふきんでこし，浮いた油は取る．

④ **フォン・ド・ボライユ Fonds de Volaille（鶏肉の煮だし汁）**

1,000 mL 分〔水 2,000 mL，鶏肉 300 g，鶏骨 400 g，たまねぎ 50 g，にんじん 50 g，パセリとセ

第3章●西洋料理　　95

ロリー各1本，タイムとローリエ少々，塩4g〕

分量の水に鶏肉・鶏骨を入れ，煮立ててアクをすくい取り，次に野菜と香辛料を入れ，弱火で3時間ぐらい煮だす．半量に煮詰め，布でこす．

⑤ フォン・ド・ポアソン Fonds de Poisson または Fumet de Poisson（魚の煮だし汁）

1,000 mL分〔水1,000 mL，白身魚の切りくずや骨1,000 gほど，たまねぎ50 g，パセリとセロリ各1本，白ぶどう酒200 mL，レモン薄切り2枚，塩4 g，たたきつぶした粒こしょう少々〕

材料を全部鍋に入れ，水から煮て浮き上がったアクをすくい取り，弱火にして15〜20分煮だしてからこす．

⑥ フォン・ド・ジビエ Fonds de Gibier（野鳥の煮だし汁）

⑦ グラス・ド・ビヤンド Glace de Viande（煮だし汁を煮詰めたもの）

2) ルウ Roux

炒り粉といい，小麦粉をバターで炒めたものである．これはソースの濃度を加減し，口ざわりを滑らかにする．また料理のつやもよくなる．

炒め方により3種類のルウがある．

1人分材料〔小麦粉12 g，バター8〜10 g〕

① 白色ルウ Roux blanc, White roux

バターをソースパンに入れて弱火で溶かし，そこへふるった小麦粉を入れ，木じゃくしで色づかないように炒める．炒めはじめは糊のようになるが，気長に炒めていると滑り落ちるようになる．

② 淡黄色ルウ Roux blond, Blond roux

淡黄色になるぐらいに炒める．

③ 褐色ルウ Roux brun, Brown roux

褐色になるまで十分に炒める．

3) リエゾン Liaison

つなぎのことで，ソースの濃度を高めたり，味をよくするために用いられる．料理の仕上げに使われる．

① でんぷんの水溶き Liaison de fecule

〔ソース200 mLに対しでんぷん6 g（3％）〕

かたくり粉，くず粉，コーンスターチなどを水溶きして加える．

② 小麦粉とバター Liaison de beurre et de farine または Beurre manié

〔ソース200 mLに小麦粉12 g，バター12 g〕

両者をよく練り合わせてからソースに入れて濃度をつける．

③ 卵黄と牛乳 Liaison aux jaunes d'œufs

〔ソース200 mLに卵黄2個，牛乳20 mL〕

煮立ったソースに両者を混ぜ合わせたものを泡立て器で混ぜながら加える．

④ バターと生クリーム Liaison a la créme

〔ソース200 mLにバター15 g，生クリーム15 g〕

仕上がったソースにバターとクリームを加える．

基礎編 3 ソース Sauce

ソースは本来ラテン語のsal，すなわち塩が語源で，味をつけることおよび重要であることを意味し，いまは料理された材料から出る煮汁や焼き汁に酒，バター，クリーム，野菜，果物の汁などを加えて味や風味をよくし，料理の上からかけるかけ汁を中心に，酢やサラダ油を配合したり果物を用いてつくられるもので，菓子用ソース，合わせバターも含まれる．なお，ウスターソースは卓上用調味料で，ここで述べるソースには該当しない．

1) ソースの種類

(1) つくり方によるソースの分類

基本ソースを土台にするソース：Fonds, Roux, Liaisonを用いてつくる．

基本ソースを土台にしないソース：Fonds, Roux, Liaisonは用いない．

（2）使用目的によるソースの分類

料理用ソース：前菜や魚・肉料理に用いられる．
サラダ用ソース：サラダ料理に用いられる．
菓子用ソース：菓子に用いられる．

（3）供食温度によるソースの分類

温ソース Sauce chauds：魚・肉料理のような温かい料理に用いる．
冷ソース Sauce froide：冷前菜，サラダ料理のように冷たい料理に用いる．

2）基本ソースのつくり方とその応用

（1）基本ソースの種類とつくり方（1人分）

用途により濃度が違うので，一般的な方法を述べておく．

① **白ソース Sauce bechamel, White sauce**

〔Roux blanc 1人分，牛乳200 mL，塩・こしょう少々〕

Roux blanc に牛乳を少しずつ加え，木じゃくしでよくかき混ぜながら弱火で加熱する．鍋やルウが熱いときに液体を入れると，だまができたり粘ったソースができるので少し冷まして用いる．

② **淡黄ソース Sauce veloute, Veloute sauce**

〔Roux blond 1人分，Fonds 300 mL，塩・こしょう少々〕

Roux blond に Fonds を少しずつ加えてのばす．なお魚料理には Fonds de Poisson を，鶏料理には Fonds de Volaille を，一般的には Fonds Blanc を用いる．

③ **褐色ソース Sauce brun, Brown sauce**

〔Roux brun 1人分，Fonds Brun 300 mL，トマトピューレー 100 mL，ベーコン 10 g，にんじん 10 g，たまねぎ 10 g，セロリー 10 g，Bouquet garni 1束，塩 4 g〕

Roux brun に Fonds Brun を少しずつ加えてのばし，これにトマトピューレーと油抜き（Blan-chir）したベーコンと野菜類は5 mm幅に切り，色づく程度に炒めて入れ，アクを取りながら2時間沸騰の続く程度に煮だす．ふきんでこし，浮いた油は取る．

このソースは魚，肉，卵，野菜などに広く用いられ，Sauce espagnole, Spanish sauce とも呼ばれる．

（2）基本ソースの応用

① **白ソース Sauce bechamel, White sauce の応用**

カルディナルソース Sauce cardinal：Sauce bechamel に Fonds de Poisson，えびバターを入れ，パプリカで赤くする．魚料理に用いる．

チーズソース Sauce morney：Sauce bechamel に Fonds de Poisson，おろしチーズを混ぜる．おもにグラタンに用いる．

クリームソース Sauce a la créme：sauce bechamel に生クリーム・レモンの絞り汁を加える．

オーロラソース Sauce aurore：Sauce bechamel にトマトピューレーを加え，だいだい色になる．魚，鶏，卵，野菜に用いられる．

その他：オニオンソース Sauce soubise，グリーンソース Sauce epinard，エコセーズソース Sauce ecossaise など．

② **淡黄ソース Sauce veloute, Veloute sauce の応用**

トマトソース Sauce tomate, Tomato sauce：Sauce veloute にトマトピューレー，たまねぎ，にんじん，パセリ，Bouquet garni 1束とともに煮込んでこす．独立した基本ソースに分類される場合もある．

パリジャンソース Sauce Parisienne：Sauce veloute に Fonds de Volaille，卵黄，バター，レモンの絞り汁を加える．

シュプレームソース Sauce suprême：Sauce veloute に Fonds de Volaille，洋まつたけのゆで汁，バター，生クリームを加える．シュプレームとは最高という意味で，魚，鶏，野菜料理に合う．

ノルマンドソース Sauce normande：Sauce veloute に Fonds de Poisson，卵黄，バター，レモンの絞り汁を加える．魚料理，とくに白身に合う．

その他：オングロワーズソース Sauce hongroise，ロブスターソース Sauce homard，オイスターソース Sauce aux huites など．

第3章●西洋料理

③ 褐色ソース Sauce brune, Brown sauce の応用

　デミグラスソース Sauce demiglace（ソースドミグラス）：Sauce brune に Glace de Viande とバターを入れる．肉料理に用いる．ドミとかドビと呼ばれる．

　イタリアンソース Sauce italiene（ソースイタリエーヌ）：Sauce brune, Sauce Tomato, みじんたまねぎ，パセリ，ハムなどが入る．

　ボルドレーズソース Sauce bordelaise（ソースボルドレーズ）：Sauce brune に赤ワイン，みじんたまねぎ，香草が入る．

　その他：シャトウソース Sauce chateaux（ソースシャトー），デュクセルソース Sauce deuxelles（ソースデュクセル）など．

3）基本ソースを土台としないソースのつくり方

　バターソース Sauce au beurre, Butter sauce（ソースオブール）：水溶きした小麦粉を火にかけ，バター，生クリーム，レモンの絞り汁を加える．ゆでた魚料理，野菜料理に合う．

　ブレッドソース Bread sauce：牛乳，生パン粉，たまねぎ，丁字，バター，塩を加えて加熱後，たまねぎを出して生クリームを加える．イギリス系のソースで，焼いた鳥料理に向く．

　アップルソース Sauce aux pomme（ソースオポンム）：りんごと砂糖に水を加えて煮込み，裏ごししてバター，シナモン，塩で味をつける．りんごの酸味が豚や鳥の蒸し焼き料理に合う．

　その他：カリーソース Sauce curre（ソースキュール）, Curry sauce, ダッチソース Sauce hollandaise（ソースオランデーズ）, アメリカ風ソース Sauce americaine（ソースアメリケーヌ）, American sauce など．

4）冷ソース Sauce froide の種類とその応用

① マヨネーズソース Sauce mayonnaise（ソースマヨネーズ）

　〔卵黄1個，サラダ油200 mL，酢30 mL，塩・こしょう・からし少々〕

　水気のない瀬戸引き（ホーロー）ボールに卵黄を入れて白っぽくなるまで攪拌し，酢の半量を加えてよく混ぜる．ここにサラダ油を最初は1滴ずつ加えて攪拌し，分離しないのを確かめつつ徐々にふやしていく．かたくなったら残りの酢を加える．

　分離したときの対策として，ボールごと温めて強く攪拌する．または大さじ2杯ほど取って小さじ1杯ぐらいのぬるま湯を加えて強く攪拌する．

　マヨネーズソース Sauce mayonnaise の応用として次のものがある．

　タルタルソース Sauce tartare（ソースタルタル）：水さらししたたまねぎのみじん切り，卵・セロリー・ピクルスのみじん切りを混ぜる．タルタルとは韃靼のこと．揚げ物，蒸し物，サラダ料理に用いられる．

　マヨネーズトマトソース Sauce mayonnaise tomates：1～2割トマトソースを混ぜた桃色のソースで，前菜，冷製，サラダ料理などに用いられる．

　その他：グリーンマヨネーズソース Sauce mayonnaise verte（ソースマヨネーズベルト），わさびマヨネーズソース Sauce mayonnais raifort（ソースマヨネーズレフォール）など．

② 酢油ソース Sauce vinaigrette（ソースビネグレット）

　語源はフランス語の酢 Vinaigre で，フランスで好まれるので英語ではフレンチドレッシングともいう．

　〔サラダ油100 mL，酢50 mL，塩・こしょう適宜〕

　ガラス製または瀬戸引きの器を用い，材料を全部合わせて白くもったりするまで十分に攪拌・混合する．なお，しばらくするとサラダ油と酢が分離する．

　酢油ソース Sauce vinaigrette の応用として次のものがある．

　ラビゴットソース Sauce ravigote（ソースラビゴット）：Sauce vinaigrette にみじん切りしたたまねぎ，パセリ，ピーマンなどを混ぜたもの．

　その他：わさび入り酢油ソース Sauce vinaigrette au raifort（ソースビネグレットオレフォール），しょうが入り酢油ソース Sauce vinaigrette aux gingemble（ソースビネグレットオジャンジャングル）など．

③ ショーフロワソース Sauce Chaud froide（ソースショーフロワ）

　基本ソースにゼラチンを煮溶かし，温かいうちに料理にかけて冷やし固め，上にゼリーをかけてつやを出す．前菜，冷製料理に用いる．さけのショーフロワソース寄せ Côtelettes froide de saumon（コートレットフロワドサーモン）など．用いる基本ソースの違いによって Sauce Chaud froide bechamel, Sauce Chaud froide veloute, Sauce Chaud froide brune, Saude Chaud froide tomates がある．

基礎編 4 スープ Potage, Soup

食事の早い時期に，前菜の後に供せられる．口の中を整え，食欲を刺激し，消化液の分泌を促進すると同時に引き続いて出される料理を期待させる．そのため，すべての料理の格付けに関わるので細心の心をこめて調理する．

1) スープの種類

(1) 汁の状態による分類

澄ましスープ Potage claire：澄んだスープ．スープの素 Soup Stock を用いる．

濁りスープ Potage lie：濁った，濃度のついたスープ．

特殊なスープ Potage specaux：実だくさんのスープや世界各国の特色あるスープ．

(2) 供食温度による分類

温スープ Potage chaud：熱いスープ．あらかじめ温めたスープ皿に張る．

冷スープ Potage froide：冷たいスープ．夏など氷を当てたりして冷たいまま供する．冷たいポテトスープ Purée parmentier vichyssoise など．

2) スープの調理法

(1) スープの素 Soup Stock の種類ととり方

スープの素はスープの土台になるもので，これにより食欲を増進させるのでていねいにつくる．

① ブイヨン Bouillon とそのとり方（牛肉を主体としたスープの素で，もっとも一般的なので Ordinaire ともいう）

1,000 mL 分〔水 2,000 mL，牛すね肉 400 g，鶏骨 2 羽分，にんじん 50 g，たまねぎ 50 g，香草適宜，塩 10 g〕

スープ鍋に，大切りのすね肉，よく洗い細かくたたいた鶏骨，大切りの野菜を入れて強火にかけ，浮き上がったアクを取りつつ沸騰の続く程度に火を弱め，2 時間ほど煮出す．ネルまたは 2 枚重ねのふきんでこして得られたものが一番だしである．こし布に残った材料に水 1,000 mL を入れて，もういちど煮出すと二番だしとなる．

② ポワソン Poisson とそのとり方（魚を主体としたスープの素）

1,000 mL 分〔白身魚の切りくずや骨 500 g ほど，たまねぎ 50 g，パセリ・セロリー適宜，白ぶどう酒 15 mL〕

材料を全部鍋に入れ，水から煮て浮き上がったアクをすくい取り，弱火にして 15～20 分煮出してからこす．

③ ボライユ Volaille とそのとり方（鶏を主体としたスープの素）

1,000 mL 分〔水 2,000 mL，骨付き鶏肉 500 g，たまねぎ 30 g，にんじん 30 g，パセリ・セロリー適宜，塩 10 g〕

ブイヨンとほぼ同様に行う．

(2) 澄ましスープ Potage claire の種類とつくり方

① コンソメ・サンプル Consomme Simple

それぞれのスープの素 Soup Stock を用いてつくられる．

牛肉のコンソメ Consomme Ordinaire：Bouillon を用いる．せん切り野菜入りコンソメ Consommé julienne など．

魚のコンソメ Consomme Poisson：Poisson を用いる．

鶏のコンソメ Consomme Volaille：Volaille を用いる．

② コンソメ・ドゥブル Consomme Double

Consomme Simple に牛すね肉，野菜などを加えて煮込み，こして上等のスープにする．卵豆腐（ロワイヤル）入りコンソメ Consommé à la royale など．

(3) 濁りスープ Potage lie の種類とつくり方

クリームスープ Potage Crème：Sauce bechamel または Roux blanc を牛乳でのばし，仕上げに生クリームを加える．コーンスープ Crème de

第 3 章 ●西洋料理　99

maïs など.

　ブルーテスープ Potage Veloutes：Roux blond を Bouillon でのばす．卵黄とクリームを加える．

　裏ごしスープ Potage Purées：つなぎとして裏ごし野菜を用いて濃度をつける．つなぎがでんぷんでないのでスープはざらつく．主材料が野菜のときはじゃがいも，魚類では米，肉類では豆を用いる．グリンピースのポタージュ Potage puré de pois frais など．また甲殻類の場合は Purées といわないで bisque という．しばえびのポタージュ Bisque de crevette など．

（4）特殊なスープ Potage specaux の種類

　チャウダー Chowder：アメリカの代表的なスープ．はまぐり入りポタージュ Clam chowder など．

　ミネストラ Potage minestra：イタリアの代表的なスープ．

　グラタンスープ Potage gratin：フランスの家庭的なスープ．オニオングラタンスープ Potage oignon au gratin など．

　ポトフ Pot au feu：肉と野菜を水から煮込んだもので，いわば実だくさんのスープである．フランスで昔からつくられていた家庭的なスープ．からしを添える．

　その他：ボルシチ Bortsch，ガスパチョ Gazpacho など．

3）スープの供し方

（1）スープの浮き実 Garnitures pour potage, Garnishs

特殊なスープ以外は原則として浮き実を入れる．日本料理の吸い口の概念とは異なり，西洋料理ではスープは飲物ではなく食べ物として扱われているので，同じコンソメでも浮き実の種類によってスープの名前がかわる．表3-2のような

表3-2　スープの浮き実

シフォナード Chiffonnade	葉菜類を糸切りにし，バターで炒め，軽くゆでたもの
クレープ Crêpe	小麦粉・卵・牛乳を混ぜ，フライパンで薄く焼き，菱型・糸切り・または丸く抜いたもの
クルート Croûte	食パンを3mm厚さに切り，三角型・四角型・丸型などに切り，焼く
クルートン Croûtons	食パンを7mm角のあられに切り，揚げたもの
トマト Tomate	トマトの皮と種を取り，軽く煮て四角・薄切りなどに切ったもの
ジュリエーヌ Julienne	野菜類・肉類・ハムをせん切りにし，焼く・煮る・炒める・ゆでるなど
ジロンダン Girondin	卵白を泡立てたもの
ブルノワーズ Brunoise	火を通した野菜，鶏肉などを2～3mm角に切ったもの
リー Riz	米をスープで煮たもの
ベルミセル Vermicelle	バーミセリ（そうめん状めん類）を5cmぐらいに折ってゆでたもの
プロフィテロール Profiterole	パイやシューの種を小粒に焼いたもの
クネル Quenelle	魚肉，鶏肉などを潰して調味し，小さく絞り出して焼いたもの
ロワイヤル Royale	鶏卵に同量の牛乳またはブイヨンを加えて調味し，蒸したもの
プランタニエ Printanier	根菜類・いんげんなどを大きめのさいの目に切ってゆでたもの
ペイザンヌ Paysanne	野菜類を煮て，色紙切りにしたもの

種類がある．

（2）スープの食器

　一般的にはスープ皿が用いられる．スープを張る前に十分に温めておく．澄んだスープでは温・冷スープとも両手のついたスープカップが用いられることがある．また，冷スープでは氷を底から当てるガラス製のスープカップが用いられることがある．また耐熱深小鍋を用いて焼きつけるスープもある．

基礎編 5　オードブル Hors-d'œuvre, Appetizers

語源はウブル（作品）とオール（外）で，食事外の料理の意．会食前，客のそろうのを待つ間に食前酒とともに少量出される料理をさす．現在は前菜として料理の最初に出され，とくにフランス

100

表3-3 温前菜の種類

Croquettes（クロケット）	パン粉揚げ
Barquettes（バルケット）	舟形パイのケース盛り
Timbales（タンバール）	太鼓形パイ詰め
Beignets（ベニエ）	衣揚げ
Bouches（ブーシェ）	一口大パイ詰め
Crépes（クレープ）	クレープ包み
Brochettes（ブロシェット）	金串焼き，金串揚げ
Canapés（カナペ）	揚げパン台にのせたもの
Coquilles（コキーユ）	貝殻形盛り天火焼き
Petits Pâtés（プティパティ）	めん皮包み
Rissole（リソール）	パイ皮包み焼き

では昼食に欠くことができない．したがって，オードブルは食欲を促し，胃液の分泌をよくするために，特別な材料を選び，見た目を美しく，少量で形よく仕上げる．

1）オードブルの種類

一般的な供食温度による分類について示す．
冷製 Hors-d'œuvre froids（オードブル フロワ）：新鮮な生ものや珍しいものを冷たいまま数種取り合わせて使用される．フランスでは昼食に用いられるオードブルは冷製に限られる．
温製 Hors-d'œuvre chauds（オードブル ショー）：軽い揚げ物，焼き物，煮物が用いられる（表3-3）．

2）オードブルの調製法

（1）オードブルに適した材料

珍しく，風味のある，新鮮なものが使用され，Anchois, Escargot, Caviar, Foie gras, チーズ，ハムなどの肉類加工品，Truffe，野菜，果物などがよく用いられる．なお，Caviar, Foie gras, Truffe は世界三大珍味といわれている（付録・特殊材料の項参照）．このほかに次のものがある．

スタッフドオリーブ Stuffed olive：赤とうがらしが詰めてあるオリーブの実．
スイートピクルス Sweet pickles：甘味のきいた酢漬け野菜．

（2）カナッペ Canapés

カナッペとは長椅子の意味で，軽くトーストしていろいろな形に切った薄切り食パンやクラッカーなどを台にし，その上にオードブルの材料を飾ったもの．キャビアのカナッペ Canapés au caviar（キャビヤール）など．

（3）カクテル Cocktail

オードブルとしてのカクテルは，新鮮な海の幸である魚，えび，かに，貝類に彩りの生野菜とレモンを添え，酸味のきいたカクテルソースをかける．小えびのカクテル Crevettes cocktail（クルベット カクテール）など．
カクテルソース Sauce cocktail のつくり方を次に示す．
〔トマトケチャップ1t，白ワイン1t，ブランデー1t，レモン汁1/2t，ホースラディッシュ・塩・こしょう各少々，マヨネーズ3t〕
材料を全部混ぜ合わせて冷やしておき，供する直前にかける．マヨネーズを加えない場合もある．

（4）ファルシー Farcie

詰め物をした料理のことでHors-d'œuvreに適した料理である．英語でStuffedという．丸い食品や形のある食品の中身をくり抜いて中身となる材料を詰める．中身は何でもよいが，サラダを詰めると冷製になる．トマトの詰め物 Tomatés farcie macédoine（ファルシー マセドアヌ），卵の詰め物 œuf farcie（ウー ファルシー），ピーマンの詰め物 Piments farcie（ピメント ファルシー），かぶの詰め物 Navets farcie（ナベ ファルシー），きゅうりのイクラ詰め Concombre farcie Ikura（コンコンブル ファルシー イクラ）など．

3）オードブルの盛り付け

冷製 Hors-d'œuvre froide は何種類でもよいので，味のよい珍しいものを少量ずつ美しく盛り付ける．オードブル用サラダは野菜を中心に肉類，魚介類，果物類を取り合わせる．オードブル用果物はどれでも用いることができる．ランチの前菜としてはメロンがよく用いられる．盛り付けに用いる皿はパーティーではクリスタルガラスや家宝の陶器，銀などが用いられ，どの方向からみても前後がないように盛る．ソース類は直接かけない

で別器で添える．オードブルとしてのカクテルは二重のカクテル用グラスに砕氷を入れ，上に材料を入れるとよい．

温製 Hors-d'œuvre chaud は 1 種類だけでもよく，温かくして供する．パーティーでは装飾をこらした保温缶が用いられる．

基礎編 6 魚料理 Poisson, Fish
（ポワッソン）

正餐ではスープの後に出される．西洋料理では日本料理ほど魚料理が多くないが，フランスやスペインでは海に面しているので各種発達している．しかし，かき以外は生で食べない．西洋の魚は味が淡泊なので調理法やソースに工夫がなされている．

1）魚料理の調理法の種類

① ゆで煮 Court Bouillon, Boiling
（クール ブイヨン）
魚をゆで煮する煮汁 Court Bouillon でゆでる．また Court Bouillon とはその料理を指す．

② 蒸しゆで Pochage, Steamed poach
（ポシャージュ）
少量のゆで汁で蒸し煮する．

③ 蒸し煮 Braisage, Braising
（ブレザージュ）
鍋にバターを塗り，薄切り野菜を敷いて少量のゆで汁を入れ，その上に魚を置き，天火で蒸し煮する．

④ 揚げ物 Friture, Fry
（フリチュール）
油で揚げる．次の3種類がある．

パン粉揚げ Frire（フリーエ）：パン粉をつけて揚げる．英国風 Anglaise（アングレーズ）ともいう．なお Paner（パネ）とはパン粉をつけることをいう．わかさぎのフライ Eperlans à l'anglaise（エペルラン ザ ラングレーズ）など．

空揚げ Fry（フリー）：小麦粉をまぶして揚げる．フランス風 Francaise（フランセーズ）ともいう．

衣揚げ Fritter（フリッター）：卵，牛乳，小麦粉でつくった衣をつけて揚げる．Beignet（ベニエ）ともいう．

⑤ バター焼き au beurre, Meuniere
（オー ブール）
小麦粉をまぶし，バターで焼く．あじのムニエル Carangue à la meunière（カラング ア ラ ムニエル）など．

⑥ 網焼き Grillade, Grill
（グリヤード）
網にのせて直火焼きする．

⑦ 焼付け Gratin, Gratin
（グラタン）
焼き皿（グラタン皿）やコキール（ほたて貝の型），ココットなどに材料を盛り，ソース，バター，チーズなどをかけて天火で焼き付ける．

Gratin complet（グラタン コンプレ）：生魚にソース，バター，チーズなどをかけて焼き付ける．

Gratin rapide（グラタン ラピード）：加熱した魚にソース，バター，チーズなどをかけて焼き付ける．

Gratin l'eger（グラタン レジエール）：めん類にソース，バター，チーズなどをかけて焼き付ける．

⑧ 煮込み Matelote
（マートロット）
ワインや洋酒で煮込む．

⑨ 紙包み焼き Papillote
（パピヨット）
パラフィン紙などにバターを塗り，魚や野菜などを包んで天火で紙が色づくまで焼く．ひらめの包み焼き Barbue en papillote（バルビュー アン パピヨット）など（図3-5）．

⑩ 串焼き Brochette
（ブロシェット）
ブロシェットとは金串のことで，かき，平貝，えびや野菜，きのこなどを挟んで刺し，フライパンやオーブンで焼く．

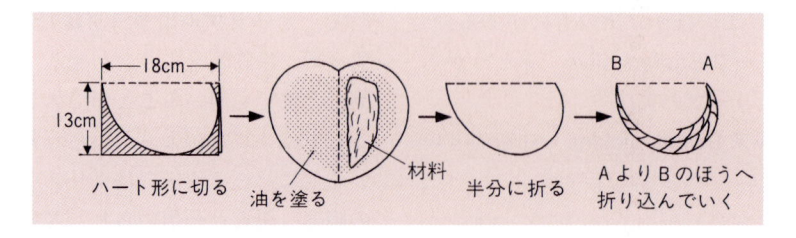

図3-5　パピヨットのつくり方

2）魚の調理法

（1）魚の切り方

　魚は1匹ごと調理することが多いが，切身でも用いる場合は，筒切りにしたDarne, Slice, Tronçon（トロンソン）や，1人前用の切り身のPortion（ポルション），三枚または五枚におろしたものを薄くそぎ切りにしたEscalope（エスカロープ）, Collopや，上身のFilet（フィレ）, Filletなど料理に適した切り方にする．

（2）クールブイヨン Court Bouillon の種類ととり方（1,000 mL 分）

① 一般の魚用ゆで汁
〔たまねぎ20 g，にんじん20 g，パセリの茎3本，ローリエ1枚，こしょう少々，塩15 g，酢100 mL，水1,000 mL〕

　たまねぎ，にんじんは薄切りし，材料全部合わせて弱火で10分ほど煮てからこす．

② 背の青い魚用ゆで汁
〔たまねぎ20 g，にんじん20 g，パセリの茎3本，ローリエ1枚，タイム少々，白ワイン500 mL，水500 mL〕

　たまねぎ，にんじんは薄切りし，材料全部合わせて弱火で10分ほど煮てからこす．

③ 白身魚用ゆで汁
〔牛乳100 mL，水900 mL，塩5 g，レモンの薄切り5枚〕

　材料を合わせて5分ほど煮てからレモンを取り出す．

④ 甲殻類用ゆで汁
〔塩10 g，酢100 mL，水1,000 mL，冷製にするときは香草など〕

　材料を煮立てて用いる．

（3）魚料理用の鍋

　魚は身がやわらかいため煮くずれしやすいので，細長くて中に穴の空いた落としがついた鍋を用いる．魚を落としにのせて煮汁に入れ，煮えたら落としにのせたまま引き上げ，器に移す．

3）魚料理の盛り付け

　パーティーなどで1匹ものを盛り付けるときは楕円型大皿の中央に魚を置き，回りにGarniture（ガルニチュール）を飾るように並べる．個人的に盛り付けるときは手前側に料理を，向こう側にGarnitureを置く．皿はあらかじめ温めておく．皿や魚料理を食べるナイフ，フォークは肉用に比べて華美である．

基礎編 7 肉料理 Entrée（アントレ）, Viande（ヴィアンド）, Meat

　肉料理は魚料理の後に出され，ソース料理の中心になる．メインの肉料理（Viande（ヴィアンド））の前に出される温かい肉料理をEntrée（アントレ）というが，現在ではEntréeはHors d'oeuvre（オールドゥブル）とほぼ同義に用いられることもある．西欧では肉類が古くから重要な食品であったので，調理の工夫と応用が奥深い．ただし，肉は民族の宗教と迷信に深く関わって地域独特の食文化を形成している．

1）肉料理の調理法の種類

　鍋炒め焼き Poêlées（ポアレ）, Broil：大切り肉の表面を炒めて焼き目をつけ，その鍋ごと天火に入れてあぶり焼きする．

　炒め焼き Sautis（ソテ）, Pan broil：フライパンなどで厚切り肉を炒めて焼く．ハンバーグステーキ Hamburg steak，ビーフステーキ Beef steak など．

　網焼き Grilles（グリエ）, Grill：やわらかい肉をそのまま，または小麦粉をふったり，漬け込み Marine（マリネー），Pickle（ピックル）したものを直火の炎であぶり焼きにする．

　揚げ物 Friture（フリチュール）, Fry：小麦粉，パン粉，衣をつけて浸るぐらいの油で炒め揚げする．鶏肉のクリームコロッケ Croquettes de volaille（クロケット ド ボライユ）など．

　焼付け Gratin（グラタン）, Gratin：焼き皿（グラタン皿）やコキール，ココットなどに材料を盛り，ソース，バター，チーズなどをかけて天火で焼き付ける．

　ゆで煮 Bouilli（ブイィ）, Boiling：塊肉を野菜，塩，香草とともにゆで煮し，汁とともに供する．または

第3章●西洋料理

ゆで汁でソースをつくって供する.

　煮込み Ragout, Stew：肉を野菜などとともに長時間煮込む. 一般にバラ肉を用いる. ビーフシチュー Pièces de bœuf など.

　蒸し煮 Braises, Breise：大切り肉の表面に焼き目をつけ, ブイヨンとワインで煮込む. 赤い肉には赤ワインを, 白い肉には白ワインを用いる.

　蒸し焼き Rotir, Roast：腿肉やロースを塊のまま蒸し焼きにする. 肉に厚みがないときはひもで巻いて形を整える. 若鶏の蒸し焼き Roast chicken など.

　その他：Paupiettes（薄切り肉で包んだもの）, Brochettes（串焼き）, Galantine（白身肉にいろいろな材料を巻き, ひもで結んで煮込む）など.

表3-4　肉の加熱程度と内部温度

加熱の程度	内部温度（℃）	肉の状態
Saignant Rare	55〜65	表面の肉色は灰褐色, 内面は鮮赤色で肉汁が多い.
à point Medium	65〜70	表面の肉色は灰褐色, 内面はバラ色で赤みが少ない. 肉汁は少ない.
bien cuit Well-done	70〜80	肉の表面も内面も褐色または灰色, 肉汁は出ない.
Verry well-done	90〜95	かなり収縮している.

2）肉の調理法

　牛肉, 豚肉, 鶏肉の部位別名称は国により少しずつ異なる.

　肉は部位により特徴があるので, 部位に適した料理法を選ぶことが大切となる.

　塊や厚みのある肉は好みに応じて加熱を加減するとよい（表3-4）.

基礎編 8 野菜料理 Légumes, Vegetable

　野菜は主料理としてつくられるよりは前菜にしたり, 肉・魚料理に添えられ, 栄養のバランスを整えるのに役立つ. また配色のバランスもよくなる. 野菜は生野菜だけでなく, 缶詰, 乾燥, 冷凍, 漬物, びん詰などの製品がある.

1）野菜料理の調理法による種類

　湯煮 Blanchissage, Boil：ゆでること. アク抜き, 青ゆで, 白煮などの操作を含む.

　煮込み Braisage, Brase：鍋ににんじんやたまねぎの薄切り, 豚の背脂, ベーコンなどを敷き, 野菜を置き, 煮だし汁を入れて煮込む. 材料を取り出した後の残り汁でソースをつくる.

　ゆで煮 Légumes anglaise または Cuisson à l'anglaise：塩水でゆでた後調味し, 溶かしバターかレモン汁をまぶす. ほうれんそうの英国風 Epinards à l'anglaise など.

　裏ごし Purée, Mash：じゃがいも, にんじん, いんげん豆, ほうれんそう, かぶ, カリフラワーなどをゆでて裏ごしし, 調味料やバター, 生クリームなどを加えて練る. こしじゃがいも Purée de pommes de terre, Mashed potato, じゃがいものデュシェーズ Pommes de terre duchesse など.

　揚げ物 Fritures, Fry：空揚げと衣揚げがある. 生のまま, またはゆでてから揚げる. じゃがいもフライ Pommes de terre point neuf, ポテトチップス Chipped potato など.

　バター炒め au Beurre, Saute：一般的には野菜はゆでてから炒める.

　網焼き Grilles, Grill：金網にのせて直火で焼く.

　焼付け Gratin, Gratin：魚・肉料理と同様に焼き皿（グラタン皿）に材料を盛り, ソース, バター, チーズなどをかけて天火で焼き付ける.

　クリーム煮 à la crème：クリームまたは白ソースで煮る. じゃがいものクリーム煮 Pommes de terre à la crème, ほうれんそうのクリーム煮 Epinards à la crème など.

　つや煮 Glacer：バター, 砂糖を入れた煮汁で煮る. にんじんのつや煮 Carottes glacer など.

2）ガルニチュール Garniture, Garnishing

　西洋料理の付合せのこと．主料理に彩りを添え，味の変化を楽しむ．一般的に野菜，いも，豆，めん，米などが用いられ，主料理の魚・肉との栄養的バランスが向上する．また Garniture やソースがかわると料理名がかわるように重要な意味をもつ．

　正式には主料理との組合せに原則がある．
- ビーフステーキ…Fried potato, Carottes glacer, クレソン
- ローストビーフ…Baked potato
- 魚料理揚げ物…Boiled potato（粉ふきいも），空揚げパセリ，くし形レモン
- 魚料理ムニエル…Boiled potato（粉ふきいも），パセリ

家庭的にはこれにかかわらず香りのもの，彩り，季節感を考え，2，3種取り合わせる．

　Garniture による料理名の例を次に示す．
　ミラノ風 à la milanaise（アラ ミラネーズ）：スパゲティ，パセリ，トマトソース
　ヌーベル風 à la nivernaise（アラ ニヴェルネーズ）：くり抜き揚げじゃがいも，にんじんと小たまねぎのつや煮
　インド風 à l'indienne（ア ランディエーヌ）：炒めご飯，カレーソース
　ジプシー風 à la zingara（アラ ザンガラ）：空揚げパン，ポテトチップス
　プロバンス風 à la provensale（アラ プロバンサール）：ソースににんにくが入る．
　ポーランド風 à la polonaise（アラ ポロネーズ）：刻み卵入りバターソース
　森林風 à la forestiere（アラ フォレスチユール）：きのこ類
　アルザス風 à la lsacienne（アラ ルザシエンヌ）：フランス北東部でかつてドイツ領であったことからザウアークラウト，ハム，ソーセージ，じゃがいも等が用いられる料理群につけられる
　フローレンス風 à la frorentine（アラ フロランテーヌ）：ほうれんそうを使ったもの

基礎編 9　サラダ料理 Salade, Salad

　サラダとは本来生野菜を酸または酸味を主体とした調味料で味付けした料理をいう．現在ではいろいろな調理法が用いられる．肉や魚でくどくなった味覚をさっぱりさせ，食欲や消化を助ける．

1）サラダの種類

（1）調理度合による分類
　生野菜サラダ：おもに焼肉料理に付け合わす．
　煮野菜サラダ：おもに冷肉，冷魚料理に付け合わす．

（2）材料による分類
　単品サラダ Salade Simple, Green Salad（サラード サンプル）：1種類の材料でつくられ，蒸し焼き料理に付け合わせる．
　取り合わせサラダ Salade Compose, Combination Salad（サラード コンポーゼ）：肉や魚などが取り合わせられ，独立した冷製料理となる．

2）サラダのつくり方

（1）サラダの材料
① 生で用いるのに適した野菜材料…大部分の葉野菜．
② 煮て用いるのに適した野菜材料…いも類，豆類，根菜類，花野菜など．
③ その他の材料……肉類，魚貝類，肉・魚貝加工品，卵，チーズ，果物など．

（2）サラダ料理のコツ
① 材料は新鮮なものを用いる．
② 材料は洗ったり，煮た後水気をよく切る．
③ 材料は生，煮たものともによく冷やす．
④ 材料には塩・こしょうなどで下味をつけておく．
⑤ 供する直前にサラダ用ソースをかけたり，和えたりする．

3）サラダ料理の供し方

（1）盛り付け食器
酸味をもつ調味料が用いられるので，金属性の器を避け，陶器やガラスを用いる．少し深みのあるものがよい．冷やして用いる．またサラダを取り分けるサーバー（大型フォークとスプーン）も金属性は避ける．

（2）サラダ用ソース
マヨネーズソース Sauce mayonnaise とフレンチドレッシング Sauce vinaigrette を基礎に多くのソースが工夫されている．

基礎編 10　卵料理 Œufs, Egg

卵は栄養の点で優れた食品であり，調理方法が簡単なので，西洋料理では朝食に多く使われる．昼食では魚のかわりに，夕食や正餐では添えや付合せにされる．

1）卵の調理法の種類

湯煮卵 Œufs à la coque, Boiled eggs：殻付きのまま半熟にしたもので，朝食に用いられる．

固ゆで湯煮卵 Œuf duré（殻付きのまま完熟にしたもので，サラダやサンドイッチに挟んだりする）や温泉卵 Œufs mollets（卵白は半熟，卵黄は完熟にする．殻ごとエッグスタンド Coquetier に立ててスプーンを添えて供する）がある．

煮ぬき卵 Œuf pocher, Poached eggs：沸騰した湯に塩を入れ，卵を割り落として半熟にしたもの．

揚げ卵 Œuf frite：170℃ぐらいの油に割り落とし，黄身が半熟程度に加熱する．鶏の揚げ物料理の添えにする．フランス特有の調理法である．

目玉焼き Œuf poêle, Frid eggs：フライパンに油を引いて卵を割り入れる．

ココット焼き Œuf en cocottes：陶製の小鍋にバターを溶かし，卵を割り入れ，湯煎または天火で黄身が半熟程度に加熱する．昼食に用いられる．

煎り卵 Œuf brouillé, Scrambled eggs：フライパンにバターを溶かし，溶きほぐした卵を流し込み，かき混ぜる．生クリーム，牛乳，スープなどを加えることもある．

卵焼き Omelette：溶きほぐした卵を多めの油を引いたフライパンに流し込み，中を半熟に包み込む．中に野菜やハム，えびを混ぜたり，上にのせたり，応用ができる．

その他：皿焼き卵 Œufs sur le plat，型蒸し卵 Œufs moulés など．

2）卵料理のコツ

卵は殻に包まれているため鮮度が気になるが，清浄に保持されれば長持ちする食品である．卵料理は大きく分けると，殻付きのまま，割り落とした状態で，溶きほぐして，の3通りの方法がある．卵料理のコツは主成分がたんぱく質であることと関わる．

① ゆで卵で卵黄を中心にするには沸騰後1～2分箸で転がす．
② かたゆでの場合，ゆですぎると黄身の周囲が黒ずむので適当に止め，直ちに冷水にとる．また冷水に取ると殻がむきやすくなる．
③ ゆで卵をつくるとき，塩や酢を加えるとひび割れが少ない．
④ 割卵して使う料理は割って長くおかない．
⑤ 加熱しすぎるとかたくなるので，時間に注意する．

基礎編 11 米・めん・パンの料理

1) 米料理 Le Riz, Rice

　西洋料理では米は野菜として扱われ，おもに Garniture やスープの浮き実として用いられる．しかし稲作を行うスペイン，イタリアおよび東南アジアなどの国々では，一品料理として昼食や軽食にも食される．

　米の調理法は，ゆでて炊く方法と炒めてから炊く方法がある．代表的な料理をあげておく．

　バターライス Riz pilaw, Pilaff：バターで炒めてブイヨンで蒸し煮する．

　パエリャ Paella：スペインの料理で，バターで炒めて種々の具を入れてブイヨンで炊く．Riz à la valencienne など．

　リゾット Rizotte：イタリア風ライス料理で西洋雑炊である．

　カレーライス Curry and rice：インドの料理でカレーにライスと薬味を添える．

2) めん（パスタ）料理 Pates, Paste

　イタリアが発祥で，デューラム小麦粉を水で練り，圧力をかけて細孔から押し出す．小麦粉は漂白しないので，製品は淡黄色をしている．押し出すときの孔の大きさや形状によって種々の製品がみられる．イタリアではメイン料理の前に出され，毎日欠かせない．正式の料理には出されないが，軽食として広く世界中で利用されている．

(1) パスタの種類

　長形のロングパスタと，形に変化があって楽しいショートパスタがある．

　スパゲティ Spaghetti：うどんの細いようなもの．

　マカロニ Macaroni：管状のめんで，カット形，貝形，車輪形，リボン形など多種ある．マカロニグラタン Macaroni au gratin など．

　バーミセリ Vermicelli：そうめんに似ている．

　カネロニ Kaneroni：めん皮を四角に切ってゆで，味付けした肉や野菜を巻いて焼いたり，ソースをかけたりする．

　ヌイユ Nouilles：日本のうどんのようなもの．

　ラザーニャ Lasagna：ヌイユの幅を広くしたもの．

　ラビオリ Raviolis：めんに貝を包んでゆで，ソースをかける．

　ニョッキ Gnocchi：日本のすいとんのようなもの．

　その他：カペリーニ Capellini，ヌードル Noodle など．

(2) パスタの調理法

　めんのおいしい調理は，まずそのゆで方にあり，歯ごたえのあるのがよい．これを Al dente にゆでるという．ゆで上がったらすぐにソースをかける．サラダやグラタンにする場合はすぐに冷水にとり，サラダ油で和えるかバターで炒める．

3) パン料理 Pain, Bread

　パンにはイースト，ベーキングパウダーを用いて小麦粉を発酵・膨化させるものと，インドなどでつくられる無発酵パンがある．ここでは西洋式の発酵パンについて述べる．この点ではイタリアのピザ Pizza，ロシアのピロシキも含まれる．

　パンのおもな食べ方は，夕食や正餐に添えられるもの，朝食として用いられるもの，などがある．とくにアメリカで開発されたハンバーガーはスナックとして手軽に利用され，世界的に発展しているが，栄養学的には用い方に注意が必要である．

(1) パンの種類

　配合材料の差異による種類は第6章で述べるので，ここでは用途別・つくり方別の種類を述べる．

　食パン：パウンド型またはプルーフ型で焼く．いろいろな厚さに切ってトーストやサンドイッチに用いる．

　ロールパン（バターロール）：リッチな配合で

第3章●西洋料理

表3-5　合わせバター（Beurres composes, Butter mixtures）

名　称	材　料	つくり方
からしバター （Beurre de moutarde）	バター 50g，ねりがらし 5g	両者を混ぜて練り合わす．
わさびバター （Beurre de raifort）	バター 50g，ホースラディッシュ 20g，生クリーム 10g，塩少々	バター，おろしたホースラディッシュを練り，生クリームを少しずつ加える．
えびバター （Beurre de crevettes）	小えび 100g，バター 40g，赤ピーマン 1個，生クリーム 10g，塩・こしょう少々	小えび身をゆでて，すってピーマンとともに裏ごしして煮つめ，冷めてからバターと練り，生クリームを少しずつ加える．
ハムバター （Beurre de jambon）	ハム 40g，バター 40g，生クリーム 10g，こしょう少々	ハムをすって裏ごしし，バターと練り，生クリームを少しずつ加える．
卵黄バター （Beurre de jaune）	卵黄 2個分，バター 30g，塩・こしょう少々	ゆでた卵黄を裏ごしし，材料を全部合わせて練り上げる．
サーディンバター （Beurre de sardines）	サーディン（油漬け缶）60g，バター 50g，練りがらし 5g，生クリーム 10g，塩少々	サーディンは裏ごしし，生クリーム以外の材料を合わせて練り，生クリームを少しずつ加え混ぜる．
アンチョビバター （Beurre d'anchois）	ロールアンチョビ 3個，バター 20g，アンチョビソース少々	ロールアンチョビは裏ごしし，材料を全部合わせて練り上げる．

焼かれ，一般に朝食や正餐に用いられる．長めのものはホットドッグにされる．

フランスパン：リーンな配合で焼かれる．表面がかたいが，香りがよく，かんだ味わいが賞味される．

クロワッサン Croissant：パイのように層状に折りたたみ，三角に巻く．おもに朝食にされる．

ミルクパン：水のかわりに牛乳でこねる．

菓子パン：ナッツ，フルーツ，甘味，洋酒などを配合し，お茶の時間に用いられる．

その他：ライ麦パン，コッペパンなど．

（2）サンドイッチ Sandwiches

サンドイッチとは，イギリスの貴族が食事時間を惜しんで賭事に没頭し，その隙間に合わせにパンにビーフステーキを挟んで食べたことから，その貴族の名をとったといわれる．

現在では世界各国でパーティー，軽食，携帯用などに広く用いられている．

① サンドイッチの種類

クローズサンド Closed sandwiches：2枚のパンの間に中身を挟んだもので，一般にサンドイッチといえばこれを指す．クラブサンド Club sandwiches は，2枚のパンを軽く焼き，その間に中身を挟んだものである．

オープンサンド Open sandwiches：1枚のパンに材料をのせたもの．カナッペの大きいような もの．北欧で発達した．

ロールサンド Roll sandwiches：薄切りパンに材料をのせて巻いたもの．

ホットドッグ Hot dog：細長いパンの上面に切り込みを入れて材料を挟んだもの．

ハンバーガー Hamburger：丸いパンの横面に切り込みを入れてハンバーグをはじめ種々の材料を挟んだもの．

② サンドイッチのつくり方

パンは食パンが一般的であるが，どんなパンでもよい．焼きたてより1日ほどたったほうがおいしく，また切りやすい．かたくなりすぎたらぬれぶきんをかけて湿気を与えるとやわらかくなる．用途に応じて厚みをかえる．

バターは，サンドイッチの味をよくし，挟む材料の水分がパンにしみ込まないように薄く塗る．またバターを塗ることによって中身がはがれにくくなる．サンドイッチ用バターは挟む材料と味の調和のよい合わせバターを用いるとよい．いくつかを表3-5に示す．

サンドイッチをつくるコツとして次のことがあげられる．

① 挟む材料はできるだけ厚みをそろえる．また加熱したものなら冷ましておく．

② 挟んだのち中身とパンをなじませるために，かたく絞ったぬれぶきんをかけて重石をする．

図3-6　サンドイッチの切り方

図3-7　サンドイッチの盛り方（総合食品辞典より）

③　切ると切断面やパンの表面が乾燥するので，供する直前に切るようにする．
④　パンやサンドイッチを切るとき，まな板の臭いが移りやすいので，専用のものを決めておくなどの配慮がほしい．

③ サンドイッチの供し方

食パンでは3つ切り，4つ切り，6つ切りが一般的である．例を図3-6に示す．また包丁は切る前に少し温めると切りやすい．

サンドイッチは大勢集まる場で供されることが多いので，見た目を美しくする．まずレースナプキンまたは紙ナプキンを敷き，どの方向からみても同じになるように盛り付ける．いくつかの例を図3-7に示したが，切断面を上にする方法と寝かせて盛り付ける方法がある．盛付けを美しくするためと栄養のバランスの点から，葉菜を添えるとよい．

基礎編 12　甘味料理　Entremets, Dessert

語源はEntre（中間）と，mets（食べ物）の合成語で，本来正餐の肉料理であるアントレとロティの間に出される洋酒入り冷菓を指すが，現在はこれが省略されることがあり，食後に出されるチーズ類，ナッツ類，果物類，甘い菓子類，酒類すべてデザートと呼ばれる．狭義には甘い菓子類を指すことが多い．正式なレストランでは料理用のメニューとデザート用メニューが用意されていることからもわかるように，まったく独立した料理である．西洋料理では料理一般に砂糖を用いないので，食事の最後に甘味の一皿を供することは急速に血糖値を高め，安息と味覚の喜びを与え，食事の満足感を得るのに理にかなっている．

なお甘い菓子類は，用途からみると食後に供されるもののほかに，午後のお茶の時間や朝食用のパンがわりに用いられるものもあるので，ここでまとめて述べる．

第3章●西洋料理　109

1）甘い菓子類の種類

分類の仕方はいろいろあるが，仕上がりの状態や材料の違い，使用目的によって分類した．

（1）生菓子 Entremets

保存がきかないやわらかい菓子類．菓子用ソースを添えたり，型に入れて固めたりしてつくられる．食後の甘味料理として用いられる．

① 温生菓子 Entremets chauds（アントルメ ショー）

温かいデザートで，次のようなものがある．

プディング Pudding（プディング）：カスタードプディング Custard pudding など．

温果 Fruits chaud（フルユイ ショー）：焼きりんご，丸ごと砂糖煮，コンポート Compote など．

スフレ Souffles（スーフレ）：卵，牛乳，砂糖，小麦粉に泡立て卵白を加えてふんわり焼く．

クレープ Crêpes, Pancake（クレープ）：小麦粉を薄く焼き，中に具を巻いたり，たたんで上にソースをかけたりする．

衣揚げ果物 Beignets（ベニエ）：果物を衣揚げして粉砂糖をかける．

その他：クルート Croutes，シャルロットドポーム Charlotte de pommes など．

② 冷生菓子 Entremets froide（アントルメ フロワ）

冷たいデザートで，冷菓と氷菓 Glace がある．

〈冷菓〉

ババロア Bavarois（ババロア）：卵黄，牛乳，砂糖，ゼラチン，生クリームを混ぜ合わせて冷やし固める．

ブラマンジェ Branc manger（ブラン マンジェ）：牛乳，砂糖，でんぷんで煮固め，冷やす．

ゼリー Gelées, Jelly（ジェレ）：砂糖，水をゼラチンで固めたもの．フルーツゼリー，ワインゼリーなど．

〈氷菓 Glace（グラス）〉

アイスクリーム Glace à la crème（グラス ア ラ クレーム）：卵黄，砂糖，生クリームを混ぜて凍らせる．

シャーベット Glace aux fruits, Sherbet（グラス オ フルユイ）：砂糖，果汁，泡立て卵白を固める．オレンジシャーベット Glace à l'orange（グラス ア ロランジュ）など．

氷酒 Sorbet（ソルベ）：もともとはアントレとロティの間に出されていた．現在は省略されることが多い．

（2）干菓子または焼き菓子 Pâtisserie, Past-ry（パティスリー）

乾いた保存のきく菓子類．午後のお茶の時間や朝食のパンがわりに用いられることが多い．小麦粉を主材料とする．便宜的に次のように分類する．

大型ケーキ類 Gros gâteaux, Cakes（グロー ガトー）：小麦粉，砂糖，卵，バターを主材料とするもので，大きいので切り分けて食べる．また大きいので焼くとき火力に注意する．卵の泡を主体にしたスポンジケーキとバターを多く配合したバターケーキに分けられる．いちごのショートケーキ Strawberry short cake，チーズケーキ Cheese cake，薪形クリスマスケーキ Bûche de Noël（ビュシェ ド ノエル）など．

小型ケーキ類 Petits gateaux, small cakes（プティ ガトー）：小麦粉，砂糖，卵，バターを主材料とするが，小さいので切る手間がいらず，焼き上げる時間も短い．シュークリーム Choux à la crème（シュー ア ラ クレーム），マドレーヌ Madeleines，ムラング Meringue など．

パイ菓子 Tartes, Pies（タルト）：小麦粉，バターをこねて層状に焼き上げる．アップルパイ Apple plain pie crust，タルトレット Tartelettes など．

パン菓子 Pâtes levers, Breads（パート ルベー）：イーストまたはベーキングパウダーを使って膨化させたもので，砂糖，卵がケーキに比べて少ない．甘味が少ないので朝食や昼食にも用いられる．

小菓子 Petits fours, Fancy biscuits（プティ フール）：ビスケットやクッキー Cookie，ラングドシャ Langue de chat のようなつまむ程度の小さい焼き菓子．

（3）その他の菓子 Confiserie, Sweets（コンフィズリー）

小麦粉を使わない菓子類をいう．おもに間食に用いられる．

砂糖菓子：砂糖を主材料にする．あめ Bonbon, Drop，キャンデー Candy，ヌガー Nougat, Almond cake，タッフィ Toffee, Taffy など．

チョコレート菓子：チョコレートを主材料にする．トリュフなど．

2）菓子の調理

（1）菓子用材料の使用上の注意とポイント

コーンスターチ：腰が強く，冷えても弱らないので冷菓用ソースのとろみに適している．

卵：菓子に使用される卵は，産んで2，3日ぐらいのものがよく，新しすぎるものや古いものは泡立ちが悪い．卵白を泡立てるには，水気，油気のない少し大きめのボールを用い，常温にもどした卵白を泡立て器でたたくように打つ．途中で休むと泡がもどる．砂糖を加えるときは十分泡立ててから（立ち切ってからではいけない）少しずつパラパラと入れ，さらに泡立てながら加えていく．卵白は砂糖によりかたくきめ細かくなる．小麦粉を混ぜるときは泡を消さないために切るようにする．

バター：市販品は塩分や水分を含むので，氷水中で洗って塩出しをするとよい．クリーム状に攪拌するときは空気を十分含ませるようにする．

ベーキングパウダー：吸湿すると作用を失う．かわりに重曹（重炭酸ナトリウム）がよく使われる．使用量を超すと苦くなる．

牛乳：加熱するときは，沸騰前に消火しないと風味が悪くなる．

生クリーム：牛乳の脂肪部分で，泡立てるときは材料，器とも冷やしておく．夏は氷水に当てる．泡立て加減を習得する．泡立てすぎると水とバターに分離するので注意する．

ゼラチン：主成分は動物性たんぱく質で，板状と粉末状の製品があり，直火にかけて溶かすと腰が弱くなるので湯煎で溶かす．

（2）菓子を上手につくるコツ

① 菓子づくりに必要な道具類をそろえる．
② 材料の選択が適切で，分量を正確にはかる．
③ 小麦粉，砂糖，ベーキングパウダーなどは何度もふるって空気を十分含ませておく．
④ 合理的な手順，タイミングよい手順にしたがうこと：天火 Four, Oven ははじめから温めておき，準備ができたらすぐ入れられるようにしておく．卵白や生クリームははじめから泡立てておくと，いざ使おうとするときにはしぼんでいるので，使用する直前に泡立てる．
⑤ 型の大きさを適切に選び，材料の分量に気をつける．型に入れる材料が多すぎるとふきこぼれ，少なすぎると高さが低くて見栄えが

表3-6　天火の温度と目安

分類	温度（℃）	目安
強火	220～250	天火の中に手を入れられない
やや強火	200前後	手を入れてもすぐ出さずにいられない
中火	150～180	しばらく手を入れていられる
弱火	130前後	手をじっと入れていられる

悪く，また早く火が通るので焼きすぎたりする．材料は天板または焼き型の2/3以下が適当である．

⑥ 火加減に注意し，焼く菓子の種類に応じて天火の温度を選択する（表3-6）：スポンジケーキは火が強いと膨れ上がり，冷めると激しくしぼんでしまう．ロールケーキは短時間に強火で焼かないと乾燥して巻くとき割れてしまう．パイは弱火で焼くとバターが溶けて型がくずれてしまうので強火で焼く．

⑦ 天火の扱いが合理的であること：材料の入った焼き型は天火の中央に，また中段より下に置く．焼き型を2個入れるときは離す．小さい天火には一度に入れない．いったん天火に入れたら扉を開けない．たとえば，シュークリームは途中で扉を開けるとせっかく膨らんだものがしぼんでしまう．

⑧ 焼き上がったら，すのこにのせて冷ます（皿などでは湯気で底面がベタベタになる）．

（3）ドリュールについて

焼き菓子（パンを含む）をつくる際，表面に美しい焼き目を付けるために塗るもの．
〈ドリュールのつくり方〉
〔卵黄1個，みりん10 mL，またはみりん5 mLと水5 mL〕

卵黄をみりん，またはみりんと水で溶く．そのほか，アプリコットジャムを裏ごしして，水で薄めて使うこともある．

3）菓子類の供し方

（1）菓子用ソース

① **カラメルソース Sauce caramel**
〔砂糖50 g，水50 mL，洋酒少々〕
砂糖に半量の水を加えて加熱し，褐色になった

ら残りの水を加えて粘るまで煮る．仕上がりに洋酒を加える．保存できる．

② サバイヨンソース Sauce sambayon

200 mL 分〔卵黄 2 個，砂糖 80 g，白ぶどう酒 40 mL（生クリーム 50 g）〕

卵黄，砂糖，白ぶどう酒を湯煎にして泡立て，色がかわり濃度がついてきたら火からおろして冷ます．冷菓用には泡立てた生クリームを混ぜ合わす．

③ クリームソースまたはカスタードソース Sauce anglaise, Custard sauce

300 mL 分〔卵黄 3 個，牛乳 200 mL，砂糖 80 g（でんぷん 5 g），バニラまたはレモンエッセンス少々〕

材料全部を合わせ，かき混ぜながら弱火で加熱し，十分に粘ったら火からおろし，エッセンスを加える．

応用として，チョコレートクリームソース Sauce crème chocolat，レモンソース Sauce citron など．

④ フルーツソース Sauce aux fruits, Fruit sauce

生の果物をこしてとろみをつけたもの．ジャムを用いることもできる．

いちごソース Sauce aux fraises, Strawberry sauce の場合，次のとおりである．

〔生いちご 150 g，砂糖 30 g，キュラソー 10 mL，レモン汁 5 mL〕

へたを取ったいちごを裏ごしし，砂糖を加えて，溶かす程度に加熱する．キュラソー，レモン汁をよく混ぜ合わす．

⑤ その他

シロップソース Sauce sirop lie，牛乳ソースなど．

（2）菓子類の飾り材料

① メレンゲ Meringue

〔卵白 2 個，砂糖 60 g，バニラエッセンス少々〕

水気のないボールで卵白を泡立て，ふるった砂糖をふり入れて混ぜ，エッセンスを落とす．

② ホイップクリーム Crème chantilly

〔生クリーム 200 mL，粉砂糖 50 g，エッセンス少々〕

よく冷やした生クリームを冷やしたボールで泡立て，とろみがついたところで粉砂糖を入れ，さらに泡立ててエッセンスを加える．応用として，ココアを加えたチョコレートホイップクリームなどがある．

③ バタークリーム Crème au beurre

〔無塩バター 100 g，砂糖 50 g，水 40 g，バニラエッセンスまたはラム酒など少々〕

砂糖と水でシロップをつくり，冷ます．無塩バターをクリーム状に泡立ててシロップを少しずつ加え，最後に香料，洋酒などを加える．

応用として，バニラ入りバタークリーム Crème au beurre vanille，メレンゲ入りバタークリーム Crème au beurre à la meringue など．

④ 菓子用砂糖衣 Glace pour gateaux, Sugar icing for cakes

ケーキを乾かさないよう保護するために上にかけられる．

a．生の砂糖衣 Glace crue

〔粉砂糖 150 g，水 15 mL，ラム酒またはキルシュ 15 mL〕

粉砂糖をふるって中央をくぼませ，水と酒を入れて木じゃくしで滑らかになるまで混ぜる．

b．加熱砂糖衣 Fondant, Glace cuite

〔砂糖 200 g，水 100 mL，ラム酒またはキルシュ少々〕

砂糖と水を火にかけて煮詰め，粘り出したら火からおろして冷まし，真っ白くなるまで攪拌する．水少量で薄めて洋酒で香りをつける．

応用として，コーヒー入り糖衣 Glace au café，チョコレート入り糖衣 Glace au chocolat，卵白入り糖衣 Glace royale など．

（3）菓子類の切り方および盛付け

大きなケーキ類は切る必要があるが，フルーツやバターの多いものは薄く（8 mm ぐらい）切る．またナイフは温めて用いると切りやすい．

菓子類を盛り付けるには皿にレースペーパーやドイリー（皿敷）を敷くとよい．どの方向からみても同じになるように盛る．

基礎編 13 果物 Fruits, Fruits

果物は正餐では甘味料理の後に出される．水分が多く，ほどよい甘味とさわやかさが食後の口直しにちょうどよい．

（1）果物の食べ方による種類

生のまま Fresh fruit：よく熟した新鮮なものを十分洗って冷やして用いる．

煮たもの Stewed fruit：皮をむく場合は褐変しないように手早くする．未熟なものや過熟なものは加熱すると味が調えられ，消化がよくなる．

焼いたもの Baked fruit：焼きりんごなど．

果汁 Juice：朝食に多く用いられる．

缶詰 Canned fruit：季節に関係なくいつでも利用できる．

ソース Sauce：甘味料理用の果物ソースがつくられる．

ジャム Confiture, Jam：長期保存できるが果物としてよりペーストとして用いられる．

（2）果物の食べ方

正餐では果物皿にフィンガーボールをのせて供されるので，フィンガーボールを左におろして果物皿に果物を選んでのせる．数種類が盛られていたら，前の人と違う果物を選ぶ．

原則的には果物用ナイフとフォークで食べる．

基礎編 14 飲物 Boisson, Drink

飲物は疲労回復に役立ち，食事中は食欲を刺激し，消化を助ける．西洋料理ではその種類が多く，食前に用いられるもの，食事中に用いられるもの，食後に用いられるものがある．これらの目的に合わせてもっとも適した飲物を選ぶ．

1）飲物の種類

（1）水 Eau potable, water

ヨーロッパでは土壌が石灰質であるために水にカルシウムが多く，飲用には適さないので，ミネラルウォーターが発達している．炭酸ガスを含んだ Agueux sin gaz と含まない Agueux non gaz がある．日本人には後者が飲みやすい．

（2）嗜好飲料

アルコール分は含まず，カフェイン，タンニンなどを含む．

コーヒー Café, Coffee：コーヒー豆を褐色に煎り，挽いたものを熱湯で浸出させる．産地によって味，香りが異なる．正餐では最後に半量カップ demi-tasse で供される．

紅茶 Thè, Tea：茶の若葉を発酵させ，乾燥させたもの．広く愛用され，とくに午後のお茶の時間に用いられる．

ココア Chocolat, Cocoa：中南米原産アオギリ科ココアの木の実を煎って脱脂後粉末にしたもの．

（3）果 汁

完熟した果実を搾汁して得られる汁液のこと．

（4）酒 類

製造方法の違いによって醸造酒，蒸溜酒，混成酒に分類できる．

① 醸造酒

酵母菌によって発酵させてアルコール分をつくり出したもの．

ビール Bière, Beer, 白ワイン Vin blanc, White wine, 赤ワイン Vin rouge, Red wine, シェリー酒 Xeres, Sherry, マデラー酒 Madere, Madeira, シャンパン Vin de champagne, Champagn など．

ワインのラベルには原料となるぶどうの収穫年が表示されている．年により，気候がぶどうの作

第3章●西洋料理　113

柄に影響し，ワインのできばえにも影響する．上作年の名産地銘柄のワインをビンテージワインという．

② 蒸溜酒

　糖分を含んだ物質を発酵させて得たアルコール分をさらに蒸溜したもの．

　ブランデー Eau de vie（オードウヴィー），Brandy，ラム酒 Rhum（ラム），Rum，ウイスキー Whisky，ウォッカ，ジンなど．

③ 混成酒

　醸造酒または蒸溜酒に香草を浸して香味を移したり，香料を加えたもの．

　ベルモット，キュラソー，ペパーミント Peppermint，チェリーブランデー，アブサンなど．

④ その他（ハードドリンクス，アルコール分を含む飲物）

　パンチ Punch（ポンシュ），Punch：洋酒，炭酸水，果汁，果物などを合わせたもの．

　カクテル Cocktail：数種の洋酒にビター，砂糖，香料などの配合材料を混ぜてつくる．

　フラッペ Frappé：砕氷，洋酒，果汁などを合わせる．

（5）ソフトドリンクス（清涼飲料）

　アルコール分を含まず，炭酸水，ジンジャーエール，コカコーラ，レモネードなどで薄めてつくる．

　エッグノッグ Eggnog，クリームソーダ Cream soda，レモンスカッシュ Citronnade（シトロネード），Lemonsquash など．

2）飲物の供し方

① 温かいものは熱いうちに供し，入れる器も温めて使う．

② 冷たい飲物は露がたれないようにグラスマット（コースター）などを敷き，衣服やテーブルを汚さないようにする．

③ コーヒーなどは湯を完全に沸騰させ，カルキ臭を除く．また使う道具はそのつど掃除をする（アクが溶け出してまずくなる）．コーヒー豆の粉は細かすぎないこと．また浸出させる時間に気をつける．

④ ビールは泡が大切なので，油分を完全に除いたコップを用いる．また生温いものや冷たすぎるとまずいので，飲みごろの温度に保つ（夏10℃，冬8℃）．

⑤ アルコール飲料を用いるときは空腹を避ける．たんぱく性食品や脂肪に富んだものを同時に摂取する．

⑥ グラスやカップを脂肪や口紅で汚さないようにナプキンで押える．

⑦ コーヒーや紅茶は左に取っ手がくるように供し，飲むときは左手で取っ手を押え，右手でスプーンを取ってかき混ぜ，カップの向こう側の皿上に置き，取っ手を手前側を通って右に回し，右手で飲む．皿は持ち上げない．紅茶のレモンは飲む前に取り出す．

COFFEE BREAK

食パン

〈1.5斤型2個分〉

強力粉	600g
塩 (小麦粉の1.5%)	9g
砂糖 (〃 5%)	30g
スキムミルク (〃 5%)	30g
バター (〃 5%)	30g
インスタントイースト (〃 2%)	12g
水 (温湯)(〃 65%)	390mL
卵 (つやだし用)	

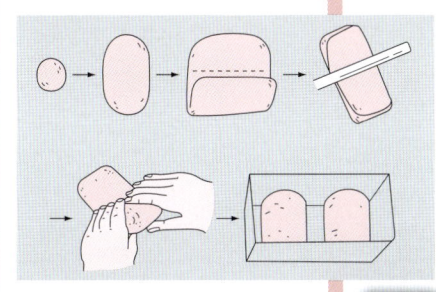

食パンの成形

① バター以外の材料をパンこね器に入れて5分間こねる．
② 5分後にバター（バターは室温でやわらかにする）を加えてさらに15分間こねる．
③ そのまま放置して（機械的に保温されるようになっている）30～40分すると2.5～3倍に膨らむ．これを一次発酵という．
④ 機械からめん板に取り出して軽く押さえてガス抜きをする．
⑤ 4分割して包み込むように丸め（ローリング），乾燥しないようにふきんをかぶせて10～15分間放置する．室温が低いときは25℃ぐらいに保温する．これをベンチタイムといい，小麦グルテンの分子が一定方向に並び，パンのキメがよくなるといわれている．
⑥ めん板の上でめん棒をころがしてのばし，折り曲げて焼き型に入る大きさに巻き込む．巻き終りを指でつまんでくっつける．この操作を成形という．
⑦ 庫内温度36℃，湿度85%のホイロに30分程度入れ，80%ぐらいまで膨らます（二次発酵）．
⑧ 表面に卵白液を塗って190～200℃のオーブンで25分焼く．
⑨ 型から出してアミの上で冷却する．

参考 手でこねるときは，全体がまとまるくらいになったらめん板の上に出して，ときどきたたくようにしながら200回ぐらいこねる．油脂は少しこねてから加える．生地をこねたら大きめのボールに入れ，ラップをして28℃の保温器で1時間ぐらい一次発酵を行う．生地容積がはじめの2.5～3倍になるのを目安とするか，指で押してももどらない状態を発酵終了とする（フィンガーテスト）．

バターロール

〈20個ぐらい〉

強力粉	600g
バター (小麦粉の12%)	72g
砂糖 (〃 10%)	60g
塩 (〃 1%)	6g
牛乳 (〃 65%)	390mL
インスタントイースト (〃 2%)	12g
卵 (つやだし用)	

バターロールの成形

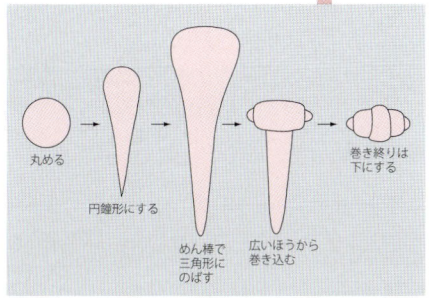

丸める → 円錐形にする → めん棒で三角形にのばす → 広いほうから巻き込む → 巻き終りは下にする

① 牛乳は40℃に温めておく．大きなボールにバター以外の材料を入れ，木じゃくしで全体を混ぜる．
② ほとんどまとまり，手につかないようになったらめん板にとり，少しこねてからクリーム状にしたバターを混ぜ込む．
③ これをさらに200回以上，たたくようにしながらよくこねる．
④ こねた生地をバターを塗ったボールに入れ，ラップをかぶせて28℃に保温しながら一次発酵を行う．はじめの生地の容積の2.5～3倍を一次発酵の終了とする．ここまでの操作はパンこね器を用いてもよい．
⑤ ガス抜きをしたのち，50gずつに分割・ローリングをし，ベンチタイムを15分間とる．室温が低いときは乾燥しないようにして25℃ぐらいに保温する．
⑥ めん棒を使って生地のガスを抜くように押さえながら図の要領で成形する．
⑦ 薄く油を塗った天板に間隔をあけて並べ，ホイロ（38℃，湿度85%）の中で二次発酵を行う．約30分間ではじめの2倍に膨らむ．
⑧ 水で薄めた卵黄液を塗って，180℃のオーブンで15～18分間焼き，焼き上がったらアミの上に並べて冷却する．

第3章●西洋料理

実習編 1 Hors-d'œuvre（前菜）

エ エネルギー　た たんぱく質　脂 脂質　塩 食塩相当量

Œuf farcie（仏）・Stuffed egg（英）
ウーファルシー

卵の詰め物

●材料（卵1個で2人分）
- 卵（1個）……………………50g
- マヨネーズ…………………10g
- 塩……………………………0.1g
- こしょう……………………少々

1人分
- エ 69 kcal　た 2.9 g
- 脂 6.0 g　塩 0.2 g

●調理法
1. 卵をかたくゆで，殻をむいて半分に切る．
2. 卵黄を取り出し，裏ごししてマヨネーズを加え，まとまる程度にやわらかくする．
3. 絞り出し袋に入れ，卵白の中にきれいに絞る．

■コツ
卵白の底を少し削っておくと座りがよい．

Concombre farcie Ikura（仏）・Stuffed cucumber（英）
コンコンブル ファルシー イクラ

きゅうりのイクラ詰め

●材料（2人分）
- きゅうり（1/4本）……………20g
- イクラ………………………20g

1人分
- エ 27 kcal　た 3.0 g
- 脂 1.2 g　塩 0.2 g

●調理法
1. 板ずりしたきゅうりを熱湯をくぐらせ，冷水にとる．
2. 縦半分に切り，舟形になるよう身を少しえぐり，イクラを詰める．

Escabèche（仏）
エスカベーシュ

わかさぎの酢油漬

●材料（1人分）
- わかさぎ……………………30g
- 塩……………………………0.1g
- こしょう……………………少々
- 小麦粉（魚の7％）……………2g
- 揚げ油………………………適宜
- ｛ サラダ油…………………20g
- 　酢………………………20g
- 　たまねぎ，にんじん……各10g
- 　赤いピーマン…………10g
- 　パセリの茎………………少々

- エ 236 kcal　た 3.9 g
- 脂 21.6 g　塩 0.3 g
（わかさぎのから揚げの吸油量を10％，漬けたときの吸油量を5％とする）

●調理法
1. にんじんとたまねぎは薄切りにする．
2. サラダ油の中へ①を入れて火にかける．パセリの茎とピーマンを加えて数分煮る．
3. たまねぎとにんじんがきつね色になったら火を止めて冷まし，酢を少しずつ入れる．
4. 魚に塩・こしょうをし，小麦粉をまぶして揚げ油で揚げる．
5. 熱いうちに③に漬け込む．

■応用
骨ごと食べられる小魚であれば，何でもよい．

Radis (仏) ラディ

●材料（1人分）
はつかだいこん（2本）………… 25 g

エ 3 kcal　た 0.2 g
脂 0 g　　　塩 0 g

●調理法
茎のつけ根を掃除して，飾り切りにする．

飾り切りの例

はつかだいこん

Crevettes cocktail (仏) クルベット カクテール

●材料（1人分）
小えび（5尾）………………… 15 g
カクテルソース
　マヨネーズ ………………… 6 g
　トマトケチャップ ………… 2.5 g
　白ぶどう酒 ………………… 2.5 g
　ブランデー ………………… 2.5 g
　レモン汁 …………………… 少々
　ホースラディッシュ ……… 少々
　塩 …………………………… 0.1 g
　こしょう …………………… 少々
パセリのみじん切り …………… 少々
レモンの薄切り ………………… 1 枚

●調理法
① 少量の塩を入れた熱湯で小えびをゆでて殻をむく．冷めてからシャンパングラスに盛る．
② カクテルソースの材料を混ぜる．
③ ①にカクテルソースをかける．パセリをふりかけ，レモンの薄切りをあしらう．

エ 64 kcal　た 2.5 g
脂 4.4 g　　 塩 0.4 g

小えびのカクテル

Tomates´ farcie macédoine (仏)・Stuffed tomato (英) フアルシー マセドアヌ

●材料（1人分）
トマト（小1個）………………… 30 g
にんじん，かぶ，じゃがいも… 各 5 g
グリンピース …………………… 2 g
マヨネーズ ……………………… 2 g

エ 26 kcal　た 0.4 g
脂 1.5 g　　 塩 0 g

●調理法
① トマトの皮を湯むきし，へたの部分を2cmほど切り，スプーンで中をくり抜く．ふせて水分を出しておく．
② にんじん，かぶ，じゃがいもを細かいさいの目に切ってゆでる．グリンピースを加え，マヨネーズで和えてトマトに詰める．

トマトの詰め物

第3章●西洋料理　117

Canapés (仏)

カナッペ

●材料（1人分）
- 食パン（薄切り1枚）……… 30 g
- バター……………………… 5 g
- キャビア（びん詰）……… 2 g
- チーズ（薄切り）（1枚）… 5 g
- ゆで卵（薄切り）（1枚）… 5 g
- ロースハム（薄切り）（1/6枚）… 5 g
- 油漬けいわし（缶詰）（1尾）… 5 g
- レモン（薄切り）………… 1枚
- パセリのみじん切り……… 少々

エ 167 kcal　た 6.0 g
脂 8.9 g　塩 0.9 g

●調理法

薄切り（5 mm厚）の食パンを軽くトーストし、冷めてから練りバターを薄く塗る。角型に切ったり、または丸型に抜いて材料をのせる。

■応用

① Canapés au caviar（キャビアのカナッペ）：ちょうざめの子を使用．レモンの三角切りを添える．
② Canapés au fromage（チーズのカナッペ）：薄切りのチーズをのせる．
③ Canapés a l'œufs（卵のカナッペ）：ゆで卵の薄切りをのせる．
④ Canapés au jambon（ハムのカナッペ）：ハムの薄切りをのせる．
⑤ Canapés au sardines（いわしのカナッペ）：缶詰の油漬けいわしを使用．パセリとゆで卵のみじん切りをふりかける．

実習編 2　Potage（スープ）

エ エネルギー　た たんぱく質　脂 脂質　塩 食塩相当量

Consommé julienne (仏)

せん切り野菜入りコンソメ

●材料（1人分）
- スープ………………… 180 mL
- 塩（仕上がりの0.2%）… 0.3 g
- こしょう……………… 少々
- 浮き実
  - にんじん……………… 2 g
  - ロースハム…………… 2 g
  - 絹さやえんどう……… 2 g

エ 17 kcal　た 1.4 g
脂 0.3 g　塩 1.2 g

●調理法

① スープに塩・こしょうで調味する．
② 浮き実：ハムはせん切り、にんじんは少量のスープでやわらかく煮てせん切り、絹さやえんどうは色よくゆでてせん切りにする．
③ 温めたスープ皿に②を盛り、スープを注ぐ．

■応用

Consommé à la brunoise：さいの目に切ったにんじん、かぶ、グリンピースなどを浮き実とする．

■参考

① スープ（p.99参照）の塩分量は仕上がりの1%である．出来上がり塩分割合を1.2%で、味を調えるために加える塩は、仕上がりの0.2%とする．
② ベーススープを、塩分を含まないポアソン（p.99参照）などにする場合には、仕上がり塩分割合を1.2%として塩分量を算出することが必要である．

consommé à la royales (仏) 〔ア ラ ロワイヤル〕

ロワイヤル入りコンソメ

● 材 料（1人分）
- スープ ……………………… 150 mL
- 塩（仕上がりの 0.2％）……… 0.3 g
- こしょう …………………… 少々
- 卵豆腐（ロワイヤル）……… 4 g
  - 卵 …………………… 10 g
  - スープ ……………… 10 mL

エ 24 kcal　た 2.1 g
脂 0.9 g　　塩 1.1 g

● 調理法
1. スープ 150 mL に塩，こしょうで調味する．
2. 溶き卵とスープ 10 mL を合わせ，塩・こしょうをし，バターを塗った流し箱に入れて静かに蒸す．蒸し上がったら箱から出して 5 mm 角に切り（ロワイヤル），浮き実とする．
3. 温めたスープ皿にロワイヤルを入れ，熱いスープを注ぐ．

■ コ ツ
1. スープの色が薄い場合は，カラメルソース（p.111 参照）を少し加える．
2. 卵豆腐は分量が少ないので，蒸しすぎないように注意する．

■ 応 用
Consommé・Demidoff〔コンソメ ドミドフ〕：鶏ささ身をすってクネルをつくり，浮き実にする．

consommé frappe (仏) 〔コンソメ フラッペ〕

冷やしコンソメ

● 材 料（1人分）
- スープ ……………………… 150 mL
- 塩（仕上がりの 0.2％）……… 0.3 g
- こしょう，カラメルソース … 各少々
- レモン（薄切り）…………… 1 枚
- パセリ ……………………… 少々

エ 14 kcal　た 0.9 g
脂 0 g　　　塩 1.0 g

● 調理法
1. スープに塩，こしょうで調味する．
2. カラメルソース（p.111 参照）で着色し，冷やす．
3. 冷やした器に注ぎ，レモンの薄切りとパセリのみじん切りを浮かべる．

■ コ ツ
冷やしたガラスの器に冷やしたスープを入れ，これを砕いた氷を入れたグラスに浮かせて供卓し，涼感を演出するのもよい．

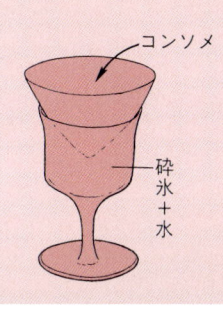

コンソメ
砕氷＋水

第 3 章 ● 西洋料理　119

Crème de maïs (仏)

コーンスープ

●材料（1人分）

スイートコーン（クリームタイプ）	30 g
ホワイトルウ	
小麦粉	5 g
バター	5 g
スープ	100 mL
牛乳	60 mL
塩（仕上がりの0.4%）	0.6 g
こしょう	少々
クルトン	1 g
パセリ	少々

エ 131 kcal　た 3.4 g
脂 7.1 g　塩 1.5 g

●調理法

① 鍋を熱してバターを焦がさないように溶かし，そこへ小麦粉を加えて色をつけないように炒めてホワイトルウ（p.96参照）をつくり，スープでのばす．
② コーンを入れ，温めた牛乳を加えて塩・こしょうで調味する．
③ クルトン（p.100参照）をつくる．
④ 温めた器に熱いスープを注ぎ，クルトンとみじん切りのパセリをあしらう．

Potage purée de pois frais (仏)

グリンピースのポタージュ

●材料（1人分）

グリンピース	50 g
バター	3 g
たまねぎ	30 g
スープ	150 mL
生クリーム	20 g
こしょう	少々
クルトン	1 g

エ 170 kcal　た 4.0 g
脂 11.3 g　塩 0.8 g

●調理法

① たまねぎをみじん切りにし，鍋にバターを溶かしてよく炒める．
② ①にグリンピースとスープを加え，煮立ったら火を弱めて豆がやわらかくなるまで煮て，豆とスープに分け，豆を裏ごしする．
③ ②をスープにもどし，火にかけて泡立て器でかき混ぜながら140gになるまで煮る．こしょうで調味し，煮立ったら生クリームを入れ，火から下ろす．
④ クルトン（p.100参照）を，浮き実とする．

■コ　ツ

豆を煮ているとき，ときどきアクを取る．出来上がりは150g程度となる．

■応　用

缶詰，冷凍品を用いてもよい．
また，かぼちゃ，にんじんを用いることもできる（野菜のポタージュ）．

Potage veloutes (仏)
ポタージュ ブルーテ

●材料（1人分）

たまねぎ	20 g
にんじん	10 g
ホワイトルウ	
小麦粉	5 g
バター	5 g
ゆで汁	60 mL
スープ	60 mL
塩（仕上がりの0.4％）	0.6 g
こしょう	少々
卵黄（1/4個分）	6 g
生クリーム	15 g
クルトン	1 g
パセリ	少々

●調理法

❶ 野菜は薄切り．鍋にバターを溶かし，たまねぎとにんじんを炒める．ひたひたの水を加え，やわらかく煮て，裏ごしする．ゆで汁は残しておく．

❷ ホワイトルウ（p.96参照）をつくり，ゆで汁とスープでのばし，塩，こしょうで調味する．

❸ 卵黄を生クリームで溶き，②に混ぜ込む．

❹ クルトン（p.100参照）を浮き実とし，みじん切りのパセリをあしらう．

■コツ

卵黄をポタージュに混ぜ，濃度をつけたものをブルーテという．煮立っているところへ卵黄を入れると，卵黄が凝固するので，それを防ぐために，あらかじめ卵黄に少量のポタージュを加えて，卵黄の濃度を薄めてから混ぜ込む．滑らかに仕上げるために，卵黄を混ぜ込んだら，ただちに加熱を止める．出来上がりは150g程度となる．

エ 158 kcal　た 2.1 g
脂 12.4 g　塩 1.0 g

卵黄スープ

Purée parmentier vichyssoise (仏)
ピュレ パルマンティア ビシソワーズ

●材料（1人分）

じゃがいも	50 g
ねぎ（太めのもの）	20 g
たまねぎ	20 g
バター	6 g
スープ（固形コンソメ1/4個〈1g〉を溶く）	150 mL
牛乳	20 g
生クリーム	20 g
塩（仕上がりの0.4％）	0.6 g
こしょう	少々
パセリのみじん切り	少々

エ 187 kcal　た 2.9 g
脂 13.1 g　塩 1.5 g

●調理法

❶ じゃがいもは5mm厚の薄切りにして水にさらす．ねぎとたまねぎは繊維に直角の方向に薄切りにする．

❷ フライパンを中火で熱してバターを溶かし，ねぎとたまねぎを色づかないようやわらかくなるまで炒める．

❸ ②を煮込み鍋に移し，そこへじゃがいもと冷たいスープを加え，強火で煮立てる．アクを取り，ふたを少々ずらして，じゃがいもがやわらかくなるまで弱火で約20分煮る．

❹ 裏ごししてから鍋にもどし，温めた牛乳を加えてよく混ぜる．塩・こしょうで味を調え，沸騰したらすぐに火を止める．

❺ 目の細かい裏ごしを通す（相当量のこしかすが残る）．

❻ 冷蔵庫でよく冷やす．

❼ 生クリームを半立てにして加え，冷やしたカップに注ぎ，パセリのみじん切りをあしらって供する．

■コツ

❶ たまねぎは繊維に直角に切ると裏ごししやすい．

❷ スープの舌ざわりを滑らかにするために，⑤の裏ごしは押し出さずに自然に通るようにする．スープをスプーンで静かに回すようにすると，裏ごしの目の詰まりを防げる．

❸ 出来上がりは150g程度となる．

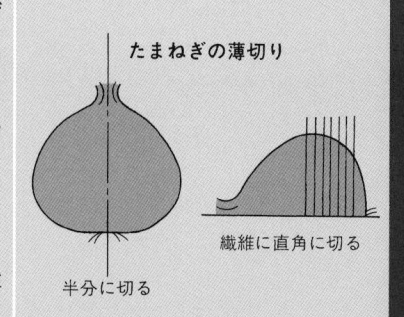

たまねぎの薄切り

半分に切る　　繊維に直角に切る

■参　考

裏ごしで残ったこしかすは，別の鍋で炒めるとおいしいマッシュポテトが得られる．

冷たいポテトスープ

第3章●西洋料理　121

Soupe à l'oignon gratiné (仏)
スープアオニオングラチネ

オニオングラタンスープ

●材料（1人分）
たまねぎ	100 g
バター	5 g
サラダ油	5 g
小麦粉	3 g
スープ	150 mL
フランスパン（5mm厚を1切れ）	10 g
チーズ	1 g
塩（仕上がりの0.6％）	0.2 g
こしょう	少々

エ 165 kcal　た 3.1 g
脂 9.0 g　塩 1.2 g

●調理法
① たまねぎは薄切りする．
② 厚手の鍋にバターとサラダ油を中火で溶かし，たまねぎがアメ色になるまで弱火で炒める．
③ 小麦粉をふり入れて軽く混ぜ合わせ，熱いスープを加えてよくほぐし，弱火で10分ほど煮込む．塩・こしょうで調味する．
④ フランスパンの両面にサラダ油を塗り，160℃のオーブンで焦げ色がつくまで焼く．
⑤ キャセロール（170 mL程度の容積のもの）に③を入れ，④をのせ，おろしチーズをふって250℃で5分焼く．

■コツ
たまねぎを香ばしく炒めるには，相当時間がかかる．焦がさないよう注意すること．焦がすと苦味が出る．

■参　考
キャセロール（Casserole）とは陶製の底の平たい蓋付の器のことであるが，この鍋を使ってつくる料理をキャセロールということもある．チキンキャセロールなど．

キャセロール

Clam chowder (英)

クラムチャウダー

●材料（1人分）
ベーコン	10 g
たまねぎ	20 g
水（あさりのゆで汁）	200 mL
じゃがいも	20 g
あさり（むき身）	30 g
生クリーム	50 g
タイム	少々
塩（仕上がりの0.4％）	0.6 g
こしょう	少々
バター	3 g
パプリカ	少々
クラッカー（1枚）	3 g

エ 302 kcal　た 4.0 g
脂 26.2 g　塩 1.6 g

●調理法
① たまねぎとゆでたあさりは，みじん切り，ベーコンとじゃがいもは6 mmのさいの目切りにする．
② 厚手の鍋にベーコンを入れ，強火で炒める．脂がにじみ出て鍋の底に薄い膜ができたら中火にし，たまねぎを加えてきつね色になるまで炒める．
③ ②に水（あさりのゆで汁）とじゃがいもを加え，ひと煮立ちさせる．火を弱め，半分ふたをして100 gになるまで15分煮込む．
④ あさり，生クリーム，タイムを加え，沸騰直前に塩・こしょうで調味し，やわらかくしたバターを入れる．
⑤ 器に盛り，パプリカを少々ふりかけてクラッカーを添える．

■コツ
貝を入れたあとは，強く煮立てないこと．

■参　考
殻付きのあさり（200 g）を使用する場合は，1時間ほど水につけて砂をはかせ，鍋に白ぶどう酒25 mLとスープ200 mLを煮立てた中に貝を入れ，貝の口が開いたらザルにふきんを敷いてあさりをあけ，汁をこす．貝が冷めてから身を取り出す．ゆで汁は③で使用する．缶詰などのゆであさりを使用する場合には，あさりの汁を利用し，③で使用する水と合計して200 mLとなるようにする．

■応　用
Oyster chowder：かきを用いる．

実習編 3 Poisson（ポワッソン）（魚料理）

エ エネルギー　た たんぱく質　脂 脂質　塩 食塩相当量

Carangue à la meunière（仏） — あじのムニエル

●材　料（1人分）

あじ（1尾）	90 g
塩	0.4 g
こしょう	少々
小麦粉	6 g
サラダ油	6 g
バター	6 g

バターソース
バター	8 g
レモン汁	少々

付け合せ（粉ふきいも）
じゃがいも	40 g
塩（じゃがいもの0.1％）	少々
パセリみじん切り	少々
レモン薄切り	1枚

エ 298 kcal　た 16.2 g
脂 19.5 g　塩 1.2 g

●調理法

① あじは，ぜいごを取り，ワタを抜き，よく水洗いして水気を取る．頭を右に，腹側を手前にして背の身の厚い部分に切り目を入れる．両面に塩・こしょうして10分おく．
② 魚の水気をふき取り，小麦粉をまぶす．余分な粉は払い落とす．
③ 厚手のフライパンにサラダ油を熱してバターを溶かし，盛り付けたとき表になるほうから焼く．
④ バターソース：焼き上げたあとのフライパンにバターを溶かし，レモン汁少々を落として魚にかける．
⑤ 粉ふきいも：皮をむき，適当な大きさに切ったじゃがいもをやわらかくゆで，水を捨てて粉をふかせる．塩・こしょうし，みじん切りのパセリをふりかける．

■コ　ツ

① 小麦粉は，ガーゼに包んでふると魚にまんべんなくつく．
② バターだけで焼くと，味はよいが焦げやすいのでサラダ油と半々にする．
③ 火加減は，最初は強火で焼き色がついたら火を弱め，中ほどまで火を通す．裏返したときも同様にする．ふたはしない．

■応　用

生ざけや舌びらめの切身も美味．

Barbue en papillote（仏） — ひらめの包み焼き

●材　料（1人分）

ひらめ（1切れ）	80 g
塩（魚の1％）	0.8 g
こしょう	少々
白ぶどう酒	10 g
たまねぎ	10 g
にんじん	6 g
サラダ油（材料の1％）	1 g

レモンバター
バター	5 g
レモン汁	少々
パセリのみじん切り	少々

エ 134 kcal　た 14.2 g
脂 6.0 g　塩 1.0 g

●調理法

① ひらめに塩・こしょうをして白ぶどう酒をふりかける．
② たまねぎ，にんじんは薄切り．
③ レモンバター：バターを練り，レモン汁とパセリを混ぜる．
④ パラフィン紙を直径25 cmの円形またはハート形に切り，サラダ油を薄く塗る．
⑤ 中央に野菜を敷き，その上に①をおいてレモンバターをのせる．パラフィン紙の端を折り曲げて包み，形を整える．
⑥ オーブンに入れ強火で焼く（180～200℃，5分）．熱いうちに供する．

■コ　ツ

天板の底をガスの直火で少し温めてからオーブンに入れると蒸気が早く上がり，パピヨット（ハート形の紙包み）がうまく膨らむ．

第3章●西洋料理　123

Eperlans à l'anglaise (仏)
エピルラン ザ ラングレーズ

わかさぎのフライ

●材料（1人分）

わかさぎ（2尾）	80 g
塩（魚の1%）	0.8 g
こしょう	少々
小麦粉（材料の10%）	8 g
生パン粉（材料の10%）	8 g
卵（1/2個）	25 g
揚げ油	適量

タルタルソース
- マヨネーズ　30 mL
- ピクルス　5 g
- ゆで卵　10 g
- たまねぎ　10 g
- パセリ　少々

付け合せ
- レモン　1切れ
- パセリ　1茎

●調理法

❶ 魚の頭と尾を残して背開きにし，中骨を抜く．塩・こしょうをし，頭と尾を除いて小麦粉，溶き卵，パン粉の順につける．

❷ 180℃に熱した揚げ油で揚げる．

❸ タルタルソース：マヨネーズにみじん切りのピクルス，ゆで卵，たまねぎ（水にさらす），パセリを混ぜる．

■参　考

タルタルソースは，つくってから1時間ほどおくと味がなじんでおいしくなる．

エ 531 kcal　　た 15.3 g
脂 44.9 g　　塩 2.1 g

吸油量16 gとして

Beignet de crevettes (仏)
ベーニエ ド クルヴェット

えびのフリッター

●材料（1人分）

えび（無頭，4尾）	60 g
塩（えびの1%）	0.6 g
こしょう	少々
薄力粉	30 g
ベーキングパウダー	0.4 g
卵黄	10 g
水	30 mL
塩（えびの0.5%）	0.3 g
卵白	15 g
揚げ油	適量
パセリ	少々

ホワイトソース（ソースベシャメル）
- 牛乳　30 g
- 塩　0.1 g
- こしょう　少々

トマトピューレ　15 g
塩（ソース全体の1%）　0.5 g
こしょう　少々

●調理法

❶ えびは洗って，皮，背わたを除き，塩，こしょうする．

❷ 腹側に数箇所，切り込みを入れる．

❸ 薄力粉とベーキングパウダーを合わせ，ふるいにかけておく．

❹ 乾いたボールで卵白を固く泡立てる．

❺ ボールに卵黄，塩，水を混ぜ合わせ❸を入れ，軽く混ぜ合わせ，さらに❹を加えて混ぜる．

❻ えびの尾を持って❺の衣をつけ，熱した揚げ油で揚げる．

❼ オーロラソース：ソースベシャメルをつくり，これにトマトピューレを加え，塩・こしょうで味を調える（p.97参照）．

■応　用

白身魚，鶏ささみも美味．

エ 277 kcal　　た 17.0 g
脂 10.2 g　　塩 2.0 g

吸油量5 gとして

実習編 4 Entrée, Viande（アントレ ヴィアンド）（肉料理）

ハンバーグステーキ

Hamburg steak (英)

エ エネルギー　た たんぱく質　脂 脂質　塩 食塩相当量

●材料（1人分）

材料	分量
牛挽肉	100 g
たまねぎ	40 g
サラダ油	2 g
塩	0.2 g
こしょう	少々
パン粉	10 g
牛乳	10 g
卵（1/4個）	15 g
塩（出来上がりの0.8%）	1 g
こしょう	少々
ナツメグ	少々
サラダ油（材料の7%）	13 g
水	15 mL
トマトケチャップ	15 g
ウスターソース	8 g
付け合せ	
マッシュポテト	
じゃがいも	40 g
牛乳	15 g
バター	4 g
こしょう	少々
さやいんげんのバターソテー	
さやいんげん	20 g
バター	4 g
こしょう	少々

エ 571 kcal　た 19.1 g
脂 43.1 g　塩 2.9 g

●調理法

❶ たまねぎをみじん切りにしてサラダ油で軽く炒め，塩・こしょうし，冷ましておく．

❷ パン粉を牛乳で湿らせておく．

❸ 挽肉，①，②，卵，塩，こしょう，ナツメグを合わせ，粘りが出るまで練り，だ円形に丸め中央をくぼませる．

❹ フライパンを熱し，油を入れて③を焼く．最初は強火にし，フライパンを揺り動かしながら焼き色をつけ，少し火を弱めて裏返してしばらく焼く．

❺ 肉を焼いた後のフライパンに水15mLを入れて焼き汁や焦げをこそげ取り，半量に煮詰め，トマトケチャップとウスターソースを加えて少し煮詰めてソースをつくる．

❻ マッシュポテト：じゃがいもをやわらかくゆでて水気を切り，粉ふきにして裏ごしする．鍋に入れて牛乳とバターを少量加え，好みのやわらかさに加減し，こしょうで調味する．

❼ さやいんげんのバターソテー：さやいんげんの筋を取り，塩少々加えた熱湯で色よくゆでる．フライパンにバターを熱し，さっと炒め，こしょうで調味する．

■コツ

❶ たまねぎは炒めると特有の甘味が出るので，ハンバーグのうま味が増す．

❷ ハンバーグの種を練ったあと，手の平に打ちつけて中の空気を抜いておくと，焼くときにくずれにくい．

■参考

❶ クッキング皿にのせてオーブンで焼いてもよい（230℃，約10分．）

❷ また，フライパンで焼き色をつけてから，オーブンや電子レンジに入れて焼き上げてもよい．

❸ ハンバーグの調理後質量は，材料質量の約80%となる．

■応用

❶ フリカーデル（仏），フーカデン（日），ミートローフ（米）：ハンバーグの種を大きくまとめて焼き上げる．種の中にゆでた卵を入れることもある．

❷ ミートボールの煮込み：種を梅干大に丸め，フライパンで焼き色をつけてから，トマトソースやカレーソースで煮込む．

第3章●西洋料理

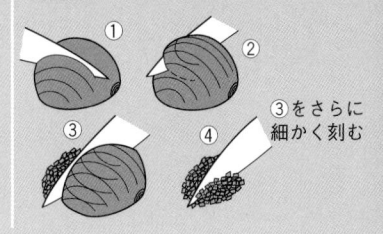

ビーフシチュー
Pièces de bœuf (仏)

●材料（1人分）
- 牛バラ肉（かたまり）………… 100g
- 塩（肉の0.2%）………………… 0.2g
- こしょう ………………………… 少々
- たまねぎ ………………………… 40g
- にんじん ………………………… 20g
- じゃがいも ……………………… 60g
- グリンピース …………………… 5g
- ブラウンソース
  - バター ………………………… 6g
  - 小麦粉 ………………………… 8g
  - スープ ………………………… 200mL
  - 塩（仕上がりの0.1%）……… 0.2g
  - こしょう ……………………… 少々
  - トマトケチャップ …………… 10g
  - 月桂樹の葉（ローリエ）…… 1枚

●調理法
① 牛バラ肉を2cm角に切り、塩・こしょうする。
② たまねぎはくし型、にんじんとじゃがいもは乱切りにする。
③ 厚手の深鍋にバターを熱し、肉の表面を強火で炒め、色がかわったら取り出す。
④ ③の残り汁に小麦粉を加えて炒め、スープでのばし、肉と月桂樹の葉を加えて弱火で煮込む。
⑤ 肉がやわらかくなったらにんじんを加えて10分ほど煮込み、たまねぎを加えて5分ほど煮込み、最後にじゃがいもを加えて煮込む。
⑥ 仕上げにケチャップと塩、こしょうで味を調え、温めたスープ皿に盛り、グリンピースを散らす。

■コツ
① シチューは時間をかけて、ゆっくり煮込むほどおいしくなる。本格的につくる場合は、肉を煮込むソース（ドミグラス）をつくり、この中で肉と野菜を5時間以上煮込む。
② アクはこまめにすくい取る。
③ 圧力鍋を使うと短時間（40分前後）でやわらかくなる。

■応用
牛バラ肉のほかに牛すね肉を用いてもよい。その場合は、5時間以上煮込む。仔牛肉の場合は胸肉や肩肉を使う。豚肉を用いる場合は、よく脂肪を取ってから供すること（p.104参照）。

エ 624 kcal　た 13.0g
脂 50.2g　塩 1.9g

仔牛肉薄切りウィーン風カツレツ
Escalope de veau viennoise (仏)・Wiener schnizel (独)

●材料（1人分）
- 仔牛肉（1/2枚）………………… 60g
- 塩（肉の0.5%）………………… 0.3g
- こしょう ………………………… 少々
- 小麦粉 …………………………… 6g
- 卵（肉の10%）………………… 6g
- 生パン粉（肉の10%）………… 6g
- バター …………………………… 10g
  - レモン（薄切り）…………… 1枚
  - ゆで卵（薄切り）（1枚）…… 5g
  - アンチョビー（1/2個）……… 3g
  - ケッパー ……………………… 1個
  - パセリ ………………………… 1茎
  - サラダ油 ……………………… 適量
  - キャベツ ……………………… 30g
  - フレンチドレッシング ……… 5g
  - パプリカ ……………………… 少々

●調理法
① 仔牛肉の筋を切り、肉たたきでたたいて薄くのばす。塩・こしょうをして5〜10分おく。
② 肉に小麦粉、溶き卵、生パン粉の順に衣をつける。
③ フライパンに焦がさないようにバターを溶かし、盛り付けたとき表になるほうから焼く。最初は中火で焦げ目をつけ、弱火にして中まで火を通す。裏返して同様に焼く。
④ 飾り：ゆで卵は輪切りにする。ケッパーは竹串で花びらを開く。パセリは140℃の油でサッと揚げる。
⑤ 付け合せ：キャベツをせん切りにして冷水に放つ。パプリカを合わせたドレッシングをつくる。
⑥ 盛付け：図のようにカツレツの上面を飾り（aまたはb）、フレンチドレッシングで和えたキャベツを添える。

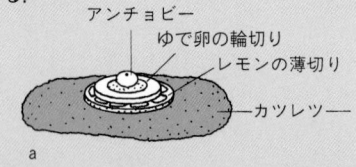

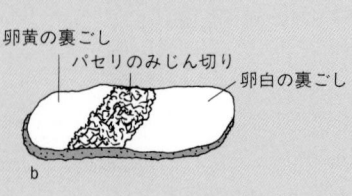

図：
a – アンチョビー／ゆで卵の輪切り／レモンの薄切り／カツレツ
b – 卵黄の裏ごし／パセリのみじん切り／卵白の裏ごし

飾り方の例

エ 296 kcal　た 13.6g
脂 20.7g　塩 1.0g
吸油量3gとして

Porc à la Hawaï (仏)
ポール ア ラ ハワイ

豚肉のハワイ風

●材 料（1人分）

豚肉（ロース）	100 g
塩（肉の0.5%）	0.5 g
こしょう	少々
バター	5 g
サラダ油	5 g
チェリーブランデー	4 g
酢	4 g
砂糖	5 g
ピーナッツ	10 g
パイナップル（缶詰）	25 g
いんげん	40 g
バター	4 g
トマト	40 g

エ 479 kcal　た 20.4 g
脂 34.8 g　塩 0.8 g

●調理法

1. 豚肉に塩，こしょうをする．
2. ピーナッツは皮をむき，軽く炒り，粗く刻む．
3. 熱したフライパンにバター，サラダ油を溶かし，肉を入れて焼き，酢とチェリーブランデーと砂糖で調味する．
4. 肉を取り出し，焼き汁の中へピーナッツを入れてからめる．
5. 別鍋でパイナップルを焼きつける．
6. 皿に肉を盛り，パイナップルをのせ，焼き汁とピーナッツをかける．
7. いんげんをゆでて，バターで炒め，トマトと共に添える．

■コ ツ
豚肉は，脂肪層と赤身の境に包丁の先で数箇所切り込みを入れて筋切りをしておくと，焼いたときに縮まりにくい．

■応 用
Pork Chop（ポークチョップ）：焼き上げた肉にロバートソース（ブラウンソースにマスタード，酢，砂糖を加えたもの）をかける．

■参 考
ワインや酒の成分であるアルコールには，肉の風味を良くする効果（保水性を高め，肉をやわらかくする．旨味を逃さない等）があり，また不快な臭いをマスキングする効果もある．赤ワインは牛肉に，白ワインは白身魚，鶏肉，豚肉の料理に使用する（p.92の表3-1を参照）．

Poulet sauté à la cream (仏)
プーレ ソテー ア ラ クレーム

鶏肉のクリーム煮

●材 料（1人分）

鶏もも肉（1枚）	80 g
塩（肉の0.5%）	0.4 g
こしょう	少々
サラダ油	4 g
バター	5 g
白ぶどう酒	15 g
生クリーム	50 g
マッシュルーム	50 g
塩（マッシュルームの0.2%）	0.1 g
こしょう	少々
バター	6 g
塩（仕上がりの0.1%）	0.2 g
バター	13 g
付け合せ	
乾燥パスタ	25 g
塩（乾燥パスタの2%）	0.5 g
バター	3 g
塩（ゆで上がりパスタの0.5%）	0.3 g
こしょう	少々

●調理法

1. 鶏肉を2つに切り，塩・こしょうする．マッシュルームはやや厚めに薄切りにする．
2. 厚手の平鍋にサラダ油とバターを熱し，鶏肉を両面きつね色に焼く．
3. 中まで火が通ったら白ぶどう酒を加え，さらに生クリームを加えて鶏肉の焼き汁と混ぜ，肉にからめる．
4. フライパンにバターを熱し，マッシュルームを強火で炒める．塩・こしょうで調味し，③に加える．
5. 全体を混ぜて塩少々で味を調え，バターを加えて火からおろす．
6. 付け合せ：乾燥パスタを質量の2%塩を入れたたっぷりの熱湯でゆで，バターをからめ，塩・こしょうで味を調えて添える．

■コ ツ
鶏肉にきれいな焼き色をつけるには，フライパンを揺すりながら焼き，肉とフライパンの間に常に油があるようにする．

■参 考
乾燥パスタは，ゆでると質量は2.5倍になる．

エ 719 kcal　た 18.7 g
脂 58.9 g　塩 1.8 g

第3章●西洋料理

鶏肉のクリームコロッケ

Croquettes de volaille (仏)
(クロケット ド ボライユ)

●材 料（1人分，2個）

- 鶏挽肉 …………………… 15 g
- プレスハム ……………… 5 g
- たまねぎ ………………… 15 g
- マッシュルーム ………… 5 g
- ピーマン ………………… 3 g
- サラダ油 ………………… 2 g

ベシャメルソース
- 小麦粉 …………………… 6 g
- バター …………………… 4 g
- 牛乳 ……………………… 100 mL

- 塩 ………………………… 0.1 g
- こしょう ………………… 少々
- 小麦粉，溶き卵，パン粉（材料の10%）
  　　　　　　　　　　……… 各10 g
- 揚げ油 …………………… 適宜
- にんじん ………………… 10 g
- さやいんげん …………… 8 g
- セロリー ………………… 10 g
- バター …………………… 2 g

タルタルソース
- マヨネーズ ……………… 15 mL
- ピクルス ………………… 2 g
- ゆで卵 …………………… 5 g
- パセリ …………………… 少々

エ 478 kcal　た 10.3 g
脂 36.4 g　塩 0.9 g
吸油量8.5 gとして

●調理法

❶ 挽肉とみじん切りしたハム，たまねぎ，マッシュルーム，ピーマンを油で炒める．

❷ ベシャメルソース（p.97参照）をつくり①と合わせ，塩，こしょうで調味し，バットに広げて冷ます．

❸ 冷めたら手でコロッケ型に形づくり，小麦粉，溶き卵，パン粉の順につけ，中火で色よく揚げる．

❹ 付け合せ：にんじん，セロリー，さやいんげんを4.5 cm長さのやや太目のせん切りにする．塩を入れた湯でさやいんげんを固めにゆでて冷水にとる．にんじんとセロリーは固めにゆでてザルにあげる．フライパンを熱してバターを溶かし，ゆでた野菜を温める程度に炒める．

❺ タルタルソース（p.98，p.124のわかさぎのフライを参照）を添える．

■参 考

ベシャメルソースのつくり方：平鍋を中火で熱し，バターを焦がさないように溶かす．そこへ小麦粉を入れ，色をつけないように弱火でよく炒めてから牛乳で滑らかに溶きのばす（p.97参照）．

■応 用

コロッケの形は，俵形，小判形などのほかに丸くして串に刺してもおもしろい．

★小麦粉の濃度

料理の種類に応じて，スープや牛乳などの液体を白色ルウに加えて用いる．液体質量から換算した小麦粉の外割濃度を以下に示す．

料理の種類	小麦粉の濃度（％）
ポタージュスープ	2〜5
ソース	3〜6
コロッケ	12〜15

Roast chicken（英）

若鶏の蒸し焼き

●材　料（10人分）
若鶏（1羽，1〜1.2kg）
　…………… 可食部約 730 g
塩………………………… 10 g
こしょう………………… 適宜
たまねぎ………………… 200 g
にんじん………………… 100 g
月桂樹の葉（ローリエ）…… 1枚
バター…………………… 40 g
バター湯
　┌ バター……………… 20 g
　└ 水………………… 100 mL
付け合せ
　┌ クレソン（5茎）…… 50 g
　│ 芽キャベツ………… 100 g
　│ バター……………… 6 g
　│ じゃがいも………… 250 g
　│ 塩…………………… 1.0 g
　│ こしょう…………… 少々
　└ 揚げ油……………… 適量
にんじんのグラッセ
　┌ にんじん…………… 100 g
　│ バター……………… 10 g
　│ 塩…………………… 0.5 g
　│ 砂糖………………… 5 g
　└ スープ…………… 150 mL
麻糸，縫い針，パピエ，リボン

─────────────

1人分（全量の1/10）
エ 245 kcal　た 13.6 g
脂 17.3 g　塩 1.5 g
吸油量3.8 gとして

●調理法
❶　若鶏の内臓を抜き取り，よく水洗する．水気をふき取り，塩とこしょうを全体にすり込む．
❷　たまねぎとにんじんを薄切りにする．
❸　①の腹部に②を詰め（ただし②の一部は残しておく），麻糸で縫い合わせる．足は形を整え糸で止める．全体にバターを塗る．
❹　オーブンの天板に残しておいた②を敷き，月桂樹の葉をのせ，③をのせる．220℃で15分，さらに180℃で30〜40分焼く．途中，表面に焼き色がついたらバター湯をかけてじっくりと焼き上げる．ももに串を刺してみて澄んだ汁が出てきたら取り出し，糸を抜く．
❺　焼いたあとの天板に水200 mLを入れ，焦げをこそぎ取り，鍋に移してしばらく煮る．アクを取り，ふきんでこす．塩・こしょうで味を調える（グレービーソース gravy sauce）．
❻　付け合せ：クレソンはきれいに洗う．芽キャベツはつけ根に十文字の切り込みをして色よく塩ゆでし，バターで炒める．じゃがいもは薄切り（1 mm）して水にさらし，水気をふき取ってから油で揚げ，塩・こしょうをふる．にんじんはシャトー形に切り，軽くゆでてから分量の調味料でグラッセ（p.104 参照）にする．
❼　焼き上がった若鶏から糸を抜き，足にパピエを飾り，リボンを結ぶ．大皿の中央に若鶏をおき，まわりに⑥を彩りよく盛る．グレービーソースを添える．

■コ　ツ
❶　焼くとき，背骨が下になるようにして焼くと，ももまで火が通るのに時間がかかる．そのためはじめは鶏を横にして片方のももを焼き，次にひっくり返して，もう一方のももを焼く．最後にあお向けにして背骨を下にして焼く．
❷　焼き上がったら，胸のほうを下にして置く．こうすると，おいしい焼き汁が背骨のほうにたまるのを防ぐことができる．
❸　焼くとき，鶏をオーブンに入れたままにしないで，つききりで焼き具合を見ながら天板の油をかける作業をていねいにするときれいに焼き上がる．

■参　考
パピエ papier（ペーパーフリル）：白い紙を2つ折りにして山に切り込みを入れる．裏返すとフリル状になる．

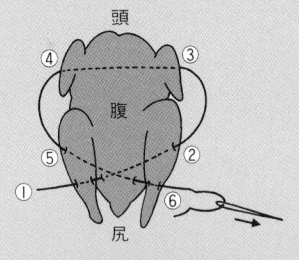

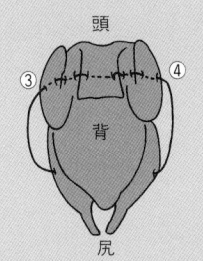

①たこ糸を通した針をももから入れ，
②反対側に出す．
③手羽に針を入れ，首の皮を縫いながら，
④反対側に出す．
⑤ももに針を入れ，最初の縫い目と交差させ，
⑥反対側に出して①と縛る．

糸のかけ方

第3章●西洋料理　129

チキンガランチン

Galantine de volaille (仏)
（ガランチン ド ボライユ）

●材料（8人分）

- 鶏手羽肉（大1枚）……… 300 g
- 塩（鶏肉の0.2%）………… 0.6 g
- こしょう ……………………… 少々
- 白ぶどう酒 …………………… 15 g
- 鶏挽肉 ……………………… 100 g
- 豚挽肉 ……………………… 100 g
- 塩 …………………………… 0.4 g
- こしょう，ナツメグ ……… 各少々
- 白ぶどう酒 …………………… 15 g
- 卵（1/2個）………………… 25 g
- にんじん ……………………… 50 g
- 干ししいたけ ………………… 4 g
- 干ししいたけのもどし汁 … 50 mL
- 砂糖 ………………………… 6 g
- 塩 …………………………… 3 g
- グリンピース（缶詰）……… 20 g
- スープ（固形コンソメを水に溶かして代用してもよい）……… 200 mL
- サラダ油 …………………… 12 g
- レモン ……………………… 1/2個
- パセリ ……………………… 少々

たこ糸，縫い針

1人分（全量の1/8）
- エ 149 kcal
- た 12.4 g
- 脂 8.8 g
- 塩 0.7 g

●調理法

❶ 手羽肉を観音開きにし，塩・こしょう，ぶどう酒をふりかけておく．

❷ 干ししいたけを水にもどして5 mmの細切りにし，にんじんは5 mmの拍子木に切る．しいたけのもどし汁に砂糖，塩を加え，にんじんとしいたけを煮て味をつける．

❸ ボールに鶏挽肉，豚挽肉を入れ，塩・こしょう，ナツメグ，ぶどう酒，卵を加え，混ぜ合わせる．

❹ ①を広げ，③の2/3をのせ，さらに②とグリンピースを色よく並べる．その上に③の残り分をのせ，手前から巻く．巻き終わりをあらく縫い，両端も糸で結ぶ．

❺ フライパンに油を熱し，④を入れて焼き色をつける．火を弱め，ブイヨンを加えて煮込む．

❻ 糸を抜き，1 cm厚に切って盛り付ける．パセリとくし形に切ったレモンを添える．

■参　考

ワインや酒の成分であるアルコールには，肉の風味を良くする効果（保水性を高め，肉をやわらかくする．旨味を逃さない等）があり，また不快な臭いをマスキングする効果もある．赤ワインは牛肉に，白ワインは白身魚，鶏肉，豚肉の料理に使用する（p.92の表3-1を参照）．

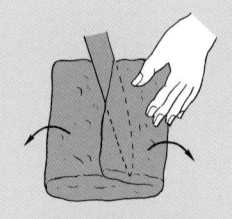

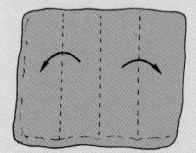

手羽肉の観音開き

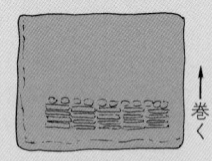

ミンチを広げ具をのせる

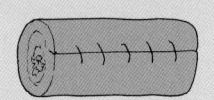

巻き終りをあらく縫う
またはたこ糸でしばる

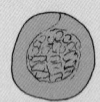

断面

Terrine maison (仏)

●材料 (21×11 cm 角型1本分)

合挽肉	500 g
鶏挽肉	250 g
塩	8.5 g
こしょう, ナツメグ	各少々
にんにく (みじん切り, 1片)	5 g
ブランデー	100 g
スープ	100 mL
ベーコン (10枚)	100 g
鶏レバー (2個)	60 g
鶏ささ身 (2本)	60 g
ブランデー	30 g
サラダ油	12 g
バター	10 g
ピクルス (1本)	30 g
月桂樹の葉(ローリエ), タイム	少々

1人分(全量の1/20)
エ 131 kcal　た 7.3 g
脂 8.8 g　塩 0.6 g

●調理法
① ボールに挽肉, 調味料を入れてよく混ぜ, ブランデー, スープも数回に分けて加え, 手で練り合わせる.
② 角型容器の底と側面にベーコンを張りつける.
③ サラダ油とバターを熱して鶏レバーを炒め, 塩・こしょうして取り出す. ブランデーをかけて冷ます.
④ 鶏ささ身も③と同様に火を通し, ブランデーにつけておく.
⑤ ①の半量を②に均一に詰める. その上に③と④と4つ割りにしたピクルスを並べる.
⑥ 残りの挽肉を詰め, 上にベーコン, 月桂樹の葉, タイムをおき, アルミ箔をかぶせる.
⑦ 天板に深さの半分ほどの湯を入れ, 蒸し焼きにする.
⑧ 室温まで冷まし, 重石をして冷蔵庫で冷やす.

■コツ
蒸し焼きの時間は45分〜1時間程度で竹串を刺して熱くなれば出来上がりである.

■参考
① Terrine とは, フランス語で陶製の器という意味. 一般に肉や魚のすり身にスパイスや酒類で香りをつけた生地を詰めて料理したものをテリーヌとよんでいる. テリーヌ型は陶製に限らず, ホーロー引きや, 耐熱ガラス製もあり, また陶製で蓋に動物の頭が付いているものは, 中に入っている肉の種類が一目で分かる.
② 正式にはベーコンではなく, 豚の背脂 (網脂) を使う.
③ 1本で約20人分となる.

テリーヌ

Curry de Boeuf (仏)・Curry and Rice (英)

●材料 (1人分)

ご飯	160 g
牛肉 (バラ肉)	60 g
たまねぎ	100 g
にんじん	40 g
サラダ油	3 g
月桂樹の葉(ローリエ)	1枚
スープ	300 mL
カレールウ	
バター	6 g
たまねぎ	25 g
にんにく, しょうが	少々
りんご	8 g
カレー粉	2.5 g
小麦粉	6 g
塩	0.1 g
こしょう	少々
ウスターソース, トマトケチャップ	各7 g

●調理法
① 牛肉は2 cmの角切り, たまねぎはザク切り, にんじんは1 cmの角切りにする.
② フライパンにサラダ油を熱し, 牛肉の表面に焦げ色がつく程度に, 強火でサッと炒める. 野菜も炒めておく. この中にスープとローリエを加えやわらかく煮る.
③ ルウをつくる：厚手の鍋にバターを熱してとかし, すり下ろしたたまねぎ, にんにく, しょうがを加えてよく炒める. 小麦粉をふり入れさらによく炒める. 焦げ色が付いてきたらカレー粉を加え, すり下ろしたりんごも加えてサッと炒める.
④ ルウに②の煮汁を少しずつ加えて溶きのばし, ②と合わせて10分ほど煮込む. 最後に調味料で味を調えローリエを取り出す.
⑤ 皿にご飯を盛り, 片側にカレーソースを注ぎ, 薬味を添える.

■参考
① カレー粉 (poudre de curry) は, 肉桂, カイエンペッパー, 丁字, コリアンダー, クミン, ターメリック, 冬葱, 茴香, しょうが, ピーマン, 黒胡椒などを主材料とした調合品である.
② 付け合せ (薬味) には, 福神漬, らっきょう, ピクルスなど.

エ 725 kcal　た 12.8 g
脂 35.5 g　塩 2.6 g

カレーライス

第3章 ●西洋料理

実習編 5 Œufs（卵料理）

エ エネルギー　た たんぱく質　脂 脂質　塩 食塩相当量

Omelettes（仏）

オムレツ

●材　料（1人分）
- 卵（2個） ……………… 120 g
- 塩 ……………………… 0.5 g
- こしょう ……………… 少々
- バター ………………… 10 g
- トマトケチャップ …… 15 g
- キャベツ ……………… 30 g
- パセリ ………………… 1茎

エ 263 kcal　た 14.1 g
脂 18.7 g　塩 1.6 g

●調理法
① 卵を割りほぐし，塩・こしょうを加える．
② きれいなフライパンに，中火でバターを焦がさないように溶かし，①を流し込む．菜箸でゆっくり平均にかき混ぜ，半熟にする．
③ フライパンの手元を持ち上げ，手前から巻きつつオムレツの形にまとめる．
④ フライパンの柄をたたいてオムレツを回転させて裏返し，皿に盛る．
⑤ トマトケチャップを上にかけ，せん切りキャベツとパセリを添える．

■コツ
混ぜ物をするときは卵1個当たり炒めて調味したもの大さじ1杯位が目安．

■応用
① Omelettes champignons（オムレツ シャンピニヨン）：薄切りにしたシャンピニヨンをバターで炒めて卵に加えて焼く．
② Omelettes jambon（オムレツ ジャンボン）：サイの目に切ったハムを加える．

œufs en cocotte à la florentine（仏）
（ウー ザン ココット ア ラ フロランティーヌ）

ほうれんそう入りココット焼き

●材　料（1人分）
- ほうれんそう …………… 50 g
- バター …………………… 4 g
- 塩（材料ゆであがりの1％）…0.3 g
- こしょう ………………… 少々
- 生クリーム ……………… 8 g
- 卵（1個） ………………… 60 g
- おろしチーズ（パルメザン）…… 1 g

エ 159 kcal　た 8.2 g
脂 12.1 g　塩 0.7 g

●調理法
① ほうれんそうをゆで，2 cmの長さに切ってバターで炒める．塩・こしょうで調味し，そこへ生クリームを入れ，汁気がなくなるまで煮る．
② ココット（耐熱容器）にバターを塗って①を入れ，真ん中をくぼませて卵を割り入れる．好みでおろしチーズをかけ，バターを少量のせる．
③ オーブンを150℃に温め，天板に湯を入れ，ココットをのせて焼く．白身が固まり，チーズに焦げ色がついたら取り出す．

■参　考
cocotte（ココット）は鉄製または土製（耐熱性）の1人用の小さな鍋で，reme-quin（ラムカン）ともいわれる．英語でキャセロールといわれる．

実習編 6 Salades（サラダ）

エ エネルギー　た たんぱく質　脂 脂質　塩 食塩相当量

Salade de pommes de terre（仏）

●材　料（1人分）

じゃがいも	100 g
たまねぎ	20 g
塩（たまねぎの1％）	0.2 g
サラダ菜（1枚）	4 g
パセリ	少々
白ぶどう酒	5 g
フレンチドレッシング	30 g

エ 183 kcal　た 1.5 g
脂 11.3 g　塩 2.1 g

●調理法

① たまねぎは縦に薄切りして塩でもみ，水で洗ってかたく絞る．
② じゃがいもは皮のままゆでる．熱いうちに皮をむき，4つ割りにして2～3mm厚に小口切りする．
③ たまねぎと混ぜ合わせ，白ぶどう酒とフレンチドレッシングを全体に回しかけ，冷蔵庫で冷やす．
④ 器にサラダ菜を敷き，③を盛り，刻んだパセリを散らす．

■応　用

Mashed potatoes（マッシュポテトサラダ）：乱切りにしたじゃがいもをやわらかくゆで，熱いうちに裏ごしし，バターと生クリームを加えて好みのやわらかさに仕上げる．

■コ　ツ

フレンチドレッシングは材料を小びんまたはボールに入れ，激しく撹拌して乳化させる．時間がたつと分離するが，使用直前に再び撹拌して用いればよい．

ポテトサラダ

Three Beans Salad（米）

●材　料（1人分）

金時うずら，白いんげん（水煮），エジプト豆（水煮）	各20 g
たまねぎ	25 g
にんにく，パセリ	各少々
塩（材料の1％）	0.9 g
ワインビネガー	7.5 g
オリーブ油	12 g

エ 217 kcal　た 4.5 g
脂 12.6 g　塩 1.0 g

●調理法

① 豆の水気を拭き取り，ボールに入れて混ぜ合わせる．
② たまねぎ，にんにく，パセリのみじん切りを加える．
③ 塩，こしょう，ワインビネガーを加え，大きなスプーンで静かに混ぜ合わせる．さらにオリーブ油を入れて混ぜ合わせる．

■コ　ツ

供する前に1時間置いておくと，味がなじみおいしさが引き立つ．

豆のミックスサラダ

第3章●西洋料理

Salade de légumes (仏)
<small>サラード ド レギューム</small>

野菜サラダ

●材料（1人分）
- レタス……………………40g
- トマト……………………50g
- きゅうり…………………20g
- たまねぎ…………………10g
- クレソン…………………少々
- フレンチドレッシング …………20g

- エ 96 kcal　た 0.8 g
- 脂 7.6 g　塩 1.3 g

●調理法
① レタスは，はがして水洗いし，氷水につける．
② トマトは皮を湯むきしてくし型に切る．
③ きゅうりは5mmの輪切りにし，たまねぎは薄切りにして水にさらす．クレソンは茎の先を水切りして水につける．
④ 野菜の水気をよく切り，レタスは食べやすい大きさに手でちぎる．
⑤ ボールにトマト，きゅうり，たまねぎ，レタスを合わせよく混ぜる．食べる直前に，フレンチドレッシングで和え，クレソンを散らす．

■コツ
レタスは氷水にしばらくつけると生き生きとし，歯ざわりがよくなる．葉脈の太い部分は小さく，葉先は大きくちぎる．

Salade de macaroni (仏)
<small>サラード ド マカロニ</small>

マカロニサラダ

●材料（1人分）
- マカロニ…………………40g
- ピクルス……………………5g
- たまねぎ…………………20g
- ロースハム（2枚）………20g
- サラダ菜（2枚）……………8g
- クレソン…………………少々
- フレンチドレッシング …………5g
- マヨネーズ………………25g

- エ 378 kcal　た 8.6 g
- 脂 23.3 g　塩 1.3 g

●調理法
① マカロニは，長いものは3cmほどに折り，塩を入れたたっぷりの熱湯でゆでる．水にとり，冷やして水気を切る．
② ピクルスは，みじん切り．たまねぎは薄切りにして冷水にさらし，かたく絞る．
③ ①と②を混ぜ合わせ，塩少々とフレンチドレッシングをふりかけて混ぜ，冷蔵庫でよく冷やす．
④ ハムをせん切りして③に混ぜ，マヨネーズソースで和える．
⑤ 器にサラダ菜を敷いて④を盛り，クレソンを添える．

■コツ
① マカロニは，沸騰している湯にバラして入れる．
② ゆでたのち，熱いままにしておくとのびるので，冷水にさらし，その後は水気をよく取る．

■参考
マヨネーズの基本分量とつくり方：
- 卵黄………………………1個分
- 練りがらし………………5mL（2g）
- 塩……………………………5g
- 砂糖…………………………3g
- サラダ油………………160g
- 酢…………………………15g

ボールに卵黄，練りがらし，塩，砂糖，酢10gを入れ，泡立器でよくかき混ぜる．サラダ油を数滴ずつ加えながら混ぜる．途中少量の酢をときどき入れては油を加え，とろりとするまで混ぜる（p.98参照）．

Salade de macédoine (仏)
サラード　ド　マセドワーヌ

●材　料（1人分）
- じゃがいも ……………… 50g
- にんじん ………………… 35g
- レタス …………………… 15g
- 塩 ………………………… 0.5g
- こしょう ………………… 少々
- マヨネーズ ……………… 15g
- パセリ …………………… 少々

●調理法
1. じゃがいもとにんじんは1cmの角切りにし，たっぷりの湯に塩1つまみを入れてゆでる．
2. ザルに上げて水気を切り，粗熱を取り，冷蔵庫で冷やす．
3. 塩・こしょうで下味をつけ，マヨネーズで和える．
4. レタスを敷いて③を盛り，パセリで飾る．

■応　用
グリンピース，さやいんげん，りんご，きゅうりでもおいしい．

エ 144 kcal　た 1.1g
脂 10.9g　塩 0.8g

マセドアンサラダ

Fruit salad (英)

●材　料（1人分）
- りんご …………………… 30g
- バナナ …………………… 10g
- みかん（缶詰）………… 20g
- 干しぶどう, チェリー（缶詰）… 各6g
- レタス …………………… 30g
- クリームマヨネーズソース
  - マヨネーズ …………… 12g
  - 生クリーム …………… 5g
  - 砂糖 …………………… 0.5g
  - レモン汁 ……………… 少々

●調理法
1. りんごは，いちょう型に薄切りし，塩水に通す．バナナは3mm厚の輪切り．みかんは汁を切る．干しぶどうは温湯でやわらかくもどす．
2. クリームマヨネーズソース：生クリームを泡立てておき，マヨネーズソース，砂糖，レモン汁を合わせる．
3. 器にレタスを敷いてソースで和えた果物を盛り，チェリーを飾りとして添える．

■参　考
ヨーグルトソースで和えてもおいしい．
- プレーンヨーグルト ……… 25g
- シロップ …………………… 5g
- はちみつ …………………… 少々

エ 167 kcal　た 0.7g
脂 10.7g　塩 0.2g

フルーツサラダ

Shrimp in tomato Salad (米)

●材　料（1人分）
- トマト（中1個）………… 150g
- むきえび ………………… 20g
- セロリー，りんご，きゅうり
  ……………………………… 各20g
- マヨネーズ ……………… 8g
- レタス（サラダ菜）（1枚）… 10g

エ 116 kcal　た 4.3g
脂 6.0g　塩 0.3g

●調理法
1. トマトは湯むきして，横2つに切り，スプーンで中身を出し，皿にレタスを敷いてのせる．トマトの中身は1センチ角に切る．
2. えびはゆで，セロリーは筋を取り，りんごときゅうりは，1cmの角切り．トマトとともにマヨネーズで和え，トマトに詰める．

小えびのトマト詰めサラダ

第3章●西洋料理　135

実習編 7 米・めん・パンの料理

ピラフ・パエリャ

Paella (西)・Riz à la valencierne (仏)
（パエリア）（リ ア ラ バレンシェーヌ）

エ エネルギー　た たんぱく質　脂 脂質　塩 食塩相当量

●材　料（1人分）

米	80 g
鶏手羽肉	70 g
バター	2 g
たまねぎ	15 g
ロースハム	20 g
マッシュルーム	30 g
サラダ油	3 g
白ぶどう酒	20 g
固形コンソメ（1/8個）	0.4 g
水	95 mL
塩（水の0.6%）	0.6 g
こしょう	少々
刻みパセリ	少々

エ 509 kcal　た 22.7 g
脂 14.5 g　塩 1.3 g

●調理法

① 米は炊く30分ほど前に洗い，ザルに上げておく．

② 鶏手羽肉を食べやすい大きさにぶつ切りし，塩・こしょうする．

③ たまねぎはみじん切り，ハムは粗みじん切り，マッシュルームは薄切りする．

④ フライパンにバターを溶かし，鶏手羽肉を炒める．強火で焼き色がついたら火を弱め，中まで火を通す．

⑤ 厚手の深鍋にサラダ油を熱してたまねぎのみじん切りを炒め，火が通ったらハムと米を加え，さらに3～4分炒める．

⑥ ⑤に④を焼き汁ごと加え，白ぶどう酒をふりかけて混ぜる．

⑦ 固形コンソメを湯で溶いて⑥に加え，塩・こしょうで味を調える．マッシュルームも混ぜ入れて普通に炊き上げる．

⑧ 器に盛り，刻みパセリを散らす．

■参　考

ピラフは，本来，中東の米料理である．したがって，用いる米はパラリとした粘りの少ない外米タイプ（インディカ種）のほうがよく合う．パエリャは，スペイン料理である．ピラフ同様に粘りの少ない米のほうがよい．

リアラバレンシェーヌは，パエリアのフランス料理名称（Riz à la valencierne）．

Spaghetti with meat souse (英)・Spaghetti Bongolle スパゲティボンゴレ (伊)

スパゲティのミートソースかけ・はまぐりソースかけ

●材料（1人分）

スパゲティ	80 g
熱湯	800 mL
塩	8 g
オリーブ油	8 g

エ 349 kcal　た 9.6 g
脂 9.1 g　塩 0 g

〈ミートソース〉

牛挽肉	60 g
バター	13 g
サラダ油	6 g
たまねぎ	20 g
にんじん	10 g
セロリー	10 g
赤ぶどう酒	25 g
小麦粉	6 g
トマトピューレ	50 g
干ししいたけ（1枚）	2 g
トマト	40 g
固形コンソメ（1/4個）	1 g
水	150 mL
塩	1 g
こしょう	少々
ナツメグ	少々
月桂樹の葉（ローリエ）	1枚
パルメザンチーズ	0.5 g

エ 384 kcal　た 10.9 g
脂 27.8 g　塩 1.8 g

〈はまぐりソース〉

はまぐり（殻ごと150g）可食部	60 g
トマト水煮	130 g
サラダ油	6 g
にんにく	少々
パセリ	少々
塩（貝とトマト水煮の1％）	1.9 g
パルメザンチーズ	0.5 g

●調理法
〈ミートソース〉
❶ たまねぎ，にんじん，セロリーはみじん切りにする．
❷ 干ししいたけは，水にもどしてからみじん切りにする．
❸ トマトは湯むきしてみじん切りにする．
❹ 鍋にバターとサラダ油を熱し，たまねぎを透き通るまで炒める．にんじん，セロリーを加えて炒め（7～8分），さらに肉をほぐして入れ，よく炒める（10分程度）．
❺ 赤ぶどう酒を注ぎ入れてしばらく煮詰める（3～4分）．次に小麦粉をふり入れてよく炒める．
❻ トマトピューレ，干ししいたけ，トマト，固形コンソメ，水，月桂樹の葉，塩，こしょう，ナツメグを加えて混ぜる．
❼ 中火でひと煮立ちさせてアクを取り，弱火で約2時間煮込む．

〈スパゲティ〉
❶ 塩を加えた熱湯にスパゲティを広げて入れ，好みのかたさまでゆでる．
❷ 鍋にオリーブオイルを熱し，ゆで汁を切ったスパゲティを入れて軽く混ぜ，温めておいたミートソースの半量で和え，皿に盛って残りのソースをかける．パルメザンチーズをふりかける．

■コツ
❶ スパゲティには，細めのもの，太めのもの，倍の長さのもの，折りたたんだものなどがある．細めのものはゆで時間を短めに，太めのものは長めにと加減し，いずれも指でかたさを確かめる．倍の長さのものは半分に折って普通のスパゲティと同様にゆでる．
❷ ゆでるとき，さし水はしない．ゆでた後，水にとって冷やさない．
❸ スパゲティのゆで上がりと，和える具のでき上がりのタイミングを合わせる．

■参　考
❶ スパゲティの選び方：デュラムセモリナ100％という表示のものが最適．デュラム小麦（硬質小麦）を粗挽きした（セモリナ状）粉を100％使用しているので，ゆで上げたとき，表面に粘りが少なく，つるつるしていて，こしがあり，歯ごたえがよい．
❷ パスタの基本ソース（サルサマードレ＝母なるソース）
サルサボロニエーゼ：北部イタリアのボローニャで生まれたソース．牛ひき肉を使う．手打ちめんの幅広めん〈フェトチーネ〉によく合う．
サルサマリナーラ：南部イタリア，ナポリ周辺で生まれたソース．魚介類のスパゲティやピッツァの基本になる．
サルサナポレターナ：ナポリ周辺で生まれたソース．マカロニやロースト肉にも合う．

■応　用
スープスパゲティ（スープ仕立て）：調味した熱いスープに，ゆでたてのめんを入れ，色どりに細かく切ったトマトやほうれんそうを入れる．

●調理法
❶ フライパンにサラダ油を熱し，にんにくとパセリのみじん切りを狐色になるまで炒める．
❷ 火から下ろしてはまぐりを加えて混ぜる．さらにトマトの水煮を手で潰して加え，塩，こしょうして貝の殻が開くまで煮込む．

エ 105 kcal　た 4.1 g
脂 6.3 g　塩 3.1 g

第3章●西洋料理

マカロニグラタン

Macaroni au gratin (仏)

●材料（1人分）

マカロニ	25 g
しばえび	25 g
ほたて貝柱	25 g
マッシュルーム	25 g
レモン汁	少々
たまねぎ	12 g
にんにく	少々
バター	8 g
白ぶどう酒	7 g
塩	0.2 g
こしょう	少々
ベシャメルソース	
バター	8 g
小麦粉	8 g
牛乳	100 g
塩	0.6 g
バター	6 g
パルメザンチーズ	6 g

●調理法

① マカロニを，塩少々加えた湯でやわらかくゆでる．

② えびを洗い，背わたを除く．貝柱は横に2～4つに切る．マッシュルームは薄切りし，レモン汁をかけておく．

③ 浅鍋にバターを溶かし，薄切りにしたたまねぎとにんにくを炒め，ついでえび，貝柱，マッシュルームを加えて炒める．

④ 白ぶどう酒をふり入れて少し煮詰め，①を加え，塩・こしょうで調味し，バター（分量外）を塗ったグラタン皿に入れる．

⑤ ベシャメルソースをつくる．

⑥ ④に⑤のソースをかけ，バターをところどころにおき，パルメザンチーズをふって200℃のオーブンで焼く．

■コツ

ソースの濃さがポイントなので，牛乳で調節する．

エ 411 kcal　た 16.8 g
脂 22.1 g　塩 1.8 g

ピザ

Pizza (伊)

●材料（直径22 cm 1枚，2人分）

インスタントイースト	2 g
砂糖	1.5 g
牛乳	40 g
強力粉	50 g
薄力粉	50 g
塩	1 g
オリーブ油	24 g
ピザソース	100 g
モッツァレーラチーズ	120 g
サラミソーセージ（8枚）	24 g
マッシュルーム（薄切り）	10 g
たまねぎ（薄切り）	10 g
ピーマン（薄切り）	10 g

1人分
エ 540 kcal　た 20.2 g
脂 30.0 g　塩 1.2 g

●調理法

① 粉と塩を合わせてふるう．

② 牛乳を70℃にあたためたのち，35℃ほどに冷ます．

③ ボールにイーストと粉，砂糖，牛乳を合わせてよくこねる．5分後にオリーブ油を加え10分ほどよくこねて滑らかな生地にする．

④ サラダ油を薄く塗ったボールに生地を入れ，ぬれぶきんをかけて約1時間，温かい場所で発酵させる．

⑤ ④の生地をガス抜きし，丸めて10分ほど静置する．

⑥ ⑤の生地をめん棒で直径22 cmほどに丸くのばす．

⑦ 生地の上にピザソースを塗り，具を並べ，チーズをのせて200℃で10分焼く．

■参考

イーストは微生物で，中に含まれる酵素の種類は多く，イースト中の酵素の種類と量によって発酵のとき，いろいろな物質ができ，それが生地の風味となる．

138

Sandwiches (英)

●材料（4組，2人分）
食パン（薄切り8枚）……… 240 g
バター……………………… 20 g
｛溶きがらし …………… 3 g
　ロースハム（薄切り2枚）…… 40 g
｛卵（1個）……………… 50 g
　マヨネーズ ……………… 14 g
｛さけ（缶詰）…………… 30 g
　たまねぎ ……………… 5 g
　マヨネーズ ……………… 14 g
｛きゅうり ……………… 100 g
　マヨネーズ ……………… 14 g

1人分
エ 621 kcal　た 18.4 g
脂 33.5 g　塩 2.8 g

●調理法
❶ バターをよく練ってクリーム状にし，2枚1組とした内側にまんべんなく塗る．
❷ 1組については，バターの上に溶きがらしを塗る．丸型のハムは2等分し，切った部分の直線とパンの耳を合わせるようにして並べて挟む（図）．
❸ 卵をかたゆでにして輪切りにする．または粗く刻んでマヨネーズで和える．
❹ たまねぎをみじん切りにし水さらし後水切りし，ほぐしたさけと合わせてマヨネーズで和える．
❺ きゅうりはよく水気を切り，きれいなまな板の上でみじんに切る．ボールに入れて少量の塩をふり，軽く混ぜてしばらくおく．しんなりしてきたら乾いたふきんに包み，きつく絞って水気を取る．マヨネーズで和える．
❻ バターを塗った食パンに具をはさみ，きつく絞ったぬれぶきんに包み，軽く重石をしてなじませる．
❼ 好みの形に切る．

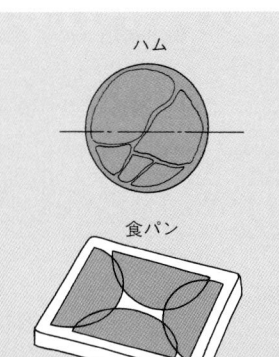

ハム
食パン
ハムの並べ方

■応　用
切りおとしたパンの耳は，少し乾燥させ，おろし金やミキサーを用いて，パン粉にすると無駄にならなくてよい．また，4 cm位に切って揚げてすぐに砂糖をまぶした菓子もできる．

サンドイッチ

Roll sandwiches (英)

●材料（1人分）
食パン（薄切り2枚）………… 60 g
バター……………………… 10 g
きゅうり（1/2本）………… 50 g
レバーペースト（びん詰）…… 10 g

エ 262 kcal　た 5.9 g
脂 13.0 g　塩 1.1 g

●調理法
❶ パンの耳を切り落とし，軽く湿らせたふきんに包んで10分ほどおく．
❷ きゅうりはパンの幅に合わせて細長い拍子木に切る．
❸ パンに薄くバターを塗り，その上にペーストを塗る．きゅうりを芯にして，くるりと巻く．
❹ 軽く湿らせたふきんに包み，しばらくおく．
❺ 食べやすい大きさに切る．

ロールサンドイッチ

第3章●西洋料理　139

実習編 8 Entremets（甘味料理 アントルメ）

[エ] エネルギー　[た] たんぱく質　[脂] 脂質　[塩] 食塩相当量

Blanc manger (仏) ブランマンジェ

●材料（1人分）

- コーンスターチ ………… 6 g
- 砂糖 …………………… 10 g
- 牛乳 …………………… 60 g
- 粉ゼラチン ……………… 1.5 g
- （水 …………………… 8 mL）
- バニラエッセンス ……… 少々
- 黒ぶどうソース
  - 黒ぶどう（巨峰，キャンベル等） 100 g
  - 水 …………………… 40 mL
  - レモン汁 ……………… 3 g
  - 砂糖 ………………… 30 g
  - かたくり粉 …………… 5 g
  - 水 …………………… 20 mL

[エ] 296 kcal　[た] 3.3 g
[脂] 2.2 g　[塩] 0.1 g

●調理法

① 粉ゼラチンを水にふやかしておく．
② 鍋にコーンスターチと砂糖を入れ，少量の冷たい牛乳で滑らかに溶き混ぜる．
③ 残りの牛乳を温めて②に加え，弱火で撹拌しながら煮てでんぷんを糊化する．
④ とろりとしてきたら火からおろし，ふやかしたゼラチンを加えて溶かす．
⑤ エッセンスを加え，水でぬらした型に流し込み，冷やし固める．
⑥ ぶどうを房からはずし，水でよく洗う．
⑦ 鍋にぶどう，砂糖，水を入れて中火にかけ，煮立ったら火を弱めて10～15分煮詰める．
⑧ 水でぬらし，かたく絞ったふきんをボールの上に広げて⑦をこす．こし汁にレモン汁を加える．
⑨ ⑧を弱火にかけ，水溶きかたくり粉を流し込み，濃度をつけてから冷ます．
⑩ ⑤を型から出して，⑨のソースを添えて供する．

■応用
ソースはいちごソース（p.112参照）でもよい．

Glace à l'orange (仏) グラスアロランジュ オレンジシャーベット

●材料（1人分）

- 水 …………………… 100 mL
- 砂糖 …………………… 50 g
- オレンジの絞り汁 ……… 50 g
- レモン汁 ……………… 7 g
- リキュール ……………… 7 g
- 卵白（1/4個分）………… 8 g

[エ] 246 kcal　[た] 1.0 g
[脂] 0 g　[塩] 0 g

●調理法

① 鍋に水と砂糖を入れて中火にかけ，砂糖が溶けたら火を止める．
② ①が冷めたらオレンジの絞り汁，レモン汁，リキュールを加える．
③ 金属製のバットに流し込み，冷凍庫で冷やし固める．
④ ③がみぞれ状に固まったら，スプーンで全体をかき混ぜ，もう一度冷やす．これを3～4回繰り返す．
⑤ 最後にかき混ぜるとき，泡立てた卵白を加えて混ぜ，表面を平らにしてもう一度冷やし固める．

140

Mousse (仏) — 抹茶のムース

●材料（1人分）

- 抹茶 ……………………… 0.7 g
- 湯（60℃）……………… 20 mL
- 粉ゼラチン ……………… 3 g
- 水 ………………………… 13 mL
- 生クリーム ……………… 5 g
- グラニュー糖 …………… 5 g
- 卵白（1個分）………… 36 g
- グラニュー糖 …………… 10 g
- 生クリーム（飾り用）… 15 g
- 砂糖 ……………………… 2 g
- ミントの葉 ……………… 1 枚

エ 176 kcal　た 6.5 g
脂 8.0 g　　塩 0.2 g

●調理法

① ボールに湯を入れ，抹茶を茶こしでふり入れかき混ぜる．
② ふやかしておいたゼラチンを湯煎で溶かし①に加えてよくかき混ぜ，茶こしでこして氷水にあてて粗熱を取る．
③ 別のボールに生クリームを入れ，グラニュー糖を加えて7分立てにする．
④ 別のボールに卵白を入れ，グラニュー糖を少し加えてかき混ぜ，残りのグラニュー糖を2回に分けて加えながら固く泡立てる．
⑤ ③の生クリームに②を2回に分けて加え，さらに④を2回に分けて加えて，ざっと混ぜる．
⑥ 水でぬらした型に流し込み，冷蔵庫で約1時間冷やし固める．
⑦ グラニュー糖を加えた飾り用の生クリームを固く泡だて，好みの口金をつけた絞り袋で小さく絞り出し，その上にミントの葉を飾る．

■参　考

ムースは泡という意味で，ふんわりと口当たりの滑らかなデザート菓子である．

Bavarois (仏) — ババロア

●材料（1人分）

- 粉ゼラチン ……………… 1.2 g
- （水 ……………………… 7 mL）
- 砂糖 ……………………… 10 g
- 卵黄（1/4個分）………… 4.5 g
- 牛乳 ……………………… 50 g
- バニラエッセンス ……… 少々
- 生クリーム ……………… 20 g

エ 170 kcal　た 3.5 g
脂 10.9 g　塩 0.1 g

●調理法

① ゼラチンをふやかしておく．
② 鍋に砂糖と卵黄を入れ，よく混ぜる．ここへ温めた牛乳を加え，軽く火にかけて卵黄の臭味を抜く．
③ ゼラチンを加えて溶かす．
④ バニラエッセンスを加えてから裏ごしする．
⑤ ④を入れたボールを氷水に浮かべ，かき混ぜながら冷やす．
⑥ 別の冷やしたボールで生クリームを泡立てる．
⑦ ⑤が冷えてとろりとしてきたら，そこへ⑥を加えて混ぜる．
⑧ サラダ油を薄く塗ったプリン型に流し込み，冷蔵庫で冷やす．

■応　用

Bavarois Au Chocolat（ババロア オー ショコラ）：基本配合に溶かしたチョコレート15 gを加える．
Bavarois Nesselrod（ババロア ネッセルロード）：砕いたマロングラッセを入れたもの．
Bavarois Au Fraises（ババロア オー フレーズ）：裏ごししたいちごを加えたピンク色のババロアである．

Custard pudding (英)

カスタードプディング

●材料（1人分）

卵（1/2個分）	25 g
砂糖	15 g
牛乳	60 g
バニラエッセンス	少々
無塩バター	少々
カラメルソース	
砂糖	10 g
水	10 mL

エ 177 kcal　た 4.6 g
脂 5.2 g　塩 0.2 g

●調理法

1. プリン型に薄くバターを塗る.
2. カラメルソースをつくり（p.111参照），①に注ぐ.
3. ボールに卵と砂糖を入れてよく混ぜる.
4. 牛乳を温めて③に加え，混ぜ合わせたのち裏ごしし，バニラエッセンスを加える.
5. ②に④を注ぐ.
6. 天板に湯を張り（1 cmの深さ），160℃で15分間蒸し焼きし，さらに余熱で5分間加熱する.
7. 少し冷めてから周囲を竹串で離し，器に取り出す.

■参 考

1. カラメルソースはフランスでは crème renversèe au caramel という.
2. 蒸し器を使用して蒸してもよい. このとき「す」が入らないように，火加減に注意する（p.30 参照）.

■応 用

Coffee pudding（コーヒープリン）

■コツ

プディングのだし（牛乳）の割合は，卵の約2.5倍である.

Gelée porto (仏)・Wine jelly (英)

ワインゼリー

●材料（1人分）

粉ゼラチン	1.5 g
砂糖	10 g
水	45 mL
赤ぶどう酒	10 g
レモン汁	5 g

エ 52 kcal　た 1.3 g
脂 0 g　塩 0 g

●調理法

1. ゼラチンを水にふやかしておく.
2. 鍋に砂糖と水を入れ，火にかけて煮立ったら，ふやかしたゼラチンを加え，溶けたら火からおろす.
3. 粗熱を取り，赤ぶどう酒とレモン汁を加える.
4. 水でぬらした型に流し込み，冷やし固める.
5. 固まったら湯（40℃くらい）に数秒つけて型から取り出し，器に盛る.

■応 用

Geleé café（コーヒーゼリー）

Gelée à la macédoine de fruits (仏)・Fruit jelly (英)

フルーツゼリー

●材料（1人分）

粉ゼラチン	1.7 g
水	50 mL
砂糖	10 g
缶詰の汁	17 g
缶詰の果物（桃，みかん，チェリー等）	20 g

●調理法

1. 缶詰の果物を1 cm角に切る.
2. 小鍋に分量の水を煮立て，砂糖を入れて溶かす.
3. 火を消し，ふやかしたゼラチンを入れて溶かす. 缶詰の汁も入れる.
4. 粗熱を取り，水でぬらしたゼリー型の半分までゼリー液を入れ，冷蔵庫で15分冷やす.
5. 冷蔵庫から出し，果物と残りのゼリー液を流し込み，冷蔵庫で冷やし固める.

エ 75 kcal　た 1.6 g
脂 0 g　塩 0 g

実習編 9 その他の菓子類

エ エネルギー　た たんぱく質　脂 脂質　塩 食塩相当量

Strawberry short cake (英) — いちごのショートケーキ

●材料（18cm径丸型1個, 10人分）

薄力粉	100 g
砂糖	100 g
卵（4個）	200 g
無塩バター	40 g
バニラエッセンス	少々
生クリーム	180 g
砂糖	40 g
バニラエッセンス	少々
いちご	250 g

1人分
エ 227 kcal　た 3.5 g
脂 12.2 g　塩 0.1 g

●調理法

1. 薄力粉を2～3回ふるう．
2. ケーキ型の底と側面に薄く油を塗り，オーブンペーパーを敷く．
3. バターを溶かす．
4. ボールに卵を割りほぐして泡立てる．途中数回に分けて砂糖を加え，よく泡立ててバニラエッセンスを加える．
5. ④に①を加えてさっくり混ぜ合わせ，溶かしバターの上澄みを加えて混ぜる．
6. ケーキ型に流し込み，150℃で30分焼く．
7. 冷めてから横2つに切る．
8. 生クリームに砂糖を加え，氷水で冷やしながら泡立てる．
9. ケーキの切り口にクリームを塗り，薄切りにしたいちごを並べる．上面，側面にもクリームを塗り，上面にいちごを並べて生クリームを絞り出して飾る．

口金の種類

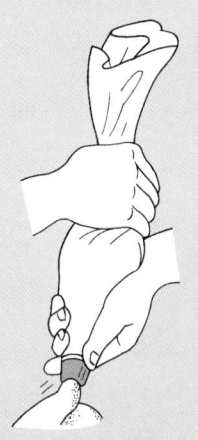

絞り出し袋の持ち方

Cheese cake (英) — チーズケーキ

●材料（18cm径のパイ型1個, 10人分）

グラハムクラッカー（5枚）	100 g
無塩バター	26 g
クリームチーズ	225 g
卵（2個）	100 g
砂糖	50 g
バニラエッセンス	少々
サワークリーム	120 g
砂糖	18 g

1人分
エ 227 kcal　た 3.8 g
脂 16.6 g　塩 0.4 g

●調理法

1. クラッカーを乾いたふきんで包み，めん棒でたたいてつぶしてボールに入れ，室温でもどしたやわらかいバターとよく混ぜる．パイ皿に指で押さえながら均等に敷く．
2. チーズを裏ごしして，砂糖，卵の順に加え，クリーム状になるまでよく混ぜ合わせ，①に流し込む．
3. 180℃で15分焼く．
4. 冷めたら砂糖を加えたサワークリームを上に塗る．再び180℃で5分焼き，切り分ける．

■参　考
グラハムクラッカーは，小麦全粒をやや粗めに砕いた粉を用いて焼いたクラッカーである．

■応　用
冷蔵庫で冷やしてから切り分けてもおいしい．

第3章●西洋料理

スイートポテト Baked sweet potato (英)

●材料（8個分）
- さつまいも（1本） ………… 250 g
- 砂糖 ………………………… 25 g
- バター ……………………… 10 g
- 牛乳 ………………………… 15 g
- バニラエッセンス ………… 少々
- 卵黄（1/2個分） …………… 8 g
- ドリュール
  - ┌ 卵黄 ……………………… 8 g
  - └ みりん …………………… 5 g
- シナモン …………………… 少々

1人分（2個）
- エ 140 kcal　た 1.3 g
- 脂 3.2 g　塩 0.1 g

●調理法
① さつまいもを皮のまま洗い，オーブンで焼く（200℃，30分）．縦に2つに切り，中身をスプーンでくり出し，熱いうちに裏ごしする．皮ははさみで舟形に切っておく．
② 鍋にバターを溶かし，砂糖，牛乳，バニラエッセンスを加え，さらに裏ごししたさつまいもを加え，練りながら煮詰める．好みのかたさになったら卵黄とシナモンを加え，つやよく練り上げる．
③ 舟形にした皮に②を中高に詰め，表面を滑らかにしドリュール（p.111参照）を塗ってオーブンで焼く（160℃，7～10分）．

■コツ
① さつまいもの焼き加減は，竹串が通るようになればよい．
② さつまいもの中身をくり出すとき，皮を破らないようにする．

■参考
カップホイルに絞り出してもよい．ドリュールの代わりに卵白でもよい．

シュークリーム Choux à la crème (仏)

●材料（8個分）
- シューペースト
  - ┌ 薄力粉 …………………… 20 g
  - │ 強力粉 …………………… 20 g
  - │ 水 ………………………… 80 g
  - │ 無塩バター ……………… 33 g
  - │ 砂糖 ……………………… 2 g
  - │ 卵（1個） ………………… 50 g
  - └ 卵白（1個分） …………… 30 g
- カスタードクリーム
  - ┌ 卵黄（2個分） …………… 36 g
  - │ 砂糖 ……………………… 65 g
  - │ 牛乳 ……………………… 250 g
  - │ 薄力粉 …………………… 24 g
  - └ バニラエッセンス ……… 少々

1人分（2個）
- エ 270 kcal　た 6.7 g
- 脂 12.5 g　塩 0.2 g

●調理法
① 粉をふるう．
② 鍋に水，バター，砂糖を入れ，強火にかけて沸騰させる．
③ 粉を入れ，手早く混ぜ合わせる．中火よりやや強めの火で練る．鍋底に薄い膜が少し張るようになったら火からおろす．
④ ③をボールに移し，卵を少しずつ加えて練る（シューペースト）．
⑤ 直径1cmの口金をつけた絞り袋にペーストを入れ，天板に直径5cmほどに絞り出す（図）．
⑥ 表面に分量外の溶き卵を刷毛で塗り，上をフォークで軽く押さえて形を整える（図）．
⑦ 200℃で15分ほど焼き，そのまま5分ほど保温する．
⑧ 熱いうちにクリームを入れる口を切っておく．
⑨ カスタードクリームをつくる．バニラエッセンス以外の材料を合わせ，かき混ぜながら弱火で加熱，粘ったら火からおろし，バニラエッセンスを加える．これを絞り袋に入れ，シュー皮に入れる．

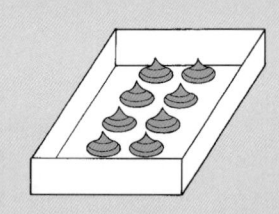

間隔をあけて天板にペーストを絞り出す

フォークで軽く押える

Bûche de Noël (仏)

●材料（25cm 角天板1枚, 10人分）

ロールケーキ
- 卵（3個） …………… 180 g
- 砂糖 ………………… 100 g
- 薄力粉 ……………… 70 g
- ココア ……………… 10 g
- 牛乳 ………………… 15 g

クリーム（ロールケーキ1本分）
- 生クリーム ………… 120 g
- 砂糖 ………………… 20 g
- バニラエッセンス …… 少々
- ブランデー ………… 5 g
- ココア ……………… 10 g
- 熱湯 ………………… 10 mL

飾り用
- 粉砂糖 ……………… 少々
- ひいらぎの小枝 …… 2本

1人分
- エ 155 kcal　た 3.1 g
- 脂 7.0 g　塩 0.1 g

●調理法

〈ロールケーキ〉

① オーブンを温めておく．天板にサラダ油を薄く塗り，周囲が少しはみ出る大きさのオーブンペーパーを敷いておく．

② 小麦粉とココアを合わせ，2回ふるいにかけておく．

③ 卵黄と卵白を分け，別々のボールに入れる．

④ 卵黄に砂糖の1/2量を加え，2分ほど泡立てる．

⑤ 卵白を泡立て，残りの砂糖を数回に分けて加える．

⑥ ⑤に④を加え，よく混ぜる．

⑦ ⑥に②を一度に加え，軽く混ぜ合わせる．

⑧ ⑦に牛乳を混ぜる．

⑨ オーブンペーパーを敷いた天板に⑧を注ぎ入れ，平らにならす．180℃で7～8分焼く．

⑩ 冷めてから紙をはがし，クリームを全体に塗り，ロールに巻き，ふきんで包んで形を整える．

〈クリーム〉

① ココアを湯で溶く．

② ボールに生クリーム，砂糖，バニラエッセンス，ブランデー，ココアを入れ，氷水で冷やしながら泡立てる．

〈仕上げ〉

① ロールケーキを丸太に見立て，両端を斜めに切り落とし，木株のように残った切り端を上にのせ，全体にクリームを薄く塗る．

② 残りのクリームを絞り袋に入れ，全体に樹の皮の模様に絞り出す．またはフォークで樹皮のように筋を入れてもよい．

③ 雪のように粉砂糖をふり，ひいらぎの小枝をあしらう．

■参考

クリスマス用につくられるケーキである．キリスト教国では太くて長い薪を燃やして，短くなるのをみながら夜明け，すなわちキリストの誕生を心待ちすることから，クリスマス用ケーキとされる．

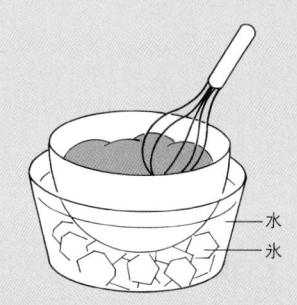

生クリームの泡立て（水／氷）

ブッシュドノエル

第3章●西洋料理　145

Apple plain pie crust (英)

アップルパイ

● 材　料(20cm径のパイ皿1枚, 10人分)

パイ生地
- 薄力粉……………………… 120g
- 強力粉……………………… 80g
- 無塩バター………………… 150g
- 冷水………………………… 60g

中身
- りんご (紅玉) …………… 700g
- 砂糖………………………… 150g
- シナモン…………………… 1g
- レモン汁…………………… 30g

卵白 (1/2個分) …………………15g

ドリュール
- 卵黄………………………… 16g
- みりん……………………… 10g

1人分
- エ 282kcal　た 2.3g
- 脂 12.3g　塩 0g

● 調理法

❶ 薄力粉と強力粉を合わせ, 2回ふるう.

❷ ①の中にバターのかたまりを入れ, スケッパーまたはフォークで1cm角くらいに細かく切り込む. 冷水をふり込んで軽くまとめ, ぬれぶきんに包んで冷蔵庫で1時間ほど休ませる.

❸ 打ち粉をしてめん棒でのばし, 3つ折りにし, 向きをかえてのばし, また3つ折りにする. これを3～4回繰り返して層をつくる.

❹ 生地を3mmの厚さにのばしてパイ皿の上にのせ, よく落ち着かせて縁の余分な生地を切り落とす. 残りの生地はひとまとめにして再びのばし, パイ皿の大きさに切っておく.

❺ りんごは4つ割りにして皮と芯を取り, 厚めのいちょう切りにする.

❻ 鍋に入れて砂糖を全体にまぶし, レモン汁を加えてゆっくりとやわらかく煮汁がなくなるまで煮る. 冷ましてからシナモンを入れる.

❼ 冷やした④の生地の上にりんごを平らに広げてのせる.

❽ ⑦の生地の周囲に卵白を塗り, パイ皿の大きさに切っておいた残りの生地を⑦の上にのせる.

❾ 空気抜きに十文字の切り込みを入れ, 表面にドリュール (p.111参照) を塗る.

❿ 200℃で10分, 続いて180℃で20分焼く.

■ 応　用

❶ バターをクリーム状に練ってこねた小麦粉の生地と重ね合わせてのばす折り込みパイの方法がある.

❷ パイの成形・仕上げの方法として, dartois, mille feuille, palmiers, リーフパイなどがある.

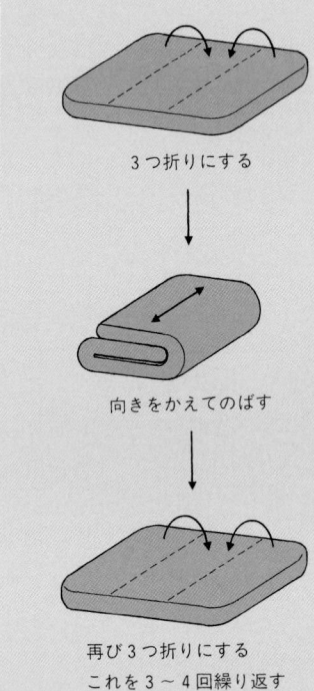

3つ折りにする

向きをかえてのばす

再び3つ折りにする
これを3～4回繰り返す

パイ生地ののばし方

十文字の切り込み

パイ生地を小さく切ってはりつける

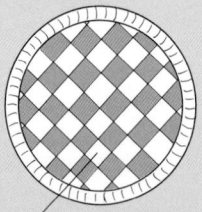

リボン状に切ったパイ生地を二段位積み上げパイバサミでおさえる

下に敷いて残ったパイ生地をリボン状に切って周囲と上の飾りにする

■ 参　考

ドリュールのかわりに卵白でもよい.

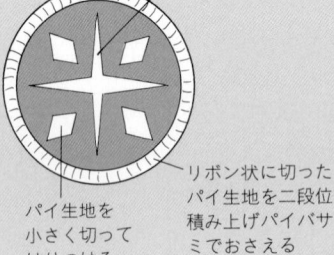

Cookie (英)

クッキー〈型抜き〉

●材　料（天板1枚分，約20個分）

薄力粉	100g
ベーキングパウダー	3g
砂糖	50g
バター	25g
卵（1/2個分）	25g
バニラエッセンス	少々
ドリュール	
卵黄	8g
みりん	5g
グラニュー糖	18g

1人分（5個）
- エ 217 kcal　た 3.0 g
- 脂 6.1 g　塩 0.3 g

●調理法
1. 薄力粉とベーキングパウダーを合わせ，2回ふるう．
2. ボールにバターを入れ，クリーム状になるまで撹拌する．
3. ②に砂糖を加えて撹拌する．さらに卵とバニラエッセンスも加える．
4. ③に①を加え，軽く混ぜ合わす．
5. 乾いたまな板の上にのせ，めん棒で4mm厚にのばし，型で抜く．上面にドリュール（p.111参照）を塗る．
6. グラニュー糖をふりかけ，オーブンで160℃，12分焼く．

■参　考

この材料で径4.5cmの丸型クッキーが20個（4人分）できる．

ドリュールのかわりに卵白でもよい．

クッキー〈絞り種〉

●材　料（天板1枚分，約20個分）

薄力粉	100g
ベーキングパウダー	3g
バター	50g
砂糖	50g
卵（1/2個分）	25g
牛乳	20g
バニラエッセンス	少々
ピーナッツ	10g

1人分（5個）
- エ 251 kcal　た 3.5 g
- 脂 11.6 g　塩 0.4 g

●調理法
1. ①②までは，型抜きクッキーに同じ．
2. ②に砂糖を加えて撹拌する．さらに卵，牛乳とバニラエッセンスを入れて撹拌する．
3. ③に①を加え軽く混ぜ合わせる．細かく刻んだピーナッツを混ぜる．
4. 油を薄く塗った天板に，好みの型に絞り出す．
5. オーブンで170℃，6〜7分焼く．

■応　用

ピーナッツのかわりに干しぶどうを使うことができる．干しぶどうの場合は，ぶどう酒でやわらかくもどしてから細かく刻む．

第3章●西洋料理

実習編 10 飲物

エ エネルギー　た たんぱく質　脂 脂質　塩 食塩相当量

コーヒー

Coffee（英）

●材　料（1人分）

コーヒー	10 g
熱湯	150 mL
砂糖	3 g
生クリーム	5 g

エ 38 kcal　た 0.2 g
脂 2.0 g　塩 0 g

●調理法

❶ こし袋またはこし器にコーヒーの粉を入れ，表面を平らにならす．上から熱湯を少しずつ注ぐ．浸出液は下にセットした容器に受ける．

❷ 温めたカップにコーヒー浸出液を注ぎ，好みで砂糖，生クリームを加える．

■参　考

豆の挽き方はいれ方に応じて選ぶ．
細挽き：エスプレッソ用
中挽き：ドリップ式，サイフォン式，カリタ式
粗挽き：パーコレーター式，ボイル式

紅茶

Black tea（英）

●材　料（1人分）

紅茶	3 g
熱湯	150 mL
砂糖	3 g
レモン薄切り	1 枚

エ 18 kcal　た 0.2 g
脂 0 g　塩 0 g

●調理法

❶ ティーポットとカップに熱湯を入れて温めておく．

❷ ティーポットの湯を捨て，紅茶を入れ，沸騰した熱湯を一気に注ぎ，2〜4分浸漬する．

❹ 温めたカップにこし入れ，レモンの薄切りを添える．

❺ 好みの量の砂糖を入れる．

■参　考

ミルクティー（英国式）は，茶葉の量をやや多くして濃い目にいれる．牛乳はあらかじめ温めておいたものを用いる．

ココア

Cocoa（仏）

●材　料（1人分）

ココア（小さじ山盛り2杯）	5 g
牛乳	180 g
砂糖（大さじ2杯）	18 g

エ 199 kcal　た 6.1 g
脂 7.3 g　塩 0.2 g

●調理法

❶ 小鍋に牛乳と砂糖を入れて火にかける．温まってきたらココアを入れ，泡立て器で手早くかき混ぜる．

❷ 鍋一面に小さくきれいな泡が立ったら，温めたカップに注ぎ，泡の消えないうちに供する．

Fruits punch (英)

フルーツポンチ

●材　料（1人分）

りんご	20 g
みかん	20 g
バナナ	30 g
パイナップル（缶詰）	30 g
シロップ	50 g
┌ 水	20 mL
└ 砂糖	40 g
缶詰の汁	50 mL
炭酸水	100 mL

エ 228 kcal　　た 0.4 g
脂 0.1 g　　塩 0 g

●調理法

❶ りんごは皮をむいて芯を取り，7 mm厚に刻む．
❷ みかんは房をバラバラにはずし，薄皮をむく．
❸ バナナは皮をむいて7 mm厚に刻み，レモン汁をかけておく．
❹ パイナップルは一口大に切る．
❺ ガラス鉢に果物を入れ，缶詰の汁とシロップと炭酸水を注ぎ入れてよく混ぜる．冷蔵庫で数時間よく冷やす．

第4章——中国料理

　中国料理は中国大陸に発達した料理の総称で，広大な領土と複雑な風土や気候，そこに生活する多種類の民族とそれぞれの独特な習慣などの相違により地域ごとに特徴ある料理が発達し，北京料理(ペイチン)，広東料理(クゥントン)，四川料理(スーチュェン)，上海料理(シャンハイ)などがある．

　中国料理の特徴は，

①生食が少なく，炒める，揚げるなどの油脂を用いた高温加熱調理が多いこと，

②でんぷんでとじることにより食品の持ち味を逃さず，油のしつこさを緩和していること，

③多彩な調味料や香辛料の使用によって，甘，鹹(かん)，酸，辛，苦の五味をうまく調和させていること，

④乾物や発酵食品などの特殊材料が使用されること，などである．

　また，調理器具の点からみると，中華鍋1つで多くの操作をこなす合理性をもっている．

　供食方法からみると，1つの大皿に盛り付けられた料理を各自が取り分けるので，人数にこだわらなくて済み，しかも1皿の料理の分量を増やさなくても品数で調整できるので合理的である．

　なお，本章での中国語の読み方は，『中日辞典』（小学館）を基にしている．

基礎編 1 中国料理の形式と作法

1）中国料理の種類とその特徴

北方系料理：首都，北京を中心に発達し，宮廷料理を軸に，地方の官吏が上京した際に持ち込んだ地方料理と北方地方独自の伝統料理とが融和してでき上がった料理である．その代表が北京料理である．寒さが厳しいため，油を多く使用し，濃厚で甘味が少なく塩味の強い料理が多い．めんや粉料理が発達している．代表的料理に北京烤鴨（ベイチンカオヤー）（あひるの丸焼き），醬爆鶏丁（チャンパオチーティン）（鶏肉のみそ炒め）などがある．

東方系料理：上海料理に代表される．上海（シャンハイ），蘇州（スウチョウ），南京（ナンキン）など楊子江（長江）下流地域に発達した料理で，気候が温暖で中国一を誇る米作と農作物，河や湖からとれる豊富な魚介類を中心にした料理が多い．しょうゆと砂糖をよく使い，日本人の嗜好に合う．代表的料理に紅燒魚翅（ホンシャオユーチー）（魚の鰭のしょうゆ煮込み），西湖醋魚（シーフウツーユー）（揚げ魚の甘酢あんかけ），東坡肉（トンプオロウ）（豚肉の角煮）などがある．

南方系料理：広州（カンチョウ）（広東（クントン））から福州（フーチョウ）（福建（フーチエン））の海沿いにかけて発達した料理で，亜熱帯性気候によって生まれる豊富な材料と，早くから開けた外国との交流によりもたらされたトマトケチャップやパン，牛乳などの洋風材料を用いた多彩な料理があり，全体に油，調味料などが控えめであっさりして上品である．また世界各地に進出している華僑はこの地方の出身者が多いので，「食は広州にあり」といわれ，世界的に親しまれている．代表的料理に古滷肉（クルウロウ）（酢豚），八宝菜（パーパオツァイ）（五目うま煮），芙蓉蟹（フーロンシェ）（かに玉）などがある．

西方系料理：長江上流の四川（スーチュェン），雲南（ユインナン），貴州（クイチエイ）などの内陸山岳地帯に発達した料理で，代表的な料理は四川省の成都を中心に発達した四川料理である．海から遠く離れ，また岩塩が豊富なため，漬物などの食品の貯蔵法が発達し，また寒さが厳しいため，とうがらしやにんにく，ねぎなどの香辛料のきいた料理が多い．代表的料理に麻婆豆腐（マーボートウフウ）（豆腐と挽肉のとうがらしみそ炒め煮），棒棒鶏（パンパンチー）（鶏肉のとうがらしごま和え），回鍋肉（ホイクォロー）（豚肉とキャベツのみそ炒め），干燒蝦仁（カンシャオシャーレン）（えびの辛味炒め）などがある．

2）中国料理の様式と献立

（1）家庭食・日常食（家常食（チアチャン））

朝食（早飯（ツアオファン））：白粥を中心に炒菜（チャオツァイ）や醃菜（イエヌツァイ）が添えられることが多い．

昼食（午飯（ウーファン））：麺（ミェン），包子（パオツ），餃子（チャオツ）などの点心が主に食べられる．

夕食（晩飯（ワンファン））：湯菜（タンツァイ），炒菜（チャオツァイ），煨菜（ウエイツァイ）など2～4品が多く，白粥や飯が添えられる．

（2）宴席（筵席（イエンシー））

料理店や家庭において，食事に人を招く際の様式である．

（3）飲茶（ヤムチャー）

中国の南方では家庭や茶館（チャークワン）において餃子（チャオツ）などの点心をお茶とともに飲み食べる習慣をいう．時間によって早茶（ツアオチャー），午茶（ウーチャー），晩茶（ワンチャー）という．

3）中国料理の食事作法

広大な大陸と複雑な風土のもとに発達したので，厳然とした統一的なものは見られないが，宮廷料理を中心に今日見られる宴席料理を中心に説明する．

（1）席の座り方（按席（アンシー））

一般に北方，左方を上座とするが，入口より遠いほうに香炉をのせた香壇を置いて上座とし，入口についたてを置いて下座とする．1席が2卓以上のときは入口から左側を上席とする．卓には方卓と円卓があり，円卓は8人または12人を単位とするが，人数の増減に融通がきく．上座から主賓が座り，下座に主人が座る（図4-1）．

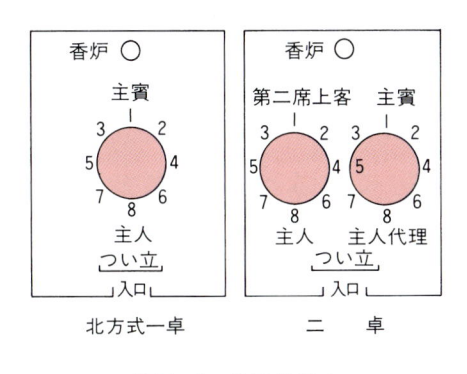

図4-1　席の決め方

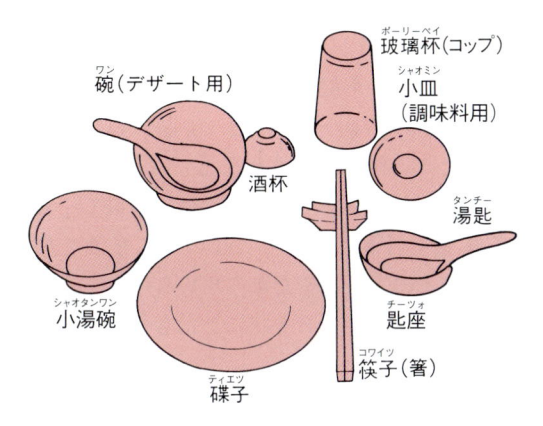

図4-2　1人分の食器配置（P.156参照）

（2）食卓の整え方

中国料理の供卓法は，料理を大皿盛りにして取り分けて食べるため，取り分ける食器類を1人分ずつ準備する．1人分の食器の種類と配置は完全に決まっていないが，一般的なものを図4-2に示す．そのほか，しょうゆ，酢，からし，こしょう，ラー油などの調味料や菜単を卓の中央に並べておく．

（3）献立（菜単）とその書き方

献立のことを菜単という．そのほか菜単子，食単，菜譜，食譜ともいう．単はカード状のもの，譜は綴り状のものをいう．献立の内容は冷葷（前菜），大菜または大件（主要料理）に大別されるが，どちらも品数は偶数にする．中国では陰陽思想により奇数は忌み嫌われる．献立の書く順序は，一般的には前菜，主要料理，点心の順である．大菜は熱菜料理6～10皿が普通である．燕の巣，ふかひれなど，格の高い材料が用いられる．姿のままの魚料理は最後に出る．湯菜は主要料理の中で出る汁気の多い料理とは別である．主食は出ない場合もあり，出されても献立表に載せないこともある．

（4）テーブルマナー（中国料理）

① 定刻より早めに到着する．
② 招客が席についたら盃に酒を注ぎ，主人が立って盃を上げて挨拶をして開卓する．
③ 大皿に盛られた料理が運ばれてきたら主人が先に箸を入れて取り分け，「どうぞ」（請々）といって客にすすめる．客は主賓の前から回すほうがよい．
④ 取り分ける量はだいたいでよいが，人数割りして全員にいきわたるように取り分け，取ったのち必要なら見苦しくない程度に形を整える．
⑤ 回し台が用いられている宴席では，他の人が取り分けていないか，また取り箸や取りスプーンがコップや食器に当たらないかを確かめてから回す．
⑥ 取り皿が汚れていたら取りかえる．主人も常に気をつけて言葉をかける．
⑦ 特別な食べ方を必要とする料理は，主人が「ご存じでございましょうが」といって説明する．
⑧ 席上では政治や宗教，人の噂や批判はしないこと．また高笑いや口論も慎む．
⑨ 大菜が終りに近づくと主人が酒を勧めるが，酒が十分であることを告げると，ご飯，漬物，点心などが出される．
⑩ 食事が終ると主客が感謝を述べて先に退出し，その後で他の人が帰る．

基礎編 2 中国料理の材料と食器・調理器具

1）中国料理の材料

（1）食材料

燕窩（イエヌウオ）：燕の巣．南方の海岸の絶壁にかけた巣を取るのは危険を伴うので，非常に貴重で高価である．4時間ぐらい水でもどしてからスープと酒の中で蒸してスープの実にする．

魚翅（ユーチー）：ふかやさめの背びれ，尾びれ，胸びれなどを乾燥させたもの．燕の巣についで高価．家庭用には一度さらしてほぐし，乾燥させた翅餅（チーピン）（さらしびれ）が扱いやすい．

海参（ハイシェヌ）：きんこといい，なまこの干したもの．黒いものほど上等で炒菜や酢の物，煮込みに用いる．ぬるま湯で柔かくしてから，縦に包丁を入れて腹わたをとり除く．再び，柔かく戻して調理に用いる．

乾貝（カンペイ）：干し貝柱．ほたて貝や平貝の貝柱を干したもの．浸る程度の熱湯に30分ほど漬けて漬け汁ごとゆでる．ほぐして用いる．漬け汁もよいだし汁になる．

乾鮑（カンパオ）：干しあわび．微温湯に浸してもどし，歯ざわりのよい状態で前菜や炒め物に用いる．

海蜇（ハイチェ）：塩くらげ．食用くらげの傘を塩とみょうばんで漬け込んだもの．4時間ぐらい塩出しし，歯切れをよくするため，水で洗ってさっと40〜50℃の湯を通してすぐ冷水に取る．

蝦米（シャミー）：干しえび．水洗いして湯につけて用いる．つけ汁はスープなどに利用する．

皮蛋（ピータン）：あひるの卵の灰漬．かん水，草木灰，塩などを泥に混ぜ合わせたものをあひるの卵に1cm厚みぐらいに塗り，籾がらをつけて密閉保存したもの．

木耳（ムーアル）：きくらげ．水でもどして酢の物，炒め物などに用いる．こりこりした歯ざわりが喜ばれる．

銀耳（イヌアル）：白きくらげ．

その他：よく使われる材料を表4-1に示した．

（2）調味料

醤（チャン）：米，麦，豆などを麹で発酵させ塩を混ぜた調味料で，日本の味噌に似ている．

醤油（チャンヨウ）：醤を絞ったもので，日本のしょうゆに似ている．

糖（タン）：砂糖

醋（ツー）：酢

豆板醤（トウバヌチャン）：とうがらしみそ．四川料理独特の調味料で辛味が好まれる．

辣椒醤（ラーチャオチャン）：とうがらしソース．とうがらし，酢，砂糖，こしょうを混ぜたもの．

甜麺醤（テンミェンチャン）：甘味の練りみそ．春餅にねぎとともに塗ったり，和え物に用いる．

豆鼓（トウシ）：みそ納豆で，日本の浜納豆に似ている．

芝麻醤（チーマーチャン）：日本のあたりごまに，ごま油を加えたようなもの．薬味やたれに用いる．

蘇梅醤（スウメイチャン）：梅をペースト状にしたもの．北京ダックなどにつける．

蛎油（リーヨウ）：オイスターソース．かきの煮汁を濃縮し，調味料，香辛料を加えたものである．独特の風味がある．

猪油（チュウヨウ）：ラード（豚脂）

牛油（ニウヨウ）：ヘット（牛脂）

黄油（ホアンヨウ）：バター

芝麻油（チーマーヨウ）：ごま油

辣油（ラーヨウ）：ごま油にとうがらしを入れて熱し，辛味を移したもの．餃子（チャオズ）に欠かせない．

（3）香辛料

胡椒（フーチャオ）：こしょう

胡椒塩（フーチャオイエン）：こしょうと塩を空煎りする．

八角（パーチャオ）：大茴香（ターホエイシャン）の実で八本の角が出た形をしている．

花椒（ホアチャオ）：さんしょう

丁字（丁香）（ティンツ／ティンシャン）：クローブ．丁字の花のつぼみを乾燥させたもの．肉料理などに用いる．

陳皮（チェンピー）：みかんの皮を乾燥して粉末にしたもの．

桂皮（クイピー）：肉桂の皮（シナモン）

五香粉（ウシャンフェン）：八角・花椒・丁字・陳皮・桂皮を粉

表4-1 中国料理で使われる一般材料の中国名

分類	材料名	中国名	分類	材料名	中国名	分類	材料名	中国名
野菜類	ほうれんそう	菠菜(ブォツァイ)	野菜類	にんにく	大蒜(ターツァン)	魚介類・海産物	しじみ	蜆(シャン)
	キャベツ	巻心菜(チュアンシンツァイ)		にんにくの芽	蒜苗(ツァンミャオ)		魚の切り身	魚片(ユービェン)
	はくさい	白菜(バイツァイ)		にら	韮菜(チュウツァイ)		刺身	生魚片(スンユービェン)
	レタス	生菜(ションツァイ)		ごま	芝麻(チーマー)		はんぺん	魚腐(ユーフー)
	カリフラワー	花菜(ホワツァイ)	卵類	うずらの卵	鵪蛋・鶉蛋(アムタン・チュンタン)		こんぶ	海帯(ハイタイ)
	だいこん	蘿蔔(ロウボウ)		あひるの卵	鴨蛋(ヤータン)		のり	紫菜(チーツァイ)
	にんじん	胡蘿蔔(ホウロウボウ)		はとの卵	鴿蛋(コウタン)		するめ	魷魚(ユーユー)
	きゅうり	黄瓜(ホワングア)		鶏卵	鶏蛋(チータン)		えびのすり身	蝦泥(シャーニイ)
	トマト	番茄・西紅柿(ファンチェ・シーホンシー)	魚介類・海産物	あじ	竹筴魚(ツーツェユー)		魚のすり身	魚泥(ユーニイ)
	なす	茄子(チアツー)		いわし	沙丁魚(シャティンユー)		干物	羹(コン)
	ピーマン	青椒(チンホア)		さば	青花魚(チンホアユー)	肉類と加工品	豚肉	猪肉(チーロー)
	とうがらし	辣椒(ラーチャオ)		さんま	青串魚(チンチワンユー)		骨付き豚バラ肉	排骨(パイクー)
	しいたけ	香菇・冬菇(シャンクー・トンクー)		たい	鯛魚・大頭魚(ライヤオユー・ダートウユー)		ロース肉	裡背・里背(リイジイ・リイジイ)
	花しいたけ	花菇(ホアクー)		ひらめ	比目魚・柳魚・板魚(ビームーユー・リューユー・バンユー)		牛肉	牛肉(ニューロー)
	洋まつたけ	口蘑(コウモウ)					馬肉	馬肉(マーロー)
	ふくろだけ	草菇(ツァオクー)		かれい	鰈魚(テイユー)		羊肉	羊肉(ヤンロー)
	さつまいも	地瓜(テイクオ)		しらうお	銀魚(イヌユー)		兎肉	兎肉(トロー)
	さといも	芋頭(ユイトウ)		ぼら	鯔魚(ツーユー)		食用がえる	田鶏(テイエンチー)
	じゃがいも	土豆・馬鈴薯(ツイドウ・マァリンシュウ)		たちうお	帯魚(タイユー)		鶏肉	鶏肉(チーロー)
	たまねぎ	洋葱(ヤンツオン)		まぐろ	鮪魚(ユウユー)		ひな鶏	嫩鶏・鶏仔(ナムチー・チーツー)
	ねぎ	葱(ツオン)		たら	大口魚(ターコウユー)		鶏手羽先	鶏翅(チーチイ)
	わけぎ	香葱(シャンツオン)		大正えび	対蝦(トイシャ)		鶏胸肉	鶏脯(チーブ)
	かぼちゃ	南瓜(ナングア)		しばえび	青蝦・蝦仁(チンシャ・シャーレン)		うずら	鵪鶉(アムチュン)
	とうがん	冬瓜(トングア)		伊勢えび	龍蝦(ロンシャ)		鴨	野鴨(イエーヤー)
	すいか	西瓜(シークア)		小えび	毛蝦(マオシャ)		あひる	家鴨(チャーヤー)
	とうもろこし	玉米(ユーミー)		車えび	明蝦(ミンシャ)		若あひる	鴨子(ヤーツー)
	アスパラガス	芦笋(ルースン)		かに	蟹粉(シェフェン)		豚肉でんぶ	肉鬆(ローソウ)
	たけのこ	筍子・冬笋・竹笋(スンツー・トンスン・チュスン)		たこ	章魚(チャンユー)		塩漬け肉	腌肉(エンロー)
	れんこん	蓮藕(レンオウ)		いか	墨魚(モーユー)		鶏内臓	鶏雑(チーツァイ)
	ごぼう	牛蒡(ニウボウ)		うに	海栗(ハイリー)		鶏肝	鶏肝(チーカン)
	ゆり根	百合(バイホー)		すっぽん	甲魚(チアユー)		豚肝臓	猪肝(チューカン)
	グリンピース	青豆(チントウ)		なまず	鮎魚(シェヌユー)		牛肝臓	牛肝(ニウカン)
	いんげん	扁豆・菜豆(ビェントウ・ツァイトウ)		こい	鯉魚(リーユー)		腎臓	腰子(ヤーツー)
	えんどう	豌豆(ワントウ)		うなぎ	鰻魚(マンユー)		腸	腸(チャン)
	豆もやし	豆芽菜(トウヤーツァイ)		ふな	鯽魚(チーユー)		牛の舌	牛舌(ニウショウ)
	そら豆	蚕豆(ツァントウ)		はまぐり	蛤蜊(コウリー)		中国ハム	火腿(ホートイ)
	枝豆	毛豆(モウトウ)		かき	蠔蜊・生蠔(ハオリー・スンハオ)		ベーコン	腊肉(ラーロー)
	さやいんげん	鞭豆(ビェントウ)		あさり	海蜆(ハイシャン)		ソーセージ	香腸(シャンチャン)
	大豆	大豆・黄豆(ダートウ・ホアントウ)		さざえ	香螺(シャンレイ)	果実類	りんご	蘋果・苹果(ピンクワ・ピンクワ)
	しょうが	薑(姜)(ジャン)		くらげ	海蜇(ハイチェ)		みかん	桔子(テイツー)

(表4-1 つづき)

	材料名	中国名
果物類	かき	柿子(シーツ)
	びわ	枇杷(ビーパー)
	れいし	荔枝(ライチー)
	ぶどう	葡萄(プータオ)
	なし	梨(リー)
	もも	桃(タオ)
	いちご	草莓(ツァオメイ)
	パインアップル	鳳梨・菠蘿(フォンリー・ポーロー)
	バナナ	香蕉(シャンヂャオ)
	パパイヤ	木瓜(ムークワ)
	いちじく	無花果(ウーホアクオ)

	材料名	中国名
果物類	あんず	杏子(シンツ)
	うめ	梅子(メイツ)
	さくらんぼ	桜桃(インタオ)
	くるみ	核桃・胡桃(フータオ・フータオ)
加工品	豆腐	豆腐(トウフー)
	豆乳	豆漿(トウヂャン)
	ゆば	(豆)腐皮(トウフーピー)
	うの花	豆腐渣(トウフーチャ)
	はるさめ	粉条・粉糸(フェンティヤオフェンスー)
	ビーフン	米粉(ミーフェン)
	もち米	糯米(ヌオミー)

	材料名	中国名
加工品	めん	麺条・糕条(ミエヌティヤオ・コウティヤオ)
	かたくり粉	淀粉(ティエンフェン)
	小麦粉	麺粉(ミエヌフェン)
	パン	麺麭(ミエヌパオ)
	包子生地	老麺(ラオミエヌ)
	トースト	烤麺麭・吐司(カオミエヌパオ・トースー)
	かんぴょう	干瓜(カンクワ)
	干したけのこ	干筍(カンスン)
	干し甘草	金針菜(チンツェンツァイ)
	ザーサイ	榨菜(ザーツァイ)

末にして混ぜ合わせたもの.
　花椒塩(ホアチャオイエン)：さんしょうと塩を空煎りする.
　桂花(クイホア)：もくせいの花を陰干ししたもの.
　芥末(チエモー)：芥子粉

2）中国料理の食器

中国料理で使用される食器には，料理を盛る大皿と1人ずつ取り分ける小型のものがある．また材質には陶器製と銀製があり，銀製は品があり優雅であるが，価格の点から陶器製が多い．

（1）食器の種類
　飯碗(ファンワン)：ご飯茶碗
　小湯碗(シャオタンワン)：スープや汁気の多い料理を取り分ける小型の椀形器．
　碟子(ティエツ)：銘々皿．
　味碟(ウェイティエ)：好みで調味料を入れる皿．
　湯碗(タンワン)：湯菜（めん類）などを入れる深めのどんぶり．
　筷子と筷子架(コワイツとコワイツチア)：箸と箸置き．箸は日本の箸より長く，先が丸く太い．
　湯匙または匙子と匙座(タンチーまたはチーツとチーツオ)：さじとさじ置き．陶製．
　茶盅(チャーチュウ)：茶飲み茶碗．
　盤子(パンツ)：大皿．汁気の少ない料理を盛り付ける平皿．
　盆子(ペンツ)：円形，六角，八角などの台付き皿．
　長円盤(チャンエンパン)：楕円型の大皿．魚料理を姿のまま出すことができる．魚を盛る魚盤もある．
　海碗(ハイワン)：鶏，鴨などを丸ごと盛る深い円形，楕円形，角形の皿．
　深菜盤または蓋碗(シエンツァイパン)：スープ用鉢．
　高脚銀盆(カオチヤオイヌペン)：銀製脚付き皿．冷菜や冷菓用など．

（2）食器のデザイン・形
　双喜：喜を2つ並べ（囍），めでたさを表し，祝い事，特に結婚式に用いられる．
　蜘蛛の巣：囲の図で魔除けのしるし．幸福にあやかるとされている．
　竜と鳳凰：竜は皇帝の紋章，鳳凰は皇后の紋章で，高貴さを表す．
　蝙蝠(ビエンフー)：こうもり．蝠は福の音に通じることから，幸福を招くとのいい伝えによる．
　八角形：八卦を型取ったもので，魔除けの意．
　その他：六角形，雲形などがみられる．

3）調理器具

調理器具は数が少なく，単純で合理的である．
　切菜板(チエツァイパン)：まな板．けやきや松の大木を輪切りにしたもの．丈夫で使いやすい．
　菜刀(ツァイタオ)：包丁．野菜の細かな飾り切りから骨付き肉のたたき切りまでこの1本で行う．
　北京鍋(ペイチンクォ)：中華鍋（片手鍋）．
　耳鍋(アルクォ)：中華鍋（両手鍋）
　鉄鏟(ティエチャン)：鉄製へら．材料を混ぜたり形を整えた

156

り裏返したりする.

鉄勺(テイエシャオ)：鉄製玉じゃくし．汁を移したり，炒めたり，調味料をはかったり，盛り付けたりする．

炸鏈(チャリエン)：大型穴じゃくし．中華鍋より一回り小さく，揚げ物を一度にすくうことができる．

蒸籠（篭）(チョンロン)：湯を沸かした中華鍋の上にのせて使う中華式蒸し器．蓋はあじろ編みになっているので蒸気が逃げることができ，水滴が落ちない．何段でも重ねられる．飲茶用または点心用に小型のものもある．

火鍋(フォクォ)：鍋とこんろを兼ねた卓上鍋．中央の煙突に燃料を入れ，周囲の凹部に汁を熱して材料を煮る．

基礎編 3 中国料理名の成り立ち

中国料理名はだいたい4文字で構成されている．例外的に2字，3字，5字，6字のものもあるが，料理名の由来の原則を知っておけば中国料理名を理解しやすい．料理名の構成の原則には次のようなものがある．

1）基本的な組合せ

基本的には4文字の中に調理方法，材料名，切り方（形状），調味料，香辛料などが組み込まれている．

材料＋材料：青豆蝦仁(チントウシャレン)（青豆としばえびを用いた料理）など．

調理法＋材料：炒飯(チャオファン)（ご飯を炒めたもの）など．

調理法＋材料＋切り方（形状）：乾炸魚片(カンチャユービェン)（薄切り魚の衣揚げ）など．

材料＋切り方（形状）：青椒肉糸(チンチャオロースー)（ピーマンと豚肉を細切りにして料理したもの）など．

調味料＋材料：蕃茄牛腩(ファンチャニウナン)（牛バラ肉のトマト煮）など．

調味料＋調理法＋材料＋形状：醋溜丸子(ツーリウワンツ)（肉団子の甘酢あんかけ）など．

香辛料＋材料：辣汁芹菜(ラーチーチンツァイ)（セロリーの辛味和え）など．

その他：調理器具が組み込まれたもの．什錦火鍋(シーチンフォクォ)（種類の多い寄せ鍋）など．

2）特殊な組合せ

4文字の中に地名や人名が織り込まれたもの，故事にちなんだもの，出来上がりの形状や状態を形容した言葉，数（材料の種類）・色・めでたさを表現した言葉などが織り込まれたものなど多彩である（表4-2）．

表4-2　中国料理名の特別な組合せ

分類	語	説明
数字を組み込んだもの	一品（イーピン）	最高の料理の意．清朝時代の官位を品といい，18階級に分かれていた．その最高位が一品（イーピン）である．
	二丁（アルテイン）	二は縁起のよい数．2種のさいの目切り材料を用いた料理の意．ほかに二を用いたものに二冬（冬筍と冬茹を用いたもの）（スワンウエイ）や双味（2種の味，炸双味など）（チャスワンウエイ）がある．
	三絲（サンスー）	3種の糸切り材料を用いたもの．涼拌三絲など．ほかに三を用いたものに，三丁（3種をさいの目に切る，会三丁など）（ホイサンテイン），三冬（二冬に冬菜を加える）（サンテイン），三鮮（三仙，山海の代表的な材料3種を用いる）（サンシエン），三吃（三味または3通りの食べ方，鴨子三吃など）（サンチー），三様（3種の材料，醤爆三様など）（サンヤン）がある．
	四宝（スーポー）	四は縁起のよい数．4種のよい材料を用いる．清湯四宝（チンタンスーポー）など．ほかに四喜（四喜焼売など）（スーシー　スーシーシャオマイ）がある．
	五香（ウーシャン）	五香粉を用いる．五香毛豆（ウーシャンマオトウ）など．ほかに五を用いたものに五景（五色，5種の材料を用いる）などがある．
	六色（リュウサー）	6種の材料を用いたもの．六色拼盆（リュウサービンパン）など．
	七彩（チーチョイ）	7種の材料を用いたもの．七彩雑錦煲など．
	八宝（パーポー）	8種または多くのよい材料を用いる．八宝菜（パーポーツァイ），八宝飯（パーパオファン）など．
	什錦（シーチン）	多くの材料を用いたもの．什錦火鍋（シーチンホークォ），什錦拼盤（シーチンピンパン）など．ほかに什を用いたものに什景（シースン）がある．
	百花（ペイホワ）	多くの材料を用いたもの．百花彩鶏（ペイホワチーチー）など．ほかに百を用いたものに百景（百景砂鍋など）（パイチン）がある．
人名を組み込んだもの	東坡（トンプオ）	宋時代の文人，蘇東坡は食通でもあり，彼が好んだ，または発案した料理．東坡肉（トンポオロー）など．
	宮保（クンパオ）	昔の官吏，丁宮保の名．とうがらしのきいた料理．宮保大蝦（クンパオターシャ），宮保鶏丁（クンパオチーテイン）など．
	麻婆（マーポー）	麻は姓またはあばたのある人，婆はおばさんの意で，親愛をこめた呼び方．麻婆豆腐（マーボートウフ）など．
	貴妃（クイフェ）	玄宗皇帝の妃である楊貴妃は酒好きだったので調味料に酒を多く使う．貴妃鶏翅（クイフエチーチー）など．
地名を組み込んだもの	北京（ペイチン）	北京烤鴨（ペイチンカオヤー）など．
	天津（テンシン）	天津麵（テンシンミエン）など．
	西湖（シーフー）	浙江省の西湖でとれる草魚を使う．西湖醋魚（シーフーツーユー）など．
	四川（スーチュエン）	四川省は山地でとうがらしやさんしょうなどの辛味を使う．四川包子（スーチュエンパオツ）など．
	金華（チンホワ）	金華は火腿（ハム）を表わす．金華白菜鶏（チンホワパイツァイチー）など．
祝意・めでたさ・貴さの表現	鴛鴦（ユエヌヤン）	おしどりのようにおめでたい意．同じ材料を2種類の色や味に仕上げて一つの皿に盛る．鴛鴦蝦仁（ユエヌヤンシャーレン）（クリーム煮えびとケチャップ煮えびの2色盛り）など．
	竜・龍（ロンロン）	竜は皇帝を表わす．竜眼．また龍では龍吐玉珠（車えびのすり身蒸し）（ロントユーチユー）など．
	鳳凰（フオンオン）	皇后を表わす．鳳凰拼盤（フオンオンピンパン）など．
	福・禄・寿（フーローショウ）	家内安全，長寿，出世，商売繁盛を願う語で，衣・食・住が満たされた様を表わす．
色の表現を組み合せたものおよび色	翡翠（フェイツェイ）	緑葉野菜を用いて緑色を表わす．翡翠焼売（フエイツエイシャオマイ）など．
	金銀（チヌイヌ）	白と黄や黒を表わす．結婚式のおめでたいときに用いる．金銀双鶏（チヌイヌシユウンチー）など．
	銀絲（インスー）	銀色の糸のようだという意．ココナッツを使用する．銀絲糯米糍（インスーノーミーツー）など．
	紅（ホン）	しょうゆを使って色濃く仕上げたもの．紅焼丸子（ホンシャオワンツ）など．
	白（パイ）	有色調味料を用いないで白く仕上げたもの．白切鶏（パイチエチー）など．
仕上がり状態の形容	芙蓉（フーヨーまたはフーロン）	泡立て卵白を使って芙蓉の花のようにふわふわした状態．芙蓉蟹（フウロンシェ）など．
	雪花（シエホワ）	泡立て卵白を使って雪のようにふわふわした状態．
	水晶（シュイチン）	水晶のようにすき通った状態．かたくり粉を表面に塗って加熱する．
	玻璃（ボーリー）	ガラスのようにすき通った状態．玻璃白菜（ボーリーパイツァイ），玻璃芦笋（ボーリールースン）など．
	花（ホア）	花のようにふわっとした状態．溶きほぐした全卵を用いる．蛋花湯（タンホアタン）など．
仕上がりの形状の形容	金銭（チンチエン）	昔の金貨は形が丸いので，丸い形に仕上げた料理．金銭蝦餅（チンチエンシャービン）（えびすり身のせパン）など．
	珍珠（チェンチュウ）	真珠のような光沢や形を表わす．珍珠丸子（チェンチユウワンツ）など．
	如意（ルーイー）	僧具の如意に似ている．如意巻（ルーイーチュエン）など．
	仏掌（フオチャン）	手を合わせたように2つ折りにしたもの．仏掌白菜（フオチャンパイツァイ）（はくさいの肉詰め蒸し）など．
故事にちなんだ料理名例	宋嫂魚（ソンサオユー）	宋兄弟の兄嫁が病気の義弟のために近くの湖でとれた魚で料理して食べさせたところ，とてもおいしく，病気も治ったという故事．今は，西湖醋魚と呼ばれている．
	流浪鶏（リュウランチー）	戦いに敗れた明時代の将軍朱元璋が落ちのびる途中，飢えのなかで村人から献上された鶏を，とりあえずゆでて各種の調味料で和えて食し，まもなく元気を回復したという故事．

（注）　中国語の発音は同じ文字でも地域により異なることがある．

基礎編 4 前菜（冷盆_{ロンペン}）

大菜_{ターツァイ}（主要料理）の前に出されるので，小菜_{シヤオツァイ}ともいわれる．また，引き続いて出される大菜に差し支えないように小量ずつであることも意味する．前菜を見れば，あとに出る大菜の程度が予測される．冷盆_{ロンペン}は原則的には食事の最後まで出されているが，一通りいただいたら大菜_{ターツァイ}に移っていく．

1）冷盆の種類

冷葷_{ロンフヌ}または冷盤_{ロンパン}または冷盆拼盆_{ロンペンピンペン}：冷前菜．本来は客が席につく前に京果_{チンクワ}（おつまみ）とともに供されたが，最近では本席で出されるようになった．

熱葷_{ルーフヌ}または熱盤_{ルーパン}または熱盆_{ルーペン}：温前菜．本来は客が席についたあと出された．

2）冷盆の調製法

（1）冷盆に用いられる材料と調理法

冷葷に向く材料は，中国料理本来の材料のほかに西洋料理材料が取り込まれてきた．調理後冷めても味がかわらないもの，珍しいもの，食べやすいもの，酒の肴に向く材料などが用いられる．

よく用いられる調理法は拌_{パン}（和え物），凍_{トン}（寄せ物），滷_{ルー}（しょうゆ煮）などである．

（2）京果（おつまみ）

料理が運ばれる前に出される小食品で，表4-3のように蜜銭_{ミーチエン}（果物の実や皮の砂糖漬，または砂糖煮）と乾果_{カンクワ}（乾燥した果物の実や種）がある．

3）冷盆の盛り付け

（1）盛り付け料理数と皿数

冷盆の盛り付け料理数は偶数で，2種または4種が普通であるが，高級な宴席では6，8，10種と増える．

料理数が2種または4種のとき，一皿に1種ずつ盛り合わせることを単盤_{タンパン}という．これに対し，一皿に2種ずつ盛り合わせて皿数が半数の場合を

表4-3　京果_{チンクワ}の種類

蜜銭_{ミーチエン}	糖青梅_{タンチンメイ}	青梅の砂糖漬け
	糖棗_{タンツァオ}	なつめの砂糖漬け
	甜括餅_{テンクワピン}	みかんを砂糖で煮て押しつぶし，扁平な形に整えたもの
	糖蓮子_{タンレンズ}	蓮の実の砂糖漬け
	糖蓮藕_{タンレンオー}	れんこんの薄切りの砂糖漬け
	糖陳皮_{タンチンピー}	オレンジやレモンの皮の砂糖煮
	糖椰絲_{タンイエーシー}	やしの実を砂糖漬けにして短冊状にしたもの
	山渣餅_{シャンシャーピン}	さんざしなどの果物をせんべいのような形にしたえんじ色の菓子
乾果_{カンクワ}	西瓜子_{シークワツ}	すいかの種を煎って乾燥させたもの
	南瓜子_{ナンクワツ}	かぼちゃの種を煎って乾燥させたもの
	紅瓜子_{ホンクワツ}	中国特産のすいかの種（紅色をしている）を乾燥させたもの
	紅棗_{ホンツァオ}	紅なつめの実を乾燥させたもの
	烏棗_{ウーツァオ}	黒なつめの実を乾燥させたもの
	胡桃_{ホウタオ}	くるみの実で，核を割って中身を用いる
	杏仁_{シンレン}	あんずの種の中の仁，ほろ苦さが珍重される
	荔枝_{ライチー}	荔枝の木の実の殻の中の白い実
	干蓮子_{カンレンズ}	蓮の実を乾燥したもの．これをもどして砂糖漬けにもする
	松子_{スンズ}	松の実の白い部分
	蘭花豆_{ランホアトウ}	フライビンズ
	腰果_{ヨウグオ}	カシューナッツまたはブラジルナッツ
	花生豆_{ホアションウトウ}	落花生

双盤_{ショワンパン}という．料理数が増えると皿数も増えるが，大皿にまとめて盛り合わせることもある．これを拼盤_{ピンパン}または拼盆_{ピンペン}という．なお冷盆の料理の量は大菜_{ターツァイ}の量とは異なり，1人分一挟みぐらいでよい．

（2）拼盤_{ピンパン}の盛り付け

大皿に盛り付けると豪華に見え，また皿の上に絵を描いたような盛り付けは芸術的で，食べるのが惜しい気さえする．これは個々の料理を薄く切り，少しずつずらして平面的に図案を形づくっていく．図4-3のような基本形を組み合わせる．一方，種々の飾り切りと補助的材料を用いて立体

第4章 ● 中国料理　159

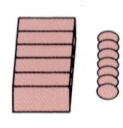

横列並べ　　縦列並べ　　　　斜列並べ　　　　　うろこ並べ　　木の葉並べ

図4-3　材料の並べ方例

的に盛り付ける方法がある．拼盤で注意することは，他の料理の味が移らないようにすること，汁の出るものを用いないことなどである．

〈デザイン〉
随意式（スェイイ ス）：形にとらわれず自由に盛り付ける．

什錦拼盆（シーチンピンペン），六色品盆（リュウソウピンペン）など．
整斉式（ツォン チース）：幾何学模様に盛り付ける．
図案形象式（トウアンシンシャンス）：花，魚，鳳凰，風景などを模して盛り付ける．梅花大拼盆（メイホワタービン）など．

基礎編 5　だし（做湯（ツォタン））

1）做湯の種類

（1）材料の違いによる分類
葷湯（フォヌタン）：非精進材料から取るもの．獣鳥肉類，魚介類を用いる．肉湯（ロータン）（豚肉），鶏湯（チータン）（鶏），火腿湯（ホートイタン）（ハム），干貝湯（カンペイタン）（干し貝柱）などがある．
素湯（スータン）：精進材料から取るもの．野菜，香菇（しいたけ），海帯（ハイタイ）（こんぶ），豆もやしなどで通常2種類以上一緒に用いる．

（2）等級による分類
上湯（シャンタン）：豚肉や鶏肉から取った上等のスープ．澄んだ濃い味．
二湯（アルタン）：二番だしのこと．下湯（シャンクー）ともいう．
頂湯（テインタン）：最上級の澄んだスープ．
毛湯（マオタン）：普通だしのスープ．

（3）清濁による分類
清湯（チンタン）：澄んだだし

奶湯（ナイタン）：濁っただし

2）湯（タン）の取り方（800 mL分）

① ［豚肉（老鶏）240 g（出来上がりの20〜40％），白ねぎ20 g（出来上がりの2〜3％），しょうが10 g（出来上がりの1〜2％），水1,600 mL（出来上がりの2倍）］豚肉の脂肪を除き，ねぎ，しょうがは包丁でたたきつぶす．沸騰直前でアクをとり，弱火で1〜2時間加熱して，漉す．

② ［鶏がら1羽分（出来上がりの20〜40％），白ねぎ20 g（出来上がりの2〜3％），しょうが10 g（出来上がりの1〜2％），かつおぶし4 g（出来上がりの0.5％），水1,600 mL（出来上がりの2倍）］鶏がらは湯洗いする．ねぎ，しょうがは包丁でたたきつぶす．沸騰直前でアクをとり，弱火で1〜2時間加熱する．かつおぶしを加えて10分加熱し，漉す．

基礎編 6　汁物料理（湯菜（タンツァイ））

1）湯菜の種類
清湯（チンタン）：でんぷんを加えない清汁で，川（チュエン）もよく似ている．川は湯仕立ての実が多い料理．清川（チンチュエン），鶉蛋（チュンムダヌ）など．
奶湯（ナイタン）：でんぷんを加えてとろみをつけた濁汁．

160

また牛乳を加えたものもいう．奶湯白菜(ナイタンパイツァイ)など．
　会(ホエイ)：少量のでんぷんを加えて薄いとろみをつける．玉米会豆腐(ユーミイホエイトウフウ)など．
　羹(コン)：濃度が濃く，汁気が少なく，実が多い．蟹粉蛋羹(フェンタヌコン)，魚羹(ユーコン)など．
　西湖(シーフー)：湯に卵白を浮かせてむらくも汁にしたもの．

2）湯菜の調理と供し方

① 上等な湯菜ほど薄い塩味で仕上げる．
② 実は量が少なくて済むので，手に入りにくい珍しい高価な材料が用いられる．
③ 湯菜は食欲を促すため前菜の後に，口や喉をすっきりさせるために，大菜(ターツァイ)の後半や最後に出される．

基礎編 7　炒め物料理（炒菜(チャオツァイ)）

高級料理から家庭料理に至るまでもっとも汎用されている調理法である．

1）炒菜の種類

　生炒(ションチャオ)：材料に下味をつけずにそのまま炒める．
　清炒(チンチャオ)：材料を切ったままでじかに炒める．
　乾炒(カンチャオ)：材料にでんぷんをつけてあらかじめ揚げてから炒める．
　京炒(チンチャオ)：材料を卵白の入った衣で揚げたり，つけてから炒める．調味料に色のあるしょうゆなどは用いない．
　煎(チエン)：汁気のないものを煎りつける．炒め焼き．
　烹(ポン)：生のまま，または下味をつけた材料を，いったん炒めてから調味料を鍋肌に回しかけて一気に仕上げる．
　爆炒(パオチャオ)または油爆(ヨウパオ)：さっと油の中へ入れて瞬間的に揚げることをいう．

2）炒菜のコツ

① あらかじめ油を熱し，強火で行うこと．
② 短時間で行うために，あらかじめ調味料は準備しておく．下味をつけた材料や水溶きでんぷんなども準備しておく．
③ 材料は，切り方を同じにする．丁(ティン)や馬耳切(マアル)りの場合は，材料によってゆでたり揚げたりして下処理しておく．
④ 香りの出るもの，火の通りにくいものから炒めていく．
⑤ 炒めすぎないこと．手早く7，8分通り火を通して，余熱を利用する．
⑥ 香料として用いる麻油(マーヨウ)（ごま油），花椒末(ホアチャオモー)（粉ざんしょう）などは仕上がり間際に加える．

基礎編 8　揚げ物料理（炸菜(チャツァイ)）

中国料理の代表的な調理法の一つである．下準備のために調理の途中で揚げることがあるが，炸菜(チャツァイ)とは最後に揚げる場合をさす．

1）炸菜の種類

（1）つくり方による分類

　清炸(チンチャ)：材料をそのまま何もつけず下味だけで揚げる（素揚げ）．
　乾炸(カンチャ)：下味をつけた材料にでんぷんをつけて揚げる（空揚げ）．乾炸鶏塊(カンチャチーコワイ)など．
　軟炸(ロアンヌチャ)：下味をつけた材料に衣をつけて揚げる（衣揚げ）．
　高麗(カオリー)：下味をつけた材料に，泡立てた卵白を混ぜた衣をつけて揚げる．白くふわっとしているのがよい．高麗蝦仁(カオリイシアレヌ)など．
　酥炸(スウチャ)：衣に膨化剤を加えて揚げる．
　その他：調理の途中で揚げるものとして，爆(パオ)（本

第4章●中国料理　　161

調理の前に，高温でさっと揚げて臭気を抜く）と炮(パオ)（本調理の前に140℃で油通しし，余分な水分を抜く）がある．

（2）衣の種類

材料による分類：淀粉(テイエンフェン)（でんぷん），乾麺(カンミェン)（小麦粉），真麺(チェンミェン)（上新粉），玉米粉(ユーミーフェン)（コーンスターチ），麺麭粉(ミェンパオフェン)（パン粉）などがある．

2）炸菜のコツ

① 油はたっぷり準備し，適切な温度で調理する．
② 油温低下を防ぐため，一度にたくさんの材料を入れない．
③ 材料の水気はふき，粉は薄くつける．
④ 材料に下味をつけること．淡泊な材料には塩や酒，しょうがなど．濃厚な材料にはしょうゆ，しょうが，香辛料を使う．
⑤ 高麗(カオリー)の場合は，白く仕上げるために新しい油で低温で揚げ色のつきにくい衣を選ぶ．
⑥ 最後に一瞬強火にするとからりと揚がるが，色が濃くなるので，一度にすくい上げる．
⑦ 大きな材料は二度揚げするとよい．一度目は低温で火を通し，二度目は高温で短時間に仕上げる．

基礎編 9 あんかけ料理（溜菜(リウツァイ)）

揚げたり，炒めたり，蒸したりした料理に，とろみをつけたあんをかけたり，からめたりしたもの．口当たりがよくなり，食欲をそそるだけでなく，冷めにくい．あんの材料は，淀粉(テイエンフェン)（でんぷん），玉米粉(ユーミーフェン)（コーンスターチ）などである．

1）溜菜の種類

糖醋(タンツウ)・醋溜(ツウリウ)：甘酢あん．砂糖，しょうゆ，酢でこってりした味にでんぷんでとろみをつけたもの．醋溜(ツウリウ)は酸味が強い．古滷肉(クールウロウ)，糖醋鯉魚(タンツウリーユー)，醋溜丸子(ツウリウワンツ)など．

醤汁(チャンチー)：しょうゆあん．酢を用いず，しょうゆ，酒を主とし，場合によっては少し砂糖を入れる．薄味に仕上げるので，魚料理によく使われる．料理名に「溜」の字を使わない．

白汁(パイチー)・玻璃(ポーリー)・水晶(シュイチン)：塩，酒などで調味し，しょうゆなどの有色調味料は使わないで水晶のように透明に仕上げる．主に蒸し物，煮込み物に用いられる．玻璃芦笋(ポーリールスン)など．

奶油(ナイヨウ)・奶汁(ナイチー)：牛乳あん．透明あんに牛乳を加えて白く仕上げたもの．

蕃汁(ファンチー)・茄汁(チャチー)：トマトケチャップ，トマトピューレーなどを加えて赤く仕上げたもの．蕃茄溜魚片(ファンチャリウユーピェン)など．

鶏粥(チーチヨウ)：鶏肉のすり身入りあん．鶏のすり身を混ぜた淡泊なあんで，泡立てた卵白を加えたものを鶏蓉(チーロン)という．

蝦粥(シャチヨウ)：えびのすり身入りあん．鶏粥とともに高級料理向きである．

杏酪(シンロウ)：杏仁入りあん．白色で杏仁の独特のほろ苦さが好まれる．

烩(ホイ)：一度ゆでたり炒めたものを湯(タン)で煮て，どろりとさせたもの．紅烩(ホンホイ)，清烩(チンホイ)，素烩(スーホイ)がある．

2）溜菜のコツ

① あんの調味料は合わせておく．
② 土台となる料理は，薄めに味を調えておく．
③ 土台となる料理に火の通りの悪いものがないように十分に確認しておく．
④ 合わせるあんと土台の料理は，ともに熱いこと．
⑤ とろみをつけるでんぷんは2倍量の水で溶き，鍋の材料が煮立った状態のところに流し入れ，絶えずかき混ぜながら一度煮立たせたらすぐ消火する．

基礎編 10 蒸し物料理（蒸菜 チョンツァイ）

蒸しただけででき上がる料理と，蒸した後に他の調理法で仕上げたもの，または他の調理法で前処理（焼いたり，揚げたり）した後，蒸して仕上げる料理がある．

1）蒸菜の種類

清蒸（チンチョン）：材料を姿のまま下味をつけて蒸し器に入れて蒸す．清蒸魚（チンチョンユー）など．
清燉（チントゥン）または燉（トゥン）：材料を器に入れ，汁を入れて器ごと蒸す．
粉蒸（フェンチョン）：下味をつけた材料にあらくすりつぶしたもち米など小麦粉以外の粉をまぶしてから蒸す方法．珍珠丸子（チェンチユウワンツ），糯米肉（ノーミーロー）など．
燜（メン）：形のままの材料を蒸しながら煮込む．
扣蒸（コウチョン）：材料を湯碗（タンワン）に詰めて蒸し，供するとき返して碗形にして盛り付ける．

2）蒸菜のコツ

① 材料に合わせ火加減を調節する．饅頭のように膨張するものは強火で一気に，また卵などは中火で静かに蒸す．
② せいろうの中の湯が不足しないように注意する．途中で水を足すと温度が下がるため，足すときは熱湯を足す．
③ 十分に蒸気が上がってから材料を入れる．
④ 蒸し上がるまで蓋をむやみに取らない．
⑤ 蒸し足りないことがないよう注意する．
⑥ 下味をつけて蒸すときはむらなく味付けしておく．

基礎編 11 煮込み料理（煨菜 ウエイツァイ）・煮物料理（焼菜 シャオツァイ）

煨（ウエイ）とは，本来灰の中の火のことをさし，灰の中の火のような弱火でじっくり煮込んだものをいう．また，焼菜（シャオツァイ）は一度炒めてから湯（タン）で煮込み，煮詰めるものをいう．

1）煨菜・焼菜の種類

紅煨（ホンウエイ）または紅焼（ホンシャオ）：しょうゆを用いて色濃く煮込む．紅焼は汁気がなくなるぐらいまで煮込む．紅焼丸子（ホンシャオワンズ）など．
白煨（パイウエイ）：色のある調味料を使わないで白く煮込む．煮汁を濁らせないために蒸してから煮込む．淡泊な料理なので夏向き．
酒焼（チユウシャオ）：主に酒を用いて白く煮詰める．
燜（メン）：一度炒めたり，揚げたりしたものをひたひたの湯で煮込む．仕上がりは煨菜よりも汁気が少ない．紅燜（ホンメン）はしょうゆを使って色濃く気長に煮込む．黄燜（ホワンメン）は酒を主に使う．
燉（トゥン）：たっぷりの湯のなかで弱火で煮込む．
煮（チユウ）：たっぷりの湯のなかで味付けしないで弱火で白く煮込む．日本の水煮にあたる．
滷（ルウ）：肉や内臓を佃煮のように汁がなくなるまで気長に煮込む．
醤（チャン）：肉や内臓にしょうゆを加えて佃煮のように気長に煮込む．

2）煨菜のコツ

① 中火から弱火でじっくり煮込む．
② 長時間煮込むので材料の切り方に気をつけること．
③ 加える湯の量は材料による放出と吸水を考慮する．
④ 煮込む間に味が濃くなるので，最初は薄味にしておき，最後に調える．

基礎編 12 直火焼き料理（烤菜^{カオツァイ}）

中国特有の掛炉^{クウルウ}につるして弱火で蒸し焼きにする．材料からしみ出した脂肪が火でくすぶって煙が立ち，材料にくん煙臭がついておいしくなる．子豚や鴨の丸焼きなどのように大きいまま焼くことが多い．

1）烤菜の種類

燻^{シュン}：いぶし焼き
掛炉^{クウルウ}：炉につるしてあぶり焼きにする烤鴨子^{カオヤーツ}など．明炉烤^{ミンルーカオ}と暗炉烤^{アンルーカオ}がある．

つけ焼き：たれをつけながら天火などで焼く．叉焼肉^{チャシャオロウ}など．

2）烤菜のコツ

① 火加減に注意する．皮と身がぱらりとはがれるように焼くことが大切．炉の中で蒸し焼きの状態にする．
② 家庭でやる場合は，一度ゆでたり，揚げたりして7，8分火を通してから油で焼きつける方法がある．

基礎編 13 鍋料理（鍋^{クオ}）

鍋^{クオ}は日本の寄せ鍋に相当する（什錦火鍋^{シチンフオクオ}）．中国では火鍋子^{フオクオツ}，汽鍋^{チイクオ}，沙鍋^{シャクオ}（土鍋）を用いる．
鍋子の材料とその取り扱い方は次のとおりである．

① スープの味を損ねないように材料を選ぶ．魚介類を中心に，互いに味を引き立てる肉類を取り合わせる．
② 水分の多い野菜は，さっとゆでておく．香りの強い野菜は1種にする．
③ 材料は，取り扱いやすいように，また食べやすいように適した大きさに切る．
④ スープは，煮詰まって減少するので十分用意しておく．
⑤ 各自取り皿に取り分けて食するとき，ぽん酢を少したらしてもよい．

基礎編 14 冷菜^{ロンツァイ}

冷菜^{ロンツァイ}は生物，揚げ物，煮込み物，蒸し物，焼き物などを冷やして供するもので，主に冷盆^{ロンペン}として扱われる．最初に供されるので味付けや盛付けに配慮する．冷菜の種類は以下のとおりである．

拌菜^{バンツァイ}（和え物料理）：涼拌^{リヤンバン}・冷拌^{ロンバン}ともいう．切って生のまま和えるものと，塩もみ，下ゆで，下蒸しなどの下処理をしてから和えるものがある．涼拌黄瓜^{リヤンバイホワンクワ}など．

凍菜^{トンツァイ}（寄せ物）：氷凍^{ピントン}ともいい，寒天やゼラチンで寄せ固めたもの．肉類や魚介類を凍したものは冷葷盆に適するが，果物や牛乳を凍^{トン}したものは甜味の点心として用いられる．

醃菜^{イエヌツァイ}（浸し物，漬物）：醃^{イエヌ}とは材料を塩漬けすることをいい，野菜の塩漬けを醃菜^{イエヌツァイ}，肉の塩漬けを醃肉^{イエヌロー}という．しかし今は，あらゆる漬物を総称しており，塩漬け以外にみそ漬け，酢漬け，砂糖漬けなども含む．醃菜^{イエヌツァイ}には多くの香辛料が使われるので，独特の風味をもち，必要に応じて炒菜^{チャオツァイ}，湯菜^{タンツァイ}に用いられる．四川省は岩塩が多いため漬物の産地で，特に四川漬けといわれる榨菜^{チャーツァイ}は有名である．

基礎編 15 点心(テイエンシン)

　点心とは本来食事と食事の間に出されるつなぎの役目をしたもので，菜単の半ばすぎまたは最後に書かれ，現在ではほとんど食事の最後に出されるデザートをさすようになっている．甜菜(テンツァイ)，氷菓(ピンクワ)，麺(ミェン)，飯(ファン)，粉(フェン)などからなる．

　点心は本来，葷盆(フォヌペン)，大菜(ターツァイ)以外のものすべてをさすので軽食や主食にもなるが，宴席の場合はその規模に応じて量を少なめにして4種または2種と偶数で出される．1種のこともある．2種以上の場合は，種類の違うもの(鹹味のものと甜味のもの)が取り合わされる．

1) 点心の種類

　点心は大別すると鹹味(塩味)のものと甜味(甘味)のものに分けられる．

鹹味：麺(ミェン)，飯(ファン)，粉(フェン)など．
甜味：甜菜(テンツァイ)(中国菓子類)，甘い料理，甘い飲み物，京菓(ピンクワ)など．
その他：水果(シュイクワ)(果物)．

2) 中華めん(切麺(チエミェン))

　切麺は日本では中華そばとよばれ，なじみ深い．強力粉と薄力粉を適宜混ぜ合わせ，卵，塩，アルカリ性のかん水を加えて十分に練り，1時間ほど寝かせてから薄く伸ばして細く切る．たっぷりの湯の中にほぐしながら一度に麺(ミェン)を入れる．再び沸騰したら差し水をする．再び沸騰したら麺を調べ，透明で弾力があれば水に取ってもむようにして洗う．小麦粉にかん水を用いてつくられるので腰があり，ゆでやすい．

　炒麺(チャオミェン)(焼きそば)，炸麺(チャミェン)(揚げそば，かたい焼きそば)，湯麺(タンミェン)(汁のあるそば)，涼拌麺(リャンパンミェン)(冷やしそば，和えそば)，炒醬麺(チャオチャンミェン)(ゆでた麺に具と肉みそをのせたもの)などの食べ方がある．

3) 飯(ファン)(飯)

　飯は日本のようにそのまま食すことは少なく，次のような種類と調理法がある．

　炒飯(チャオファン)(焼きめし)：種々の材料とともに炒めるのが普通である．そのため飯はかために炊く．炒め油はラードを用いる．油が一粒一粒を被い，粘らないようにする．三仙炒飯(サンシェンチャオファン)(しばえび，ささ身，あわびの入った上品な焼きめし)など．

　粥(チョウ)(中国粥)：点心の一部で，中国では粥だけの飯店がある．粥の炊き方は米に湯を入れてはじめから炊く方法と，濃く炊いた白粥(パイチョウ)に湯(タン)を加えて炊き延ばす方法とがある．中国では白粥に塩を入れない．厚手の鍋でかき回さないようにじっくり炊く．白粥以外には日本の雑炊のように種々の材料とともに炊く．蝦仁粥(シャレヌチョウ)(しばえび入りかゆ)など．

　中華どんぶり：温かいご飯に種々の具をのせたもの．具は肉類，魚介類に野菜類を取り合わせて炒め煮し，卵でとじたり，でんぷんでからめてつくる．鶏片飯(チーピェンファン)(ささ身をそぎ切りにして野菜とともに炒めてでんぷんでからめてのせたもの)，青梗菜飯(チンコンツァイファン)など．

4) 粉製品(フェン)(粉)

　小麦粉その他の粉類(フェン)を用いたもの．粉の種類とその調理法には次のようなものがある．

　焼売(シャオマイ)・焼麦(シャオマイ)：南方の点心で，ふるった小麦粉に塩を加え，微温湯で耳たぶくらいに練って寝かせたのち，薄く伸ばして7cm角に切った焼売皮(シャオマイピー)に，種々の具(種)をのせて蒸す．四喜焼売(スーシーシャオマイ)(4種類4色の具を色よくのせて蒸した焼売)など．

　餃子(チャオツ)：北方の点心で，歴史的には焼売より古い．もとは米粉を用いたが現在は小麦粉を用いる．仕上げの方法に4通りある．鍋貼(クオティ)(蒸し焼き)，水餃子(シュイチャオツ)(ゆでる)，蒸餃子(チョンチャオツ)(蒸す)，炸餃子(チャチャオツ)である．

　餛飩(フントゥン)・雲呑(ユイトン)(ワンタン)：中華そばのように小麦粉をこねるが，薄く伸ばして焼売皮(シャオマイピー)のようにし，わずかの肉を包んでまたは巻いて味のよい湯(タン)で煮

第4章●中国料理

たもの．

饅頭（マントウ）：小麦粉をこねて（饅頭生地），蒸して膨化させたもの．イースト菌により発酵させる方法とベーキングパウダーにより膨らませる方法がある．饅頭生地に何も包まない饅頭とあんを包む饅頭がある．あんを包むものは包子（パオツ）ともよばれ，あん無し饅頭には菜が必要である．

その他：春捲（チュンチュエヌ）（春巻き），餅包（ピンパオ）（巻き包み），油餅（ヨウピン）（中国式パイ）など．

5) 中国菓子（甜菜　テンツァイ）

蒸し菓子：材料としてもち米，粉（フェン）（小麦粉，白玉粉，上新粉，みじん粉など）が多く用いられる．八宝飯（パーパオファン）（餅米の密果蒸し），鶏蛋糕（チータンカオ）（蒸しカステラ）など．

揚げ菓子：各種の粉を練って切り目を入れたり，あんを包んだりして揚げる．蔴花児（マーホアル）（ひまわりの花のように開いた揚げ菓子）芝麻薯球（チーマーシュチュウ）（さつまいも団子のごま揚げ），炸花餅（チャホワピン）など．

焼き菓子：各種の粉を練って，あんを包んだりしてじっくり焼く．仲秋月餅（チョンチュウユエピン）（仲秋の名月に円満の象徴としてつくられ，幸福を祈って贈物にされる），酥餅（スウピン）など．

寄せ物，汁物：果物や豆をすりつぶし，こして寒天で寄せ固めたもの．また，みつの多い団子など．杏仁豆腐（シンレントウフ）（杏の実の仁のエッセンスを加えて寒天で寄せ固めたもの），蜜汁元宵（ミーチーユンシヤオ）（白玉団子のシロップかけ，1月15日の夜に食べる習慣がある）など．

飴煮：いったん揚げて熱いうちに油で煮た砂糖（みつ）をからめたもの．抜糸地瓜（パアスティコワ）（さつまいものあめ煮），抜糸山薬（パアスシャンヨー）（やまいものあめ煮）など．

基礎編 16 茶・酒

1) 中国茶

(1) 中国茶の種類

緑茶（リュイチャー）：非発酵茶．温暖な気候の杭州が主産地で竜井茶（ロンジンチャー）が有名である．

紅茶（ホアンチャー）：発酵茶．種類が多く，桃源（タオユエン），四川（スーチェン）などの産地が有名である．

烏龍茶（ウロオンチャー）：半発酵茶．茶葉が烏のように黒く，また龍のように曲がりくねっているのでこのようによばれる．お茶の色は鉄色である．鉄観音（テイエコワヌイヌ），福建（フーチェン），水仙（シュイシエン）などが有名である．

磚茶（タンチャー）：茶葉を一度蒸して固める．用いるときは1回分ずつ割り，煎じて飲む．

香片茶（シャンピエンチャーホアシャンチャー　ホワチャー）：花香茶，花茶ともいう．紅茶，緑茶，烏龍茶などに蘭，すいせん，菊，バラ，ジャスミンなどの花を乾燥させて加えたもの．茉莉花茶（ムーリーホワチャー）が有名である．

その他：普洱茶（プーアルチャー）（製法は後発酵茶），甘和茶（カンフーチャー）など．

(2) 中国茶の飲み方

お茶の入れ方は急須を用いる方法と，茶碗に直接お茶の葉を入れて湯を注ぐ方法がある．後者の場合，お茶の葉が沈むのを待って蓋をずらして飲む．茶碗に直接入れる方法は長江以南の温暖な地域で一般的に用いられる．烏龍茶は独特の小さな急須と茶碗を用いる．

2) 中国酒

中国も醸造の歴史は古く，したがって種類も豊富である．

① 醸造酒

アルコール分が低く，黄酒（ホワンチュウ）ともいう．

紹興酒（シャオシンチュウ）：甘口のものは室温で，辛口のものは人肌ぐらいに温めるとよい．熱くしすぎると酸味が出てまずくなる．年代ものの高級品は老酒（ラオチュウ）とよばれる．

福建糯米酒（フーチエンノーミーチュウ）：アルコール分が18％で，甘口．料理によく用いられる．

② 蒸留酒

アルコール分が55～65％と高く，白酒（パイチュウ）ともいう．アルコール分が高いので脂質の多い料理に合

166

う.
高粱酒（カオリヤンチユウ）：高粱を原料にしたもので，アルコール分が高い．白乾児（バイカル）ともいう.

茅台酒（マオタイチユウ）：原料は小麦と高粱．アルコール分が55％で，白酒中の高級品.

基礎編 17 薬膳料理

薬膳料理の源は，中国に古くからある食養生書からきている．唐代の『千金食治』（孫思邈581～682）や元代の『飲膳正要』（忽思慧1330），明代（1590）に『本草綱目』を李時珍が著しており，そのほか多数の食療法の文献がある.

薬膳は，漢方医学（中医学）の理論である「陰陽五行（おんみょうごぎょう）説」に基づいて，食品や薬効の高いとされる生薬を，自然と人体の状況に合わせて調合・調製された食事である．五行（自然界の運動），五臓（人体の運行），五味・五性（食物・薬物）の間には法則があり，相互関係を乱すと体によくないとされている．食物と薬物は，五味（酸苦甘辛鹹）と五性（寒熱温涼平）で複雑に分類され，陰と陽のバランスをくずさないように組み合わされる．「薬食一如」「医膳同功」「医食同源」などとよばれている.

実習編 1 湯菜(タンツァイ)

清川鶉蛋(チンチュエンチュンタン) — うずら卵のスープ

■ エ エネルギー　た たんぱく質　脂 脂質　塩 食塩相当量

●材料（1人分）
- うずら卵（1個） …………… 10 g
- はるさめ …………………… 5 g
- ロースハム ………………… 4 g
- ねぎ（またはみつば） …… 5 g
- 上湯 ………………………… 150 mL
- 塩（汁の約0.7%） ………… 1 g
- しょうゆ（汁の1.3%） …… 2 g
- 酒 …………………………… 2 g
- こしょう …………………… 少々

エ 57 kcal　た 2.7 g
脂 2.2 g　塩 1.6 g

●調理法
① うずら卵は鍋に水から入れて，沸騰したら火を弱めて，約5分ゆでる．皮をむき，冷めぬように温湯につけておく．
② はるさめは熱湯につけ，やわらかくして5cm長さに切る．
③ ハムは4cm長さの糸（せん切り）にする．
④ ねぎは糸に切り，水にさらして水気を切る．みつばの場合は，葉を取り軸を4cm長さに切る．
⑤ 上湯を煮立て，塩，しょうゆ，酒で調味し，卵，はるさめ，ハム，ねぎを入れ熱くなったらすぐに器に盛り，こしょうを少々入れて供する．

●切り方
① 糸(スウ)（絲）：せん切り
② 片(ピェン)：うす切り，そぎ切り
③ 方(ファン)：正方形切り

■参　考
　上湯(シャンタン)とは鶏肉や豚肉からとった上等のスープ．
　このスープは実だくさんの汁．味の取り合わせの良いものを使用する．

冬瓜湯(トンクワタン) — とうがんのスープ

●材料（1人分）
- とうがん …………………… 40 g
- 干しえび …………………… 2 g
- 干ししいたけ ……………… 1 g
- サラダ油 …………………… 4.5 g
- 熱湯 ………………………… 150 mL
- 塩（汁の0.8%） …………… 1.2 g
- しょうゆ …………………… 1 g
- 油葱酥 ……………………… 1 g
- こしょう …………………… 少々

エ 56 kcal　た 1.1 g
脂 4.5 g　塩 1.4 g

●調理法
① とうがんは皮をむき，種を取って2～3mmの片（うす切り）にする．
② 干しえびは5倍の水につけ，もどしておく．もどし汁はとっておく．
③ 干ししいたけは水につけてもどし，石づきを取り，糸（せん切り）にする．
④ 中華鍋にサラダ油を入れ，とうがん，しいたけを炒め，とうがんが透明になったら，えびを加え，ついで熱湯を入れる．沸騰したところで，塩，こしょう，油葱酥を加え，香りにしょうゆ少々で味を調える．
⑤ 温めた湯椀に入れる．

■コ　ツ
① 油葱酥(ヨウツオンスウ)はねぎの白い部分を乾燥させて5mm角に切り，150℃の油で1分ぐらい揚げたもので風味付けに用いる．
② 干しえび，干ししいたけのもどし汁はスープとして利用する．

■応　用
　黄瓜(ホワンクワ)（きゅうり），糸瓜(スウクワ)（へちま）などを用いてもよい．
　北方では肉を入れることもある．

豆腐皮湯（トウフウピータン）

ゆばのスープ

●材　料（1人分）
- ゆば ･････････････････ 2g
- 干ししいたけ ･･･････････ 1g
- ｛ 干し貝柱 ･･･････････ 3g
- 　 水 ･･････････････ 50mL
- 　 酒 ･･････････････ 5g
- ねぎ ･････････････････ 2g
- ｛ 上湯 ･･･････････ 150mL
- 　 塩（汁の約0.7%） ･････ 1g
- 　 しょうゆ（汁の2%） ･･･ 3g
- 　 ごま油（1〜2滴） ････ 0.5g

エ 45kcal　た 3.6g
脂 1.7g　　塩 1.8g

●調理法
① ゆばはぬれぶきんに包んで10〜15分間くらいおき，方（正方形切り）または平片（うす切り）にする．
② 干ししいたけは水につけてもどし，石づきを取って片に切る．
③ 干し貝柱はひたひたの水に酒を加えて煮るか蒸す．やわらかくなったら細かくほぐす．
④ ねぎは糸（せん切り）にし，水にさらして水気を切る．
⑤ 上湯は火にかけ，しいたけと貝柱を入れて煮て，塩，しょうゆで調味する．ゆばとねぎを入れて器に盛り，ごま油を落とす．

●切り方
① 方（ファン）：正方形切り
② 片（ピェン）：うす切り
③ 糸（スウ）：せん切り，絲ともいう

■参　考
上湯（シャンタン）：上等の澄んだスープ

■コ　ツ
干し貝柱はきれいに洗ってから水，酒につけてもどす．つけ汁はスープの味の補いに使用する．
ねぎのかわりにさやえんどうなどの青味を入れてもよい．

榨菜肉糸湯（チャーツァイロウスウタン）

榨菜と豚肉のスープ

●材　料（1人分）
- ザーサイ（榨菜） ･････ 10g
- 豚もも肉（薄切り） ･････ 15g
- 酒 ･･････････････････ 2g
- でんぷん（肉の7%） ･････ 1g
- 干ししいたけ ･･･････････ 1g
- ゆでたけのこ ･･･････････ 1g
- ｛ 下湯 ･･･････････ 150mL
- 　 塩（汁の0.1%） ････ 0.2g
- 　 酒 ･･････････････ 3g
- 　 しょうゆ（汁の1.3%）･ 2g

エ 46kcal　た 4.0g
脂 1.4g　　塩 2.0g

●調理法
① ザーサイは水で洗い，細い糸（せん切り）にする．
② 豚もも肉は糸切りとし，酒をかけてよく混ぜ，でんぷんをふり入れ混ぜておく．
③ 干ししいたけは水につけてもどし，石づきを除いて糸（せん切り）にする．
④ ゆでたけのこは熱湯に通し，糸に切る．
⑤ 下湯を沸騰させ，その中に豚肉を入れてかき混ぜる．ついでしいたけ，たけのこ，ザーサイを加え，再び沸騰したら酒，塩，しょうゆで味をつけ，湯椀に入れる．

■参　考
豚肉にでんぷんをまぶすのは，肉のうま味が逃げないように，また，口当たりを滑らかにするためである．
下湯（シアタン）：二番だし汁，二湯ともいう．
ザーサイの塩分によって，スープの味付けは調節する．

■応　用
日本人にもなじみのあるザーサイはつけものとしてそのまま食べることが多い．中国では炒めもの，煮ものに用いたり，時には包子やぎょうざなどにも入れることがある．

白菜肉丸子湯 (パイ ツァイ ロウ ワン ツ タン)

はくさいと肉団子のスープ

●材料（1人分）
- はくさい……………………40g
- はるさめ……………………6g
- Ⓐ
  - 豚挽肉…………………30g
  - 塩（肉の1.3%）………0.4g
  - しょうが………………少々
  - ねぎ……………………2g
  - でんぷん………………2g
  - 水………………………15mL
- 葷湯…………………………180mL
- ｛ 塩（汁の約0.7%）………1g
- ｛ しょうゆ（汁の0.8%）……1.5g

●調理法
1. はくさいの軸は3cmの片に切り，葉は4cmに切る．
2. はるさめは熱湯でもどしてから5cm長さに切る．
3. しょうが，ねぎは米に切る．
4. 材料Ⓐをボールに入れ，粘りが出るまでよく練り，直径2.5cm程度の肉丸子にする．
5. 葷湯を煮立て，塩，しょうゆで調味し，はくさいを加えて煮る．次に④の団子と②のはるさめを入れ，再び煮立ってきたら湯碗によそう．

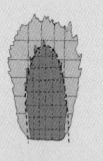

はくさいの切り方

●切り方
米：みじん切り，粒状

■参 考
葷湯（フンタン）：獣鳥肉・魚介類からとった動物性食品のだし汁．
素湯（スタン）：野菜・植物性乾物類からとった精進スープ．

■コ ツ
肉団子は粘りが出るまでよく練る．

エ 110 kcal　た 6.0g
脂 5.6g　塩 1.8g

蟹粉蛋羹 (シェ フェン タン コン)

かにと卵のスープ

●材料（1人分）
- かに……………………10g
- ねぎ……………………8g
- きくらげ………………1g
- サラダ油………………2.5g
- 塩（汁の0.8%）………1.2g
- こしょう………………少々
- 上湯……………………150mL
- でんぷん………………3g
- 卵………………………10g

●調理法
1. かにはほぐして軟骨を取る．
2. ねぎは糸に切り，きくらげはもどして糸に切る．
3. 鍋に油を入れ，①②を炒め，塩，こしょうで調味をして上湯を加える．水溶きでんぷんでとろみをつける．
4. 溶き卵を流し入れて火を止める．

■コ ツ
材料，調味料器など整えておき，手早く仕上げる．かには炒めすぎない．

エ 69 kcal　た 3.2g
脂 4.0g　塩 1.6g

魚羹 (ユー コン)

たいの薄くずスープ

●材料（1人分）
- たい（1/5尾）………可食部20g
- 水………………………150mL
- しょうが………………少々
- ねぎ……………………5g
- みつば（2本）…………3g
- 塩（汁の0.7%）………1.5g
- でんぷん………………4g

●調理法
1. たいは沸騰した水の中に入れ，しょうが，ねぎを加えて中火で5分間煮る．途中でアクを取る．たいとゆで汁に分け，たいは皮，骨を取り除き，身だけをほぐしておく．
2. みつばはさっとゆでて，2cm長さに切る．
3. ゆで汁は葷湯として塩味で調え，沸騰したら①でほぐしたたいの身を入れ，水溶きのかたくり粉でとろみをつけ，みつばを入れる．

■コ ツ
たいのゆで汁を用いる．うろこや小骨を残さない．

■参 考
薄くず汁は冷めにくい．

エ 42 kcal　た 3.6g
脂 0.9g　塩 1.5g

170

什錦火鍋(シチンフォクォ)

●材料（1人分）

干ししいたけ（1/2枚）	2 g
ゆでたけのこ	5 g
あわび（缶詰）	8 g
干し貝柱	3 g
はくさい	100 g
木綿豆腐	50 g
はるさめ	6 g
ぎんなん	3 g
⎰ かき	30 g
⎱ 酒	2 g
⎱ でんぷん	5 g
⎰ しばえび	40 g
⎱ 酒	2 g
⎱ でんぷん	5 g
⎰ 鶏ささ身	25 g
⎱ 酒	2 g
⎱ でんぷん	3 g
⎰ するめいか	20 g
⎱ 酒	2 g
⎱ でんぷん	3 g
豚挽肉	40 g
Ⓐ ⎰ しょうが汁	少々
⎱ ねぎみじん切り（1 cm分）	2.5 g
⎱ 塩（肉の1％）	0.4 g
⎱ しょうゆ	1 g
⎱ 水	6 mL
卵（1/3個，混ぜ合わせたⒶの2/5量）	15 g
ラード	10 g
⎰ 上湯	300 mL
⎱ 酒	6 g
⎱ 塩	1.5 g
酢じょうゆ ⎰ 酢	2 g
⎱ しょうゆ	2 g

|エ| 473 kcal |た| 32.4 g
|脂| 21.8 g |塩| 2.7 g
（スープのうち40％を食する）

●調理法

① 干ししいたけは水につけてもどす．
② ゆでたけのこ，あわびは片に切る．
③ 干し貝柱は熱湯につけて一晩おき，もどす．
④ はくさいはやや大きく片に切り，豆腐は塊に切る．
⑤ はるさめは熱湯でつけもどす．
⑥ ぎんなんは鬼皮を取り，渋皮は油で揚げたのち取る．
⑦ かき，しばえび，鶏ささ身，するめいかは，それぞれそのままか片に切って酒で下味をつけ，でんぷんをまぶして熱湯に通しておく．
⑧ 豚挽肉にⒶの材料を加え，よく混ぜてまとめておく．
⑨ 次に小さな玉じゃくしを熱し，ラードを引いて卵を流し，その中に⑧を入れて小さなオムレツを焼いておく．
⑩ 火鍋子（鍋）に上湯，酒，塩で調味し，その中に上記の材料を入れて煮ながら酢じょうゆをつけて供する．

●切り方
❶ 片(ピェン)：うす切り
❷ 塊(コワイ)：ぶつ切り

■コツ
　鍋物の煮汁は，少なくならないようにたっぷりと用意し，いつもゆったりとスープがあること．かきは塩水でふり洗いをしてから水で洗ってザルにあげる．

■参考
鍋料理の種類
❶ 五景火鍋子(ウーチンフォクォッ)（5種類の材料が入る鍋料理）
❷ 猪肉火鍋子(チュロウフォクォッ)（豚肉を主材料に野菜が入る鍋料理）
❸ 炸魚鍋子(チャユークォッ)（揚げ魚鍋）
❹ 蛤蜊鍋子(クーリークォッ)（ハマグリ鍋）
❺ 涮羊肉(シュエンヤンロウ)（羊肉のしゃぶしゃぶ）

■応用
　かきは身がやわらかいので，ていねいにするときは，おろしだいこんの中にまぜ冷水中で洗い流す方法もある．

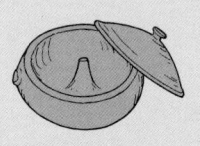

チークオ
気鍋
蒸気なべ　雲南料理でニワトリの蒸し煮などをつくるのに用いる磁器製のなべ

シャクオ
沙鍋
土なべ

中華寄せ鍋

第4章●中国料理

豆腐入りコーンスープ

玉米会豆腐(ユー ミイ ホエイ トウ フウ)

●材料（1人分）
- 木綿豆腐……………………50 g
- さやえんどう………………3 g
- とうもろこし(缶詰)………70 g
  （スイートコーン，クリームスタイル）
- ┌ 上湯………………………150 mL
- │ 酒…………………………5 g
- └ 塩（汁の0.5%）…………1.2 g
- ┌ でんぷん…………………3 g
- └ 水…………………………3 mL
- ラード………………………1 g

エ 130 kcal　た 5.2 g
脂 4.2 g　塩 1.8 g

●調理法
① 豆腐は軽く重石をして水分を取り，1.5 cmの丁に切る．
② さやえんどうはさっとゆで，糸(スウ)に切る．
③ 鍋にとうもろこしと上湯を入れて火にかけ，混ぜながら煮る．煮立ったらアクをすくい取り，酒と塩で味をつける．
④ ③が煮立ったら，でんぷんの水溶きを加えてよく混ぜ，もうひと煮立ちさせ，豆腐とさやえんどうを入れる．最後にラードを入れ，よく混ぜて火を止める．

●切り方
丁(ティン)：さいの目切り（0.5～1cm角）．

■コツ
① とうもろこしの皮が気になる場合は，裏ごしにかけるかミキサーにかける．
② 豆腐は少し水気を切ったほうがよい．

■応用
最後にとき卵を入れてもおいしい．

実習編 2　炒菜(チャオ ツァイ)

エ エネルギー　た たんぱく質　脂 脂質　塩 食塩相当量

ピーマンと牛肉の炒め物

青椒牛肉糸(チン チャオ ニウ ロウ スウ)

●材料（1人分）
- ┌ 牛肉（薄切り）…………40 g
- │ 酒…………………………2 g
- │ しょうゆ…………………2 g
- └ でんぷん…………………0.8 g
- ピーマン……………………40 g
- ねぎ…………………………1.5 g
- にんにく……………………少々
- サラダ油……………………7 g
- ┌ 塩…………………………0.8 g
- │ しょうゆ…………………2.5 g
- └ 砂糖………………………0.5 g

エ 150 kcal　た 7.5 g
脂 10.5 g　塩 1.5 g

●調理法
① 牛肉を繊維に沿って1 cm幅の糸に切る．しょうゆと酒をふりかけてよく混ぜ，でんぷんをまぶす．
② ピーマンは縦割りにして種を出し，縦に糸に切る．
③ ねぎ，にんにくは米に切る．
④ 鍋に油を入れて熱し，手早くねぎとにんにくを入れて炒める．次に牛肉を強火で炒め，色が変わったらいちど牛肉をボールにとる．
⑤ 鍋にピーマンを入れて炒め，ピーマンの色の美しい間に塩，しょうゆを入れ，さらに砂糖を入れ，肉をもどして混ぜ合わせ，火を止めて皿に移す．

●切り方
① 糸(スウ)（絲）：せん切り．
② 米(ミイ)：みじん切り．

■コツ
性質の異なる材料を炒めるときは，別々に炒めて最後に合わせると色よく仕上がる．

芙蓉蟹 (フウ ロン シェ)

●材料（1人分）

かに（缶詰）	10g
たまねぎ	20g
ゆでたけのこ	10g
きくらげ	0.5g
グリンピース	8g
塩	0.5g
こしょう	少々
サラダ油	4g
卵（2個）	100g
塩	1g
こしょう	少々
サラダ油	8g
あん	
上湯	60mL
しょうゆ	3.5g
砂糖	2g
しょうが汁	少々
でんぷん（上湯の4%）	2.5g

●調理法

❶ かには軟骨を取り，ほぐす．
❷ たまねぎ，たけのこは糸に切る．
❸ きくらげはもどして糸に切る．
❹ 卵は割りほぐし調味する．
❺ 野菜とかにを炒め，塩，こしょうで調味し，粗熱をとる．
❻ 卵に⑤の具を混ぜる．
❼ フライパンにサラダ油を引き，卵液を流し込み，半熟になるまで箸でかき混ぜ，中心に丸く寄せる．裏返して両面焼く．
❽ 上湯に調味料を入れ煮立て，水溶きでんぷんとしょうが汁を加えて，あんをつくる．
❾ 器にとり，あんをかけて供す．

■コツ

卵をふっくらと焼き上げ，冷めないうちに供する．冷めると卵がしぼむ．

■参考

芙蓉蟹（フーヨーハイ）とよぶこともあるがこれは上海風の発音（方言）である．

■応用

にらは4cmの長さに切り，中華鍋に炒め油を熱し，強火でさっと炒め，割りほぐした卵に薄く塩味をつけたものを鍋の中に流しいれ，かにたまと同じ要領で炒めあげる．

エ 295 kcal　た 13.8g
脂 21.3g　塩 2.6g

かにたま

炒青梗菜 (チャオ チン コン ツァイ)

●材料（1人分）

チンゲンサイ（青梗菜）	100g
サラダ油	7g
上湯	50mL
塩	0.3g
紹興酒	4g
上湯	30mL
塩	0.2g
紹興酒	1.5g
しょうゆ	1g
でんぷん	1.5g

エ 89 kcal　た 1.3g
脂 7.2g　塩 0.8g

●調理法

❶ チンゲンサイは軸に少し切り込みを入れ，縦に2等分する．水できれいに洗い，水切りしておく．
❷ 鍋を火にかけて油を熱し，チンゲンサイを茎のほうから炒める．少し炒めたら塩，酒，上湯を入れて強火にし，3～4分煮て引きあげ，器に並べる．そのとき，茎のほうを外側にし，放射線状に並べる．
❸ 上湯，塩，しょうゆ，酒にチンゲンサイを煮たときのスープを加えて火にかける．沸騰したら水溶きでんぷんを入れ，とろみをつける．
❹ ひと煮立ちしたら火を止め，皿に並べたチンゲンサイの上にかける．

■コツ

チンゲンサイは炒めたのち，湯で少し加熱をすると火通りもよく色もあざやかである．

■参考

中国野菜はチンゲンサイ，クウシンサイ（空心菜），ターサイ（塌菜），トウミョウ（豆苗）など市場にでまわっている．緑黄色野菜は淡色野菜よりもビタミンやミネラルが多く含まれている．中には，繊維質が多い野菜もある．中国野菜は色もよく，香りや味にくせのないものが多く，煮物，炒めものなど幅広く利用できる．炒めものは強火でサッと仕上げるので，ビタミン類の損失もすくない．
〈紹興酒（シャオシンチュウ）〉中国の紹興（土地名）で産する老酒（ラオチュウ）．

チンゲンサイの炒め物

第4章●中国料理

炒墨魚(チャオモーユー)

いかのうま煮

●材料（1人分）

いか	30 g
しょうが汁	少々
にんにく	少々
酒	5 g
しばえび	20 g
干ししいたけ	3 g
ゆでたけのこ	30 g
たまねぎ	30 g
さやえんどう	10 g
サラダ油	10 g
上湯	50 ml
塩	1.5 g
しょうゆ	2 g
でんぷん	2 g

エ 176 kcal　た 9.1 g
脂 10.2 g　塩 2.1 g

●調理法

① いかは内臓を取り，胴を開いて皮をむく．表側に花（ホワ）に切り，3cm角に切る．足の皮もむき，適当に切る．
② ①にしょうが，にんにく，酒を混ぜ，約10分漬けておく．
③ しばえびは洗って皮をむき，背わたを取る．
④ 干ししいたけはもどして片に切り，たけのこも片に切る．たまねぎは1cm幅の片に切る．さやえんどうは筋を取る．
⑤ 半量の油を熱し，さやえんどう，しばえび，いかを別々にさっと炒めて取り出しておく．
⑥ 残りの油を熱し，たまねぎ，しいたけ，たけのこを炒め，上湯と調味料を加えて煮立て，⑤を加え，水溶きでんぷんを入れて手早く混ぜて火を通す．

●切り方

花：花に似た飾り切り．

■コツ

いかを加熱しすぎない．

■参　考

〈いかのもどし方〉
　いかは魷魚(ユーユー)（やりいか，するめいか），墨魚(モーユー)（こういか）ともいわれる．中国の内陸部でいかの料理をよくみかけるが，これはするめ（素乾燥品）をもどして調理しているのである．もどし方は，するめをぬるま湯に4～5時間つけ，アルカリ性の水（かんすい，ソーダなど5％溶液）に1夜浸漬したのち取り出し，水に20分間漬け，水を4～5回とりかえ，十分やわらかくもどしてから，花型に切り，調理に用いる．味はほとんど感じないが，コリッとした歯触りがある．

蝦仁豆腐(シャレントウフウ)

小えびと豆腐の煮込み

●材料（1人分）

むきえび	25 g
絹ごし豆腐	100 g
にら	5 g
しょうが	少々
固形スープの素（1/4個）	1 g
サラダ油	6 g
酒	5 g
上湯	50 ml
塩	1.6 g
こしょう	少々
でんぷん	2 g
水	10 ml

エ 148 kcal　た 9.6 g
脂 9.3 g　塩 2.2 g

●調理法

① えびは背わたを取り，さっと洗う．
② にらは3cm長さに切り，しょうがは米に切る．
③ 豆腐は縦半分に切ってから1cm厚さに切り，熱湯に入れて再び沸騰したら静かにザルにあげる．
④ 中華鍋に油を熱し，しょうが，えび，にらを入れて香りをつけ，上湯とスープの素，酒を入れる．塩・こしょうで味を調え，煮立ったらでんぷんの水溶きを加える．
⑤ 豆腐を入れて火を弱め，豆腐に火が通るまで煮る．

■コツ

豆腐は水分が多いので，さっとゆでて形をくずさないようにする．

174

炒肉片 (チャオロウピェン)

●材料（1人分）
- 豚肉（薄切り） ……… 30 g
- 干ししいたけ ……… 3 g
- にんじん ……… 20 g
- ゆでたけのこ ……… 20 g
- たまねぎ ……… 50 g
- しょうが ……… 少々
- ねぎ（白） ……… 2 g
- さやえんどう ……… 10 g
- サラダ油 ……… 4.5 g
- { しょうゆ ……… 13 g
- 砂糖 ……… 2 g
- 葷湯 ……… 50 mL
- でんぷん ……… 3 g }

エ 155 kcal　た 8.0 g
脂 6.3 g　塩 2.0 g

●調理法
1. 豚肉は片に切る．干ししいたけは水につけもどして片に切る．
2. にんじん，たけのこ，たまねぎは片に切り，油通し（120℃の油に通す）をする．
3. しょうがは片に切り，ねぎは2～3 cmの段（ぶつ切り）に切る．
4. さやえんどうは筋を取り，油通しする．
5. 中華鍋に炒め油を熱し，ねぎ，しょうがを炒め，続いて豚肉を炒め，②の野菜を加えて炒め，最後に④を入れ，調味料と葷湯を加え，沸騰したところで水溶きでんぷんでとろみをつける．

●切り方
1. 段（トワン）：ねぎなどのやや細いもののぶつ切り
2. 片：うす切り

■コツ
1. 材料の下ごしらえをしておくことで，同時に加熱ができる．
2. 油通し：泡油（パオヨウ）
　材料を低温（120～140℃）の油の中に入れ八分ほど熱を通す下調理のこと．

豚肉と野菜の炒め物

麻婆豆腐 (マーポートウフウ)

●材料（1人分）
- 木綿豆腐 ……… 80 g
- 豚挽肉 ……… 25 g
- Ⓐ { ねぎ ……… 5 g
- しょうが ……… 少々
- にんにく ……… 少々 }
- サラダ油 ……… 5 g
- Ⓑ { 豆鼓（5粒） ……… 3 g
- 豆板醤 ……… 2 g
- 甜麺醤 ……… 2 g
- しょうゆ ……… 4 g
- 酒 ……… 4 g }
- 葷湯 ……… 40 mL
- { でんぷん ……… 2 g
- 水 ……… 4 mL }
- サラダ油 ……… 2.5 g

エ 247 kcal　た 10.6 g
脂 15.6 g　塩 1.5 g

●調理法
1. 豆腐は水切りして2 cm角の塊（ぶつ切り）に切り，さっと熱湯に通し，ザルにとって水を切る．
2. ねぎ，しょうが，にんにくは米（みじん切り）に切る．
3. 豆鼓（四川豆鼓）は米に切る．
4. 中華鍋に油を熱し，豚挽肉とⒶの材料（ねぎは半量残す）を入れ，肉が色づくまで炒める．
5. ④に葷湯とⒷを加えてよくかき混ぜ，均一になったところに①の豆腐を加える．
6. 豆腐をくだかぬように注意しながら表面に油の層が出てくるまで3～4分煮込む．
7. 豆腐が膨張したら水溶きでんぷんを回し入れ，とろみがついたら加熱した熱い油をかける．
8. 残りのねぎをふり入れて軽く混ぜ，大皿に盛る．

■コツ
豆腐は調理する直前に湯通しする．

■応用
肉を炒めるとき，好みでさんしょうを少し入れてもよい．

■参考
1. 料理名の由来はp.158の表4-2参照．
2. 豆鼓（みそ納豆），豆板醤（とうがらしみそ），甜麺醤（甘みそ）はp.154の調味料を参照．

●切り方
1. 塊（クワイ）：ぶつ切り，ころころ切り
2. 米（ミィ）：みじん切り

豚挽肉と豆腐のとうがらし炒め

第4章●中国料理

八宝菜 (パーパオツァイ)

野菜の五目炒め

●材料（1人分）
- 豚もも肉 …………………… 20 g
- ┌ しょうゆ，酒 ………… 各 1 g
- └ でんぷん ………………… 5 g
- 大正えび（1尾）…………… 25 g
- うずら卵（1個）…………… 10 g
- もんごういか ……………… 30 g
- はくさい …………………… 80 g
- 生しいたけ（1枚）………… 10 g
- ゆでたけのこ ……………… 20 g
- ねぎ，にんじん，えんどう …各 10 g
- しょうが …………………… 少々
- サラダ油 …………………… 8.5 g
- ┌ 上湯 ……………………… 50 mL
- │ しょうゆ ………………… 4 g
- │ 砂糖，塩 ……………… 各 1 g
- └ 酒 ………………………… 3 g
- でんぷん …………………… 3 g

●調理法
① 肉は2cmの塊に切り，下味をつけてからでんぷんをまぶす．
② えびは背わたを取り，さっとゆでて殻を取る．うずら卵はかたゆでにし，水にとって殻をむく．いかは松笠に切り，片に切り熱湯を通す．
③ はくさい，しいたけ，たけのこは片に切り，ねぎは斜片に切る．
④ にんじんは花型に切ってゆで，えんどうも筋を取りゆでる．
⑤ 中華鍋に半量の炒め油を熱して①の豚肉を炒め，皿にとる．
⑥ 残りの炒め油を熱して米に切ったしょうがを入れ，香りが出たらはくさい，しいたけ，たけのこの順に強火で炒める．豚肉，うずら卵，調味料と上湯を加えてよく混ぜ，残りの材料を加え，水溶きでんぷんでとろみをつける．

■参考
五目旨煮のことで炒什錦（チャオシーチン）ともいう．

■応用
八宝菜に使用する野菜は季節によって旬の材料をとりあわせて変化を楽しむことができる．

エ 233 kcal　た 14.5 g
脂 10.9 g　塩 2.2 g

腰果鶏丁 (ヤオクオチーティン)

鶏肉とナッツの炒めもの

●材料（1人分）
- Ⓐ ┌ 鶏肉 …………………… 40 g
- │ 塩，酒（それぞれ肉の0.1％）
- │ ……………………… 各少々
- │ 卵（1/5個）…………… 10 g
- └ でんぷん ………………… 2 g
- たけのこ …………………… 10 g
- マッシュルーム …………… 15 g
- Ⓑ ┌ 赤とうがらし ………… 1/5本
- │ ねぎ（2cm）…………… 5 g
- └ しょうが，にんにく …… 各少々
- Ⓒ ┌ しょうゆ ………………… 5 g
- │ 砂糖，でんぷん ……… 各 1 g
- │ 酒 ………………………… 5 g
- └ 水 ………………… 3〜5 mL
- カシューナッツ …………… 20 g
- 揚げ油 ……………………… 適量
- サラダ油 …………………… 4 g

●調理法
① 鶏肉は丁に切り，塩，酒をふりかけ，指先でもみ混ぜ，卵を加え，でんぷんを入れて，よく混ぜる．
② たけのこは湯通ししたのち1cmの丁に切る．マッシュルームは縦半分に切る．
③ Ⓑの薬味のとうがらしは種をとる．ねぎは半分に切る．しょうが，にんにくは片切りを各1枚．
④ Ⓒの調味料を混ぜ合わせる．
⑤ 揚げ油を130℃に熱し，①の鶏を一度に入れ，混ぜながら肉の色が変わるまで油通しをする．
⑥ カシューナッツは170℃の油で混ぜ少し色がついたらひきあげる．
⑦ 熱した中華鍋に炒め油を入れ，Ⓑの薬味を入れ強火で炒め，②の材料を入れ炒め，①を入れ，Ⓒの調味料を加え，煮立たせ，火を止めてから，⑥をいれ混ぜ合わせて器にとる．

●切り方
① 丁（ティン）：さいの目切り．
② 片（ピェン）：そぎ切り，うす切り．

■コツ
① 鶏肉はひなどりの柔らかい皮つきのがよい．
② カシューナッツは生か塩のついていないものがよい．
③ 油通しの頃あいに注意する．

■応用
カシューナッツ（腰果）のかわりにピーナッツでもよい．

エ 298 kcal　た 12.4 g
脂 22.0 g　塩 1.0 g
吸油量6gとして

実習編 3 炸菜(チャツァイ)

ｴ エネルギー　た たんぱく質　脂 脂質　塩 食塩相当量

乾炸鶏塊(カンチャチークワイ)

●材料（1人分）
若鶏（骨付き100g）… 可食部 55g
しょうゆ……………………… 5g
酒……………………………… 5g
しょうが……………………… 少々
でんぷん……………………… 5g
パセリ………………………… 少々
揚げ油………………………… 適量
花椒塩………………………… 0.5g

ｴ 180 kcal　た 9.7g
脂 12.8g　塩 1.3g
吸油量5.5gとして

●調理法
① 骨付き若鶏のかたまり（ぶつ切り）をボールに入れ，すりおろしたしょうが，しょうゆ，酒を加え，よく混ぜて20〜30分おき，下味をつける．
② ①の汁を切ってでんぷんを入れ，手で混ぜて3〜5分おく．
③ 揚げ油を火にかけ，140〜150℃になったら鶏肉を鍋肌に沿って入れ，7〜8分間揚げる．揚げ網でときどき肉を空気にあてるようにする．肉が縮んで骨が少し肉からはみ出るようになり，きつね色になったら取り出す．
④ 器に盛り，パセリ，花椒塩（炒り塩と粉山椒を混ぜたもの）を添えて供す．

●花椒塩の作り方
精製塩…100g
花椒…5〜7g
　先に塩と花椒（サンショ）の実を炒り，サンショの香りを塩に移してから，サンショの実を取りだして粉に挽いてからまた塩に戻す．

■コツ
乾炸(カンチャ)：空揚げのこと．材料に下味をつけたりデンプンの他に小麦粉や上新粉をつけて揚げる手法である．
① 揚げているうちに鶏肉が縮み，骨がつき出るようになるまで揚げる．
② 揚げ温度が140〜150℃を維持するように火を加減する．
③ 揚げ終わりは180℃位にしてとり出す．

鶏肉の空揚げ

炸魚条(チャユーティヤオ)

●材料（1人分）
｛白身魚……………………… 30g
｛塩…………………………… 0.3g
しょうが……………………… 少々
でんぷん……………………… 2g
｛卵白（1/2個分）…………… 15g
｛でんぷん…………………… 5g
｛塩…………………………… 0.5g
揚げ油………………………… 適量
花椒塩………………………… 0.3g

ｴ 79 kcal　た 6.3g
脂 3.0g　塩 1.2g
吸油量3gとして

●調理法
① 魚は1cmぐらいの厚さに切り，これを1cm角の棒状の小指ぐらいの大きさに切る（条に切る）．塩としょうが汁をふりかけて下味をつけ，これにでんぷんをまぶし，つきすぎた分は手の平でたたいて落としておく．
② ボールに卵白1/2個分を入れ，軽く泡立てて塩とでんぷんを入れ，軽く混ぜて衣をつくる．
③ 鍋に揚げ油を170℃に熱し，衣をつけた魚を少し色づく程度に揚げる．
④ 花椒塩をふりかける．

●切り方
条(ティヤオ)：拍子木切り，短冊切り．

■コツ
① 卵白は泡立てすぎないようにし，でんぷんを入れてから混ぜすぎると粘りが出てふんわりとした軽い衣にならない．
② 卵白の泡立ては揚げ油が適温になったころにはじめる．
③ 揚げ油は新しいものを用いる．いちどに入れると衣がくっつくので少しずつ入れる．

■応用
　白身魚を細かく切り，卵白の衣で揚げたもの．魚はひらめ，たい，すずきなどがよい．

魚の衣揚げ

第4章●中国料理

えびの卵白衣揚げ

高麗蝦仁（カオ リイ シア レン）

●材料（1人分）

大正えび（2尾）	50 g
しょうが汁	少々
塩	0.5 g
でんぷん	5 g
衣 卵白（1/2個分）	15 g
小麦粉	5 g
でんぷん	5 g
塩	0.5 g
揚げ油	適量
パセリ	少々
花椒塩	0.5 g

●調理法

① 大正えびは背わたを取り，尾の1節を残して殻をむき，しょうが汁，塩で下味をつける．

② 卵白をかたく泡立て，その中に小麦粉とでんぷん，塩をふり入れて手早く混ぜ合わせる．

③ えびの水気を切り，でんぷんをまぶす．竹串でえびを刺し，泡を消さないように②の衣をつけて揚げる（170℃）．

④ パセリ，花椒塩（p.177参照）を添えて供す．

■コツ

卵白は泡立てておくと水分が出るので，揚げ油の温度が適温になる頃に準備する．卵白のふんわりとした衣で揚げるようにする．

■応用

えびのほか，白身魚でもよい．

エ 147 kcal　た 10.8 g
脂 5.0 g　塩 1.8 g
吸油量5gとして

はるまき

炸春捲（チャ チュン チュエン）

●材料（1人分）

しばえび	20 g
たけのこ	15 g
しいたけ	1 g
ねぎ	5 g
しょうが	少々
塩（材料の1％）	0.4 g
こしょう	少々
サラダ油	9 g
はるまきの皮	1枚
小麦粉	2 g
水	2 mL
揚げ油	適量

エ 179 kcal　た 4.7 g
脂 12.9 g　塩 0.7 g
吸油量4gとして

●調理法

① えびは皮をむき，適当に包丁を入れてつぶしておく．

② たけのこ，しいたけ，ねぎは糸（せん切り）に切る．しょうが，ねぎは米（みじん切り）に切る．

③ 鍋に油，みじんしょうが，みじんねぎを入れてえびを炒め，たけのこ，しいたけ，せん切りねぎを入れて炒め，塩・こしょうで調味する．

④ 皮の上に中身の材料をのせ，手前からしっかりと巻き込む．巻き終りに水溶き小麦粉を糊としてつける．合わせ目を下にしておくと落ち着く．

⑤ ④の合わせ目を下にして静かに鍋に沿わせて油の中に入れる．165～170℃くらいの温度で4～5分揚げる．3cmぐらいの長さに切り，皿に盛って熱いうちに供す．

■コツ

中身は火が通っているので，皮がパリッと揚がればよい．

■応用

えびのかわりにかに缶（軟骨を取りほぐす），豚肉のせん切りを用いてもよい．

はるまきの巻き方

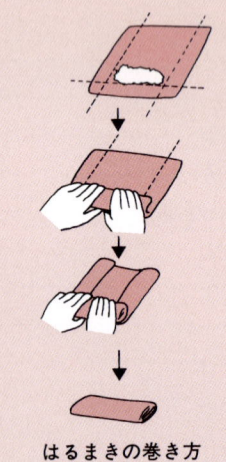

蝦仁吐司
（シャレントウス）

●材料（1人分）
- 食パン（8枚切1/2枚）……… 23 g
- えび肉 …………………………… 30 g
- 白身魚 …………………………… 20 g
- 卵 ………………………………… 10 g
- 酒 ………………………………… 5 g
- 揚げ油 …………………………… 適量
- 花椒塩 …………………………… 0.8 g

- エ 185 kcal　た 10.4 g
- 脂 9.6 g　　塩 1.3 g
- 吸油量8gとして

●調理法
① えび肉と白身魚を細かく切ってたたき，すり鉢に入れ，塩，酒，卵を入れてすり混ぜる．
② パンは7 mm厚さに切り，1枚を4つに切って片面に①の材料を山形にのせ，油の中へ肉を下にして入れて揚げる．油の温度は150〜160℃くらいで揚げる（3〜4分蒸してから油で揚げてもよい）．
③ 花椒塩を添える．

■コツ
油の温度が高いと，えびに火が通らないうちにパンが焦げるので注意する．
　花椒塩は，p.177を参照．

えびのパン揚げ

実習編 4　蒸菜（チョンツァイ）

エ エネルギー　た たんぱく質　脂 脂質　塩 食塩相当量

蛋巻（タンチュエン）

●材料（1人分）
- 卵 ………………………………… 25 g
- ┌ 塩 …………………………… 0.2 g
- │ でんぷん ……………………… 2 g
- └ 水 ……………………………… 2 mL
- 豚挽肉 …………………………… 50 g
- ねぎ ……………………………… 2 g
- ┌ しょうが汁 …………………… 少々
- │ 塩 …………………………… 0.5 g
- │ 酒 …………………………… 3 g
- │ 砂糖 …………………………… 1 g
- │ でんぷん ……………………… 2 g
- └ しょうゆ ……………………… 3 g
- 練りがらし ……………………… 適量
- パセリ …………………………… 少々

- エ 170 kcal　た 11.1 g
- 脂 10.7 g　　塩 1.4 g

●調理法
① 卵をよく溶いて塩，水溶きでんぷんを加えて混ぜ，卵液（小1）を残して薄焼き卵をつくる．
② 挽肉と末（細かくみじん切り）のねぎ，調味料とでんぷんを混ぜ，手でよくこねる．
③ ぬれぶきんを広げて薄焼き卵をのせ，卵の向う端1 cmぐらい残して②を一面に平らに塗る．手前から巻き，残した卵液にでんぷん少々を混ぜたもので糊づけして止める．ふきんで巻いて両端をねじって形を整える．
④ 蒸気の立った蒸し器に入れて約15分蒸す（押してみて弾力を感ずるまで）．
⑤ 厚さ1 cmぐらいの小口切りまたは斜切りにして盛り付け，パセリを添える．
⑥ 練りがらしとしょうゆを添える．

■コツ
薄焼き卵をつくる場合，卵液を裏ごしを通してから焼くときれいに焼ける．

■応用
卵のかわりに平ゆばを使用することもある．

●切り方
末（モー）：非常に細かいみじん切り．

挽肉の卵巻き

第4章●中国料理　179

如意捲（ルウイチュエン）

魚すり身の卵巻き蒸し

●材料（1本分：5人分程度）
- 卵（1個） ……………………… 50 g
- ┌ 水 ……………………………… 5 mL
- │ 塩 ……………………………… 少々
- └ でんぷん ……………………… 2.5 g
- サラダ油 ………………………… 0.5 g
- ほうれんそう …………………… 50 g
- ロースハム（2〜3枚） ………… 30 g
- 魚のすり身 ……………………… 150 g
- ┌ 塩 ……………………………… 1.5 g
- │ 酒 ……………………………… 0.5 g
- │ 卵白 …………………………… 7.5 g
- └ でんぷん ……………………… 2.5 g
- でんぷん ………………………… 3.5 g
- 小麦粉, 水（糊用） …………… 少々
- サラダ菜（3枚） ……………… 20 g
- しょうゆ ………………………… 3 g
- 練りがらし ……………………… 適量

1人分
エ 70 kcal　た 6.8 g
脂 2.0 g　塩 0.7 g

●調理法
1. 卵は塩とでんぷんを加えてよく混ぜて, 一度こしてから薄焼きにする（卵1個で1枚）.
2. ほうれんそうはゆでて水気を絞る. ハムは糸に切る.
3. すり身をすり鉢に入れてよくすり, でんぷん, 調味料, 卵白を加えて粘りが出るまでよく混ぜる.
4. ふきんの上に薄焼き卵を広げ, 全体にでんぷんをふる. ③を均一にのばし, 両端にそれぞれハムとほうれんそうをおき, 図の要領でかたく巻く.
5. 合わせ目に糊液をつけてふきんに包み, 両端をゴムで止め, 強火で約15分間蒸す.
6. 冷めてから1cmの厚さに切り, サラダ菜をあしらって盛り, からしじょうゆを添えて供する.

■参　考
如意は仏具の如意棒を意味したものである.

■応　用
1. すり身がないときは白身魚や生えびをすりつぶして使う.
2. ハムのかわりににんじんを角に切って用いてもよい.

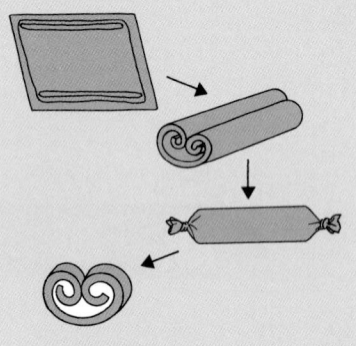

如意捲の巻き方

清蒸魚（チンチョンユー）

魚の姿蒸し

●材料（5人分）
- たい（1尾約800g）… 可食部 360 g
- ┌ 塩（魚の1％） ………………… 8 g
- │ こしょう ……………………… 少々
- └ 酒 ……………………………… 30 g
- ねぎ ……………………………… 50 g
- ねぎ ……………………………… 10 g
- しょうが ………………………… 10 g
- ┌ しょうゆ ……………………… 30 g
- Ⓐ│ 酒 …………………………… 30 g
- └ 砂糖 …………………………… 10 g
- サラダ油 ………………………… 30 g

1人分
エ 176 kcal　た 13.4 g
脂 9.1 g　塩 2.5 g

●調理法
1. たいはうろこ, えら, 内臓を除いて水洗いし, 塩とこしょうを全体にふってすりこみ, 酒をふりかけておく.
2. ねぎ50gは糸（せん切り）に切る.
3. ねぎ10gは包丁の背でたたいてから縦に4つに切る.
4. しょうがは包丁の背でたたいて香りを出やすくしてから片（うす切り）に切る.
5. 魚に③, ④の薬味をのせて約20分間蒸す.
6. 深目の皿に魚をすべらせておき, ⑤の薬味を除いてⒶの調味料を熱してかけ, さらに②のねぎをふりかける. その後, 熱したサラダ油を上からかけて供する.

■コ　ツ
魚は新鮮なものを用いる.

■参　考
1. 魚の切り目は図のように上身と下身との切り目が合うようにすると取り分けやすい.
2. 熱した油をかけることを油淋（ユウリン）といい, 香りとつやが出る.

魚の切り方

珍珠丸子(チェンチュウワンツ)

もち米団子の蒸し物

●材料（1人分）
- もち米（糯米）……………15g
- しょうゆ……………………1.5g
- 豚挽肉………………………35g
- 青ねぎ………………………3g
- しいたけ（1/2枚）…………5g
- しょうが……………………少々
- でんぷん……………………2g
- 卵……………………………5g
- 酒……………………………3g
- 塩……………………………0.2g
- しょうゆ……………………1g

エ 128 kcal　た 7.0g
脂 6.2g　塩 0.6g

●調理法
1. もち米は洗い，ひたひたの水にしょうゆを混ぜた中に1時間以上浸す．
2. 挽肉に小米（みじん切り）のねぎ，しいたけ，しょうがの絞り汁，でんぷん，卵，調味料を入れてよく混ぜ，梅干し大に丸める．
3. ①のもち米をザルに上げて水を切り，ふきんに広げ，②をころがしてもち米をつける．
4. 蒸気の立った蒸し器にぬれぶきんを敷き，初め5分くらい強火，後は中火で30分ほど蒸す．途中1回ふり水をする（糯米丸子，糯米肉ともいう）．

■コツ
もち米は十分吸水させてから水気をよく切って，肉団子につける．

■参考
1. 小米（シャオミイ）：粒状のみじん切り．
2. 糯米（ヌオミイ）：もち米．

清燉白菜(チントゥンパイツァイ)

はくさいとベーコンの煮込み

●材料（1人分）
- はくさい……………………100g
- ベーコン……………………13g
- とうがらし……………1/8〜1/4本
- 上湯…………………………150mL
- 塩……………………………1.5g

エ 76 kcal　た 2.8g
脂 5.6g　塩 1.9g

●調理法
1. はくさいは根元を切って1枚ずつはがして洗う．
2. 葉の間にベーコンの薄切りを挟んで重ね，大きめの深い器に入れ，とうがらしの小口切りを葉の間や上に散らす．
3. 上湯に塩味をつけてはくさいが浸る程度に入れ，50分間蒸す〔スープの素（1人1/3個）を使う場合は，塩を加えない〕．
4. 上湯を別鍋に移し，はくさいを縦に3〜4つに切ってさらに横に4cmぐらいに切り，深い器に盛る．湯の味を整え，熱くしてかける．

■コツ
材料にかぶるくらいの湯や水を入れて煮立てたあと，弱火にして材料がやわらかくなるまで煮込むこと．汁は煮詰めてしまわない．

第4章●中国料理

三様燉蛋 (サンヤントゥンタン)

えびの蒸し煮

●材料（1人分）
- しばえび……………………15 g
- さやえんどう………………8 g
- 干ししいたけ………………1 g
- Ⓐ 卵……………………………30 g
- 　 上湯…………………………120 mL
- 　 塩……………………………1.3 g

エ 68 kcal　た 6.6 g
脂 3.3 g　塩 1.6 g

●調理法
1. えびは皮をむき背わたを取る．
2. さやえんどうは筋を取って青ゆでにし，糸切りにする．干ししいたけはもどして糸切りにする．
3. Ⓐは，冷めた上湯に卵と塩を合わせてふきんでこす．
4. 器に③を入れ，具を静かに浮かせる．
5. 中火にして"す"がたたないように気をつけて蒸し器で20分ほど蒸す（90℃）．

■コツ
茶碗蒸しの要領と同じで，蒸し温度と時間に注意する．

実習編 5　焼 菜・煨 菜 (シャオツァイ・ウエイツァイ)

エ エネルギー　た たんぱく質　脂 脂質　塩 食塩相当量

乾焼大蝦 (カンシャオタアシャ)

大正えびのとうがらし炒め

●材料（1人分）
- 大正えび（2尾）……………50 g
- ┌ 酒……………………………2 g
- └ しょうゆ……………………2 g
- ねぎ…………………………5 g
- しょうが……………………少々
- にんにく……………………少々
- 赤とうがらし………………1/2本
- ┌ 酒……………………………5 g
- │ 砂糖…………………………2 g
- └ しょうゆ……………………10 g
- ┌ トマトケチャップ…………12 g
- │ でんぷん……………………1 g
- └ 水……………………………少々
- サラダ油……………………13 g
- あさつき（2本）……………5 g

エ 205 kcal　た 10.1 g
脂 12.7 g　塩 2.4 g

●調理法
1. えびの尾は斜めに切る．背中に包丁で切り込みを入れて背わたを取り，酒，しょうゆに10分間下味をつける．
2. ねぎ，しょうが，にんにく，赤とうがらしは米に切る．
3. 酒，砂糖，しょうゆを混ぜ合わせておく．
4. トマトケチャップにでんぷんと水を混ぜ合わせておく．
5. あさつきは根を取って5mm幅の小口切りにしておく．
6. 鍋を熱し油を入れ，ついで，えびを炒め，赤くなるまで焼き，②の材料を入れてさらに炒め，③と④の調味料を加えてよく混ぜ合わせ，最後にあさつきを加えて混ぜ合わせ，火を止める．

■コツ
えびの背のほうに少し切り込みを入れると，背わたが取りやすく火の通りもよく，味もよく浸透する．

■参　考
1. 大正えび：廃棄率（50%）
2. 焼（シャオ）：炒め焼きして調味料で煮込んだもの．
3. 乾焼（カンシャオ）：とうがらしなどの香料を多く用いたもの．
4. 紅焼（ホンシャオ）：しょう油で煮たもの．

182

東坡肉（トンポオロウ） — 豚肉の角煮

●材料（1人分）
- 豚肉（かたまり）……………… 100 g
- ねぎ……………………………… 5 g
- しょうが………………………… 少々
- しょうゆ………………………… 5 g
- 揚げ油…………………………… 適量
- Ⓐ
  - 豚ゆで汁……………………… 10 g
  - しょうゆ……………………… 8 g
  - 酒……………………………… 30 g
  - 砂糖…………………………… 3 g
  - ねぎ…………………………… 3 g
- からし…………………………… 少々

エ 461 kcal　た 12.7 g
脂 39.3 g　塩 2.1 g

●調理法
❶ 豚肉はかたまりのまま，ねぎ，しょうがを入れて30分間ゆでて4 cm角に切り，しょうゆをかけて色をつけたのち，油で揚げる．
❷ ①に熱湯をかけて油抜きをする．
❸ 鍋に②とⒶの調味料と薬味を入れて弱火で1時間半ぐらい煮込む（汁が残っていれば，でんぷんの水溶きでとろみをつける）．
❹ ②に③をかけて盛り付け，からしを添えて熱いうちに供する．

■コツ
❶ 脂肪の多い肉を長く煮込むことにより，脂肪組織を取り巻いている結合組織のコラーゲンをゼラチン化してやわらかくし，脂肪の滑らかな味を味わうものである．途中で揚げる操作によって表面をかたくし，さらに長時間の加熱で形がくずれなくなる．
❷ 揚げた後は器に入れて蒸し器で蒸すと焦げつかなくてよい．このときは汁にでんぷんを加えてとろみをつけて肉にかける．
❸ 最初長時間（1時間くらい）ゆでて，後の煮込み時間を少なく（40〜50分）してもよい．いずれも合計2時間くらいの加熱時間が必要である．
❹ かたまりのままゆでて切ったのち，しょうゆをまぶし，油で揚げてから煮込むと煮込み時間は短時間でよい．さらに揚げたときは熱湯をかけて油を切る．

■参考
❶ 4〜5人分を一緒につくるほうがよい．
❷ 栄時代の詩人蘇東坡が考えた料理といわれる．

紅焼鶏土豆（ホンシャオチートウトウ） — 鶏とじゃがいもの煮物

●材料（1人分）
- 鶏肉……………………………… 30 g
- じゃがいも……………………… 100 g
- 揚げ油…………………………… 適量
- ラード…………………………… 5 g
  - 下湯………………………… 100 mL
  - 砂糖………………………… 2 g
  - しょうゆ…………………… 10 g
  - 酒…………………………… 10 g
- でんぷん………………………… 1 g

エ 245 kcal　た 7.3 g
脂 14.3 g　塩 1.6 g
吸油量8 gとして

●調理法
❶ じゃがいもの皮をむいて，段に切り，鶏肉も段に切る．じゃがいもは油通し（130℃）をする．
❷ 鍋にラードを熱し，鶏肉をいため，①を加え下湯，調味料を入れ，沸騰したら弱火でやわらかくなるまで煮込む．
❸ 器にじゃがいもをとり，残り汁に水どきでんぷんでとろみをつけ，じゃがいもの上にかける．

●切り方
段（トワン）：小さいぶつ切り．

■コツ
じゃがいも（土豆：トウトウ）は煮くずれしないように，一度油通しをして煮るとよい．

■応用
❶ 日本の肉じゃがいもと同じように，しょうゆで味つけし，牛肉，豚肉にかえてもよい．
❷ 紅焼：炒め焼きしてしょう油で煮たもの．

第4章●中国料理　183

実習編 6 烤菜(カオツァイ)・燻菜(シュンツァイ)

エ エネルギー　た たんぱく質　脂 脂質　塩 食塩相当量

燻魚(シュンユー) — 魚のいぶし焼き

●材料(1人分)
- 魚切身（あじ） 60g
- Ⓐ
  - ねぎ 7g
  - しょうが 2g
  - しょうゆ 6g
  - 酒 6g
- 揚げ油 適量
- Ⓑ
  - 塩 少々
  - しょうゆ 10g
  - 酒 6g
  - 砂糖 20g
  - 水 200mL
- さんしょう粉 少々
- ごま油 1.5g
- サラダ菜 適量
- パセリ 少々

エ 258kcal　た 11.2g
脂 11.4g　塩 2.6g
吸油量8gとして

●調理法
1. ねぎは段切り，しょうがは片切りとする．
2. 魚はⒶの材料に30分くらい浸して下味をつける．
3. ②の魚の汁気をふき，油で2度揚げをする．最初は170℃，2度目は200℃とする．
4. Ⓑの調味料を煮立てておく．
5. 揚げた魚を熱いうちにⒷにつけ込み，汁気がなくなるまで煮る．
6. 最後にごま油をふりかけ，香りをつけて仕上げる．
7. 冷めたら片に切り，サラダ菜を敷いて盛り合わせ，さんしょう粉とパセリを添える．

●切り方
1. 段(トワン)：ぶつ切り．
2. 片：うす切り．

■コツ
魚は熱いうちに切ると身がくずれる．

■応用
1. 香辛料はさんしょうのほかに五香粉も使われる．
2. 五香粉：ウイキョウ，花椒，丁字，陳皮，桂皮を粉にしたもの．
3. 魚はさば，いしもち，とびうおなどでもよい．

叉焼肉(チャシャオロウ)(烤肉) — 焼き豚

●材料(10人分)
- 豚もも肉（かたまり） 400g
- しょうゆ 40g
- 酒 20g
- 砂糖 10g
- ねぎ 15g
- しょうが 6g
- 練りがらし 適量

1人分
エ 68kcal　た 7.5g
脂 2.3g　塩 0.7g

●調理法
1. 豚肉にねぎの小口切り，しょうがの片切りをのせ，調味料の合わせたものをかけ，7～8時間漬ける．
2. 下味をつけた豚肉の形を整え，1～2cm間隔にたこ糸をかける．
3. オーブンに入れ，160～170℃の中で30～40分間焼く．焼き上がったら，冷めてたこ糸を切る．
4. 好みの厚さに肉をスライスする．
5. つけ汁を使って，たれをつくってつけたり，練りがらしやしょうゆをつけて供する．

■コツ
豚肉はできるだけ脂肪の少ない部分を用い，下味用の調味液をまんべんなく回るように注意をする（このとき，一晩くらいおくと十分下味がついておいしい）．

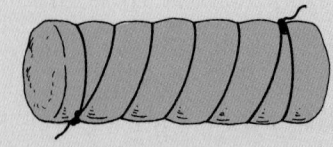

たこ糸のかけ方

実習編 7 溜菜（リュウツァイ）

エ エネルギー　た たんぱく質　脂 脂質　塩 食塩相当量

古滷肉（クルウロウ） — 酢豚

●材料（1人分）
- 豚もも肉（かたまり） … 60 g
- しょうゆ，酒 … 各5 g
- しょうが汁 … 少々
- でんぷん（肉の5％） … 3 g
- 揚げ油 … 適量
- ゆでたけのこ … 20 g
- たまねぎ … 25 g
- にんじん … 10 g
- 干ししいたけ（1枚） … 3 g
- ピーマン（1/2個） … 10 g
- パイナップル（輪切り1/2） … 20 g
- サラダ油 … 13 g
- 葷湯 … 30 mL
- しょうゆ … 8 g
- 砂糖 … 6 g
- 酢 … 10 g
- でんぷん，水 … 各2 g

エ 328 kcal　た 13.0 g
脂 19.0 g　塩 2.0 g
吸油量3 gとして

●調理法
1. 豚もも肉は2 cm角に切り，約20分下味につける．その後でんぷんをつけ，170℃で3分揚げる．
2. ゆでたけのこは，一口の馬耳（乱切り）に切る．
3. たまねぎ1個を縦に2等分し，それぞれを6個くらいに切る．
4. にんじんは花型に抜き，さっとゆでておく．
5. 干ししいたけはもどし，石づきを取って1枚を4切れの片に切る．
6. ピーマンは縦2つに切り，種を取って一口大の馬耳（乱切り）とし，湯通しする．
7. パイナップルは輪切り1枚を8つに切る．
8. 葷湯および調味料を合わせる．
9. 油を熱してたまねぎを炒め，次にしいたけ，たけのこ，にんじんを順次炒め，①の肉，⑥⑦⑧を加えて1分間ほど煮て，でんぷんの水溶きを入れてとろみをつけ，器にとる．

●切り方
1. 馬耳（マアアル）：大きめの乱切り．
2. 兎耳（トウアル）：小さい乱切り．

■コツ
1. 肉は揚げたてをあんでからめるように，野菜を炒めてあんをつくるのと並行してタイミングよく肉を揚げる．もし，タイミングが合わない場合は，肉をあんに入れる直前に2度揚げする．
2. 水溶きでんぷんを入れてから長く煮ないこと．

■参考
　これは，広東料理の一つであるが，上海料理の糖醋肉丁（タンツーロウティン）ともよく似ている．

溜蚕豆（リュウツァントウ） — そら豆のあんかけ

●材料（1人分）
- そら豆（さやつき300 g） … 100 g
- サラダ油 … 6 g
- Ⓐ 砂糖 … 8 g
- 　塩 … 1.5 g
- 　水 … 50 mL
- でんぷん，水 … 各2 g

エ 193 kcal　た 8.3 g
脂 5.9 g　塩 1.5 g

●調理法
1. そら豆の外側の皮に切り込みを入れる．
2. 鍋に油を熱してそら豆を炒め，Ⓐの調味料を入れゆっくりと5分間加熱をする．少し汁を残し，水溶きでんぷんでとろみをつける．

■コツ
1. そら豆の皮に切り込みを入れると，皮がむきやすく，味が浸透しやすい．
2. 煮すぎると色が悪くなる．また，鉄鍋を使うと，できあがりの色の冴えがよくないので注意．

第4章●中国料理

醋溜丸子(ツー リュウ ワン ツ)

肉団子の甘酢あんかけ

● 材料(1人分)

豚挽肉	30 g
ねぎ	7 g
しょうが	少々
キャベツ	15 g
卵	6 g
でんぷん	3 g
塩	1 g
揚げ油	適量
⎡ 葷湯	20 mL
｜ 砂糖	3 g
｜ 塩	1 g
｜ しょうゆ, 酢	各3 g
｜ でんぷん	2 g
⎣ 水	4 mL

● 調理法

① しょうが, キャベツ, ねぎは末に切る.
② 豚挽肉に①の材料を加え, 卵, でんぷん, 塩を入れ, 粘りが出るまで混ぜる.
③ 手に油をつけ, 直径2 cm程度の団子に丸める.
④ 油を150～160℃まで熱し, その中に鍋肌に沿って団子を流し入れ, きつね色になるまで4～5分揚げる.
⑤ 鍋に葷湯, 砂糖, しょうゆ, 塩, 酢を入れ, 火にかけて混ぜ, 沸騰したらでんぷんの水溶きを加え, とろみをつけてあんをつくる.
⑥ ⑤に揚げた肉団子を入れ, よくあんをからませ, 器に盛り付ける.

■ コ ツ

肉団子は油の中では壊れやすいのであまりさわらない. 少し温度が上がってきたら, ときどき揚げ網で団子を空気にふれさせるようにして揚げると, カリッとした状態になる.

● 切り方

末:非常に細いみじん切り.

■ 参考

葷湯(フンタン):魚や肉などの動物性のスープ.

エ 154 kcal　た 5.9 g
脂 10.3 g　塩 2.5 g
吸油量5 gとして

蕃茄溜魚片(ファン チャ リュウ ユー ピェン)

魚のトマトあんかけ

● 材料(1人分)

⎡ 白身魚	60 g
｜ しょうが汁	少々
｜ 酒	2 g
⎣ でんぷん	4 g
揚げ油	適量
サラダ油	10 g
にんにく	少々
たまねぎ	30 g
グリンピース	4 g
⎡ ケチャップ	12 g
｜ 砂糖	1 g
Ⓐ｜ 酒, しょうゆ	各2 g
｜ 塩	1 g
⎣ 上湯	15 mL
でんぷん, 水	各1 g

● 調理法

① 魚は皮を引き, 0.6 cm厚さの片に切り, しょうが汁, 酒をふりかけて下味をし, 10分ぐらいおく.
② たまねぎは片に切り, にんにくは1個を2つに切る.
③ 魚にでんぷんをまぶし, 揚げ油(170℃)の中に入れ, 薄いきつね色になるまで揚げる.
④ 別の中華鍋にサラダ油を熱して, にんにく, たまねぎを入れ, たまねぎに油がのるぐらいまで炒め, Ⓐの調味料を加えて, 煮立ったらグリンピース, 水溶きでんぷん入れて濃度をつけ, ③の魚を入れて全体を混ぜ, 火を止める.

■ コ ツ

たまねぎを炒めすぎない. 魚の身がくずれやすいので手早く調味料をからませる.

● 切り方

片(ピェン):うす切り.

エ 212 kcal　た 9.3 g
脂 12.8 g　塩 1.9 g
吸油量3 gとして

糖醋魚片
(タン ツー ユー ピェン)

魚と野菜の甘酢あんかけ

●材料（1人分）

白身魚	60 g
しょうゆ	10 g
酒	2 g
にんにく	少々
しょうが	少々
でんぷん（魚の7%）	4 g
揚げ油	適量
にんじん	12 g
ゆでたけのこ	15 g
干ししいたけ	1 g
ピーマン	5 g
サラダ油	2.5 g
砂糖	4 g
しょうゆ	5 g
酢	4 g
上湯	8 mL
でんぷん	1 g
トマトケチャップ	2 g

●調理法

① 魚は3cm角に切り下味をつける．
② にんにく，しょうがはすりおろす．
③ にんじんは塊（ぶつ切り）にしてゆでる．
④ ゆでたけのこは塊に切る．
⑤ 干ししいたけは，もどして片に切る．
⑥ ピーマンは種を取り，湯通しする．
⑦ 砂糖，しょうゆ，酢，上湯，でんぷん，トマトケチャップを全部合わせておく．
⑧ 下味をつけた魚にでんぷんをまぶし，からりと揚げる．
⑨ 鍋で野菜をさっと炒め，⑦の混合調味料を加えてあんをからめ，最後に揚げた魚を入れる．

■コツ

あんと揚げたての魚を手早く混ぜ，器にとる．また，いつまでも鍋に野菜や魚を入れておくと，野菜から水分が出て，色も悪くなる．

エ 155 kcal　た 10.1 g
脂 5.5 g　塩 2.4 g
吸油量3gとして

第4章●中国料理

実習編 8 冷菜(ロンツァイ)

■エ エネルギー　■た たんぱく質　■脂 脂質　■塩 食塩相当量

凉拍黄瓜(リャンパイホワンクワ)

きゅうりの和え物

●材料（1人分）
- きゅうり（1/2本）……………75g
- サラダ油………………………5g
- 塩………………………………0.5g
- Ⓐ
  - しょうゆ……………………3g
  - 砂糖…………………………2g
  - 酢……………………………5g
  - ごま油………………………1g

■エ 78kcal　■た 0.7g
■脂 5.8g　■塩 0.9g

●調理法
1. きゅうりは板ずりして洗い，縦2つ割りにし，切り口を下にして軽くたたき，4～5cmぐらいの長さに切る．
2. 鍋に油と塩を入れて熱し，きゅうりをさっと炒めてⒶの調味料を入れ，すぐ器にあけてそのまま冷たくして供す．

■コツ
拍(パイ)は包丁を横にし，包丁の腹でたたく使い方．軽く拍することによって，やわらかく，また味がなじみやすいようにする．

辣白菜(ラパイツァイ)

はくさいの甘酢漬け

●材料（1人分）
- はくさいの茎……………………80g
- にんじん…………………………4g
- 赤とうがらし……………1/5本
- しょうが，さんしょうの実…各少々
- ごま油………………………4g
- Ⓐ
  - 砂糖…………………………12g
  - 塩……………………………0.5g
  - 酢……………………………20g

■エ 100kcal　■た 0.5g
■脂 3.9g　■塩 0.5g

●調理法
1. はくさいは茎の部分を5mmの幅で縦に切り，にんじんはマッチの軸くらいの糸に切り，塩をふり，しんなりしたら水気を絞る．
2. 赤とうがらしは種を取って輪切り，しょうがは糸に切り，①に混ぜておく．
3. 鍋にごま油を入れ，とうがらしとさんしょうの実を加えて熱し，Ⓐの調味料を入れてひと混ぜし，はくさいの上にかけて全体をよく混ぜ合わせ，ふたをしておく．

■コツ
1. はくさいの太さをそろえる．
2. 調味料，香辛料などを混ぜて熱し，風味を出してからかけると味の浸透がよい．
3. とうがらし，さんしょうの実を炒める時，こがさないようにする．

●切り方
糸(スウ)：せん切り（絲も同じ）．

涼拌三絲
（リャン バン サン スウ）

●材料（1人分）

きゅうり	20 g
はるさめ	6 g
ロースハム	8 g

Ⓐ
酢	10 g
上湯，しょうゆ	各4 g
塩	0.5 g
ごま油	0.5 g
練りがらし	少々
砂糖	1 g

エ 57 kcal　た 1.8 g
脂 1.8 g　塩 1.3 g

●調理法

❶ きゅうりは板ずりし，洗ってから糸に切る．はるさめはゆでて，4 cm長さに切る．ハムは糸に切る．
❷ Ⓐの調味料をあわせておく．
❸ 器に①を色よく盛り合わせ，②をかける．

■コツ

調味料は供する直前にかけること．

きゅうり・はるさめ・ハムの酢の物

涼拌海蜇
（リャン バン ハイ チエ）

●材料（1人分）

くらげ	15 g
きゅうり	30 g
ロースハム	18 g
卵	20 g
サラダ油	0.5 g

しょうゆ	6 g
酢	5 g
砂糖	1 g
ごま油	0.3 g

エ 89 kcal　た 6.5 g
脂 4.8 g　塩 1.4 g

●調理法

❶ くらげは水につけて塩出しをする．50℃の湯に通したのち水にとり，糸に切る．
❷ きゅうりは板ずりをして水で洗い，糸に切る．
❸ ハムは糸に切る．
❹ 卵は薄焼き卵とし，糸に切る．
❺ 器にきゅうり，卵，くらげ，ハムを美しく盛り，調味料をかける．

■コツ

くらげのもどし方に留意する．

くらげの酢の物

第4章●中国料理

五香茶葉蛋・皮蛋（ウシャンチャーイエタン・ピータン）

卵の茶葉煮

●材料（4人分）
- 卵（4個）・・・・・・・・・・・・・・・200 g
- 紅茶またはほうじ茶・・・・・・・大さじ2
- 八角・・・・・・・・・・・・・・・・・・・・・1粒
- さんしょう粒・・・・・・・・・・・・・・10粒
- 水・・・・・・・・・・・・・・・・・・・・・・600 mL
- 塩・・・・・・・・・・・・・・・・・・・・・・3 g
- 皮蛋（1個）・・・・・・・・・・・・・・50 g

1人分（1個）
- エ 96 kcal　た 7.5 g
- 脂 6.4 g　塩 1.2 g

●調理法
1. 卵は水から10分ゆで，水にとる．ナイフの背で1個ずつ殻ごとたたいて，細かくひびを入れる．
2. 鍋に①と紅茶，八角，さんしょう粒，水，塩をあわせて加熱する．煮立ったら弱火にして，20〜30分煮る．卵殻が褐色になれば取り出して，殻をとり好みに切る．
3. 皮蛋は水の中につけておき，土を落として殻をとる，好みに切る．
4. 茶葉蛋と皮蛋を色どりよく盛りつける．

■コツ
1. 卵の表面に花模様をつけるつもりで，ゆで卵の殻にまんべんなくひび割れを入れる．
2. 皮蛋は食べる10〜15分前に切っておく．

■応用
1. うずら卵でもできる．紅茶のかわりに，ほうじ茶やプアール茶のように色の濃い茶を使用してもよい．
2. 塩のかわりにしょうゆでもよい．

涼拌墨魚（リャンバンモーユー）

いかの和え物

●材料（1人分）
- いか・・・・・・・・・・・・・・・・・・・・40 g
- しょうが汁・・・・・・・・・・・・・・・少々
- 酒・・・・・・・・・・・・・・・・・・・・・・1 g
- でんぷん（いかの7%）・・・・・・・3 g
- きゅうり・・・・・・・・・・・・・・・・・40 g
- セロリー・・・・・・・・・・・・・・・・・10 g
- かけ汁
  - 酢・・・・・・・・・・・・・・・・・・・6 g
  - しょうゆ・・・・・・・・・・・・・・6 g
  - 砂糖・・・・・・・・・・・・・・・・・2 g
  - 練りがらし・・・・・・・・・・・・少々
  - ごま油・・・・・・・・・・・・・・・2.5 g

- エ 87 kcal　た 6.1 g
- 脂 2.7 g　塩 1.2 g

●調理法
1. いかは皮をむいて開き，裏側に花に切り込みを入れて片口切り，しょうが汁と酒に約10分漬け下味をつけてでんぷんをふりかける．熱湯にさっとくぐらせ，水にとり，冷やして水気を切っておく．
2. きゅうりは熱湯にさっと通し，水につけて色出しをし，縦半分に切って斜片（斜め切り）とする．
3. セロリーは筋を取って縦半分に切って斜め切り．
4. かけ汁の材料を合わせ，①②③を和え，器に盛る．

●切り方
1. 花（ホワ）：花様に筋目を入れる飾り切り．
2. 斜片：斜めうす切り．

■参考
いかについてはp.174の炒墨魚を参照．

■応用
きゅうりをピーマンにかえてもよい．

棒棒鶏（バンバンチー）

鶏肉のごまだれ和え

●材料（1人分）

鶏手羽肉	30 g
ねぎ，しょうが	適量
きゅうり	25 g
くらげ	10 g
かけ汁（ごまだれ）	
ねぎ	20 g
にんにく	少々
しょうが	少々
しょうゆ	8 g
砂糖	1 g
酢	2 g
ラー油	1.5 g
白ごま	5 g

エ 124 kcal　た 7.3 g
脂 8.2 g　塩 1.3 g

●調理法
① ボールにねぎの3cmぐらいの段切りとしょうがの片切りと手羽肉を入れて約30分間蒸す．鶏肉は冷ましてあらく糸にさく．
② きゅうりは板ずりして糸切りにする．
③ くらげは塩ぬきをして，ゆでて糸切りにする（p.189参照）．
④ かけ汁に使用するねぎ，にんにくとしょうがは米切りにし，調味料とよく混ぜ合わせておく．
⑤ 皿にくらげときゅうりを並べ，その上に鶏肉をのせ，かけ汁は食卓でかけ，よく混ぜ合わせてから食す．

●切り方
① 段：ぶつ切り．
② 片：うす切り．
③ 糸：せん切り．
④ 米：みじん切り．

■コツ
① 鶏肉は皮も一緒に用いる．
② かけ汁に加えるねぎ，にんにくは食べる直前に混合する．

■参考
① 棒で肉をたたいて身をほぐしたことよりこの名があるという．
② 四川料理の一つで前菜に利用する．

白肉片（バイロウピェン）

豚肉の水煮辛味ソースかけ

●材料（1人分）

豚肉ロース（かたまり）	30 g
ねぎ，しょうが	適量
水	（肉がかぶるくらい）
かけ汁	
甜醤油	2 g
しょうゆ	4 g
酢	1 g
ごま油	1 g
ラー油	0.5 g
にんにくすりおろし	少々
きゅうり	50 g

エ 86 kcal　た 6.3 g
脂 5.0 g　塩 0.8 g

●調理法
① ねぎは青い部分を5cmくらいの段に切る．しょうがは片に切る．
② 鍋に水，豚肉，ねぎ，しょうがを入れて火にかけ，沸騰したら沸騰が持続できる火力で30分ゆでる．肉はゆで汁につけたまま冷まし，できるだけ薄く切る．
③ きゅうりは板ずりにし，棒状のまま薄く切り，水につける．
④ 調味液はすべて混ぜ合わせる．
⑤ きゅうりは皿に立体的に盛り，その上に豚肉ものせ，上に調味液をかける．

■コツ
① 豚肉は少し脂のある部分を使用する．
② きゅうりはできるだけ薄く，長くそろえる．

■参考
〈甜醤油（テイエンシヤオヨウ）のつくり方〉
〔醤油1/2カップ，砂糖50g，酒1/4カップ，うすぎりしょうが3枚，陳皮4g，桂皮1g，ねぎの段切り5cm〕
材料をよく混ぜ合わせ，2時間ぐらい弱火で煮て1/3くらいに煮詰める．焦がさないようにする．保存がきく．

第4章●中国料理

実習編 9 点心（ティエンシン）

エ エネルギー　た たんぱく質　脂 脂質　塩 食塩相当量

四喜焼売（スーシーシャオマイ）

四色しゅうまい

●材料（1人分）
- しゅうまいの皮（5枚） …… 15g
- 豚挽肉 …………………… 50g
- たまねぎ ………………… 30g
- 干ししいたけ …………… 1g
- ねぎ ……………………… 2g
- でんぷん ………………… 10g
- 塩 ………………………… 0.4g
- しょうゆ ………………… 1.5g
- こしょう ………………… 少々
- 小麦粉，でんぷん ……… 各5g
- ゆで卵（1/4個） ………… 15g
- ほうれんそう …………… 10g
- 干ししいたけ …………… 1g
- ロースハム ……………… 5g
- しょうゆ ………………… 8g
- 酢 ………………………… 8g
- 練りがらし ……………… 適量

●調理法
1. たまねぎ，しいたけ，ねぎを米に切る．
2. ①に肉，でんぷん，調味料を加え，手でよくこねる．丸めて小麦粉をつけ，次にでんぷんをつける．
3. ゆで卵とゆでたほうれんそうは米に切る．もどした干ししいたけとハムも米に切る．
4. 皮に②を入れ，図のように皮の2方を持ち上げ，次に残った2方の皮を持ち上げてつけ，4つの穴をつくる．この穴にゆで卵の黄色，ほうれんそう，しいたけ，ハムを彩りよくつめる．
5. 蒸籠に油を塗り，④を並べて強火で15〜17分間蒸す．
6. 熱いうちに酢，しょうゆ，からしなど，好みで添える．

■コツ
蒸籠に油を塗っておくと，しゅうまいが，蒸しあがったとき皮がつかず，取り出しやすい．

■参考
1. 四喜は4つの喜びのことをいい4色の意でもある．
2. しゅうまいの皮は，ぎょうざ，わんたんと同じ方法でつくり，8cm角に切る（p.193）．

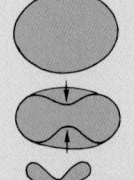

四喜焼売の包み方

エ 275kcal　た 13.3g
脂 10.5g　塩 2.1g

炒米粉（チャオミイフェン）

ビーフンの炒め物

●材料（1人分）
- ビーフン（米粉） ………… 50g
- 豚肉 ……………………… 40g
- しょうが汁 ……………… 少々
- しいたけ（1枚） ………… 3g
- もやし …………………… 50g
- キャベツ ………………… 50g
- ねぎ ……………………… 3g
- 上湯 ……………………… 30mL
- Ⓐ{ 塩 …………………… 2g
  　 酒 …………………… 5g
  　 しょうゆ …………… 5g
- 白ごま …………………… 1g
- 紅しょうが ……………… 2g
- サラダ油 ………………… 8g
- からし，酢 ……………… 適量

●調理法
1. ビーフンは約50℃の湯に20分つけてもどす．
2. 豚肉は糸に切り，しょうが汁と塩少々ふりかけておく．
3. しいたけはもどして糸切りにする．
4. キャベツは糸切りにする．
5. ねぎは斜めの糸切りにする．
6. もやしは，芽とひげ根をとり除いて，洗っておく．
7. 鍋にサラダ油を入れて熱し，肉を入れて炒め，しいたけ，もやし，キャベツ，ねぎを入れて炒め，上湯とⒶを加えて調味する．次にビーフンを入れて全体によく混ぜる．皿に盛り，上から白ごま，紅しょうがを散らし，からし，酢を添えて供す．

■コツ
ビーフンをもどしすぎないようにする．

■参考
うるち米を原料にしてつくる押し出しめん．外観は乾燥状態であるが，2度の熱処理によって糊化しているので，水か湯に浸してやわらかくなったら調理することができる．

■応用
炒めるのは夏向きで，スープに入れる場合もある．

エ 349kcal　た 12.1g
脂 11.5g　塩 3.0g

鍋貼餃子（クォテイエチャオツ）

●材料（1人分）
- ぎょうざの皮（5枚）……30g
- 肉あん
  - 豚挽肉……30g
  - にら……15g
  - しょうが……少々
  - はくさい……15g
  - 干ししいたけ……2g
  - ごま油……1g
  - しょうゆ……1g
  - 塩……0.5g
  - こしょう……少々
  - 酒……1mL
  - でんぷん……2g
- サラダ油……4.5g
- 酢……5g
- しょうゆ……3g
- ラー油，練りがらし……適量

エ 229 kcal　た 8.3 g
脂 11.7 g　塩 1.3 g

●調理法
① にら，しょうがは米に切り，はくさいはゆでて米に切り，水気を絞る．干ししいたけはやわらかくもどして米に切る．
② 肉に①の材料と調味料を加え，よく混ぜ合わせたものをぎょうざ皮で包む．
③ フライパンにサラダ油を入れて熱し，ぎょうざを並べて焼く．ぎょうざの底が薄くきつね色になったら，水（ぎょうざの1/3の高さまで）を加えてふたをし，弱火で水分がなくなるまで蒸し焼きにする．
④ 熱いうちに，からし，酢，ラー油，しょうゆを添えて供する．

■コツ
焼くときは厚手のフライパンを利用する．

■参　考
〈ぎょうざの皮のつくり方〉
●材　料
強力粉…100g，熱湯…50mL，塩…1g，打ち粉（小麦粉）…少々

●つくり方
① 小麦粉はふるっておく．
② 熱湯に塩を入れ，とかして①に加え，こね合わせ，コシがでるまでよくこねる．こねる時に使う水は，焼きぎょうざは熱湯，蒸しぎょうざはぬるま湯を用いて耳たぶのかたさにこねる．丸めてぬれ布きんをかけ20分間ねかす．
③ のし板に直径3cmくらいの棒状に伸ばし，15個に切りわける．切り口を上にし，手のひらで軽く押さえ平らにつぶし，めん棒で，丸く伸ばす（直径7〜8cmくらい）．

ぎょうざは焼く（鍋貼ぎょうざ），蒸す（蒸ぎょうざ），ゆでる（水ぎょうざ），揚げる（炸ぎょうざ），がある．

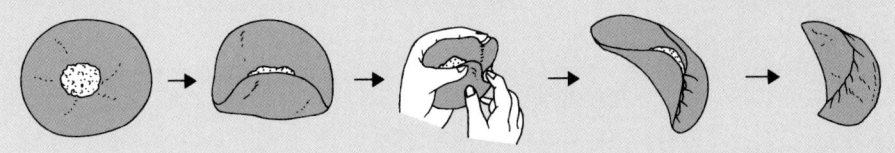

ぎょうざ

ぎょうざの包み方

　中国北部では一年中よく食べられ，正月に必ずつくるのが餃子である．餃子は交子と同じ発音で子を授かる．したがって，子孫繁栄を意味する縁起のよい食べ物である．

　餃子は皮やあんの種類，包む形や調理法は多種多様である．皮は小麦粉のほか，浮粉（小麦でんぷん），白玉粉などのでんぷんを使用すると，半透明な皮となり，また，いも類を蒸したり，つぶしたりして混ぜたやわらかい皮や，ほうれんそうやにんじんを混ぜて色をつけたカラフルな皮がある．

　中国の北方では唐代の少し前からコムギ栽培の普及があり，碾磑（テンガイ）という臼類ができ，脱穀と製粉を大規模に行えるようになった．したがって，粉食（饅頭や餃子）を長期にわたって主としてきたが，アワ，オオムギ，キビなど粒食も多い．小麦粉のことを「麺（ミェン）」といい，日本のようにうどん状になったのは「麺條（ミェンティアオ）」と称する．「麺食」は中華そばの類から饅頭や餃子などまでを包括している．南方では米粒を米飯にするほか，粉にして米粉（ミィフェン）（ビーフン）のように麺状にしたものなどがある．

第4章●中国料理　193

餛飩（フントゥン）

わんたん

● 材　料（1人分）

小麦粉	
強力粉	20 g
薄力粉	20 g
卵	12 g
塩	1 g
水	8 mL
でんぷん	少々
豚挽肉	20 g
キャベツ	5 g
ねぎ	5 g
しょうが	少々
しょうゆ	2.5 g
鶏湯	200 mL
塩（鶏湯の0.7%）	1.4 g
丼の中の1人分	
しょうゆ	2 g
こしょう，青ねぎ	各少々

エ 220 kcal　た 9.7 g
脂 5.7 g　塩 3.3 g

● 調理法

❶ 小麦粉，溶き卵，塩，水で耳たぶくらいのかたさによくこね，ぬれぶきんに包んで30分くらいねかせておく。でんぷんを打ち粉として薄くのばし，6 cm角に切る。
❷ キャベツはさっとゆでて絞り，米に切る。ねぎ，しょうがも米に切る。
❸ 肉と②の材料としょうゆを加え，よく混ぜておく。
❹ ①の皮で③を包む（図）。
❺ 煮立った湯の中で約1分ゆで，冷水にとり，再び熱湯に20秒入れて引き上げ，温かい丼に盛る（丼にはしょうゆ，こしょうを入れておく）。
❻ 0.7%の塩味の鶏湯を入れ，ねぎの糸切りを浮かす。

■ コ　ツ

❶ しゅうまいの皮と同様にぎょうざの皮をさらに薄く伸ばしたものである。

❷ 皮の中に卵を混入することで，皮が薄くのばしやすくなる。打ち粉をするとき，ふきんにでんぷんを包んで用いると作業がしやすい。

■ 参　考

油で揚げる場合は，炸餛飩という。

■ 応　用

市販品の皮を使用するのもよい。

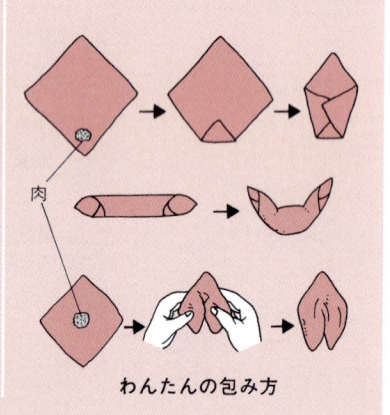

わんたんの包み方

涼拌麺（リャンバンミェン）

冷やし五目めん

● 材　料（1人分）

中華めん（1玉）	100 g
ごま油	1.5 g
塩（めんの0.5%）	0.5 g
もやし	30 g
きゅうり	20 g
卵	25 g
塩	0.2 g
砂糖	少々
油	1.5 g
ロースハム	4 g
かけ汁	
上湯	150 mL
酢	5 g
しょうゆ	7 g
砂糖	1 g
しょうが汁	少々
溶きがらし	少々

● 調理法

❶ 中華めんはゆでて冷水にとり，水切りしてごま油，塩で下味をつける。
❷ きゅうりは板ずりにして斜めに薄く輪切りにし，それを糸に切る。
❸ もやしはさっとゆでる。
❹ 卵は塩，砂糖で調味して薄焼きにし，糸切りにする。
❺ ハムは糸に切る。
❻ 鍋にかけ汁の調味料を入れて火にかけ，冷やしておく。しょうがの絞り汁と溶きがらしを入れる。
❼ ①の中華めんを皿に盛り，きゅうり，もやし，錦糸卵，ハムを彩りよく並べ，かけ汁をかけて供す（かけ汁は別の器に入れて供してもよい）。

■ コ　ツ

めんのゆで加減に留意をする。めん，具，かけ汁とも冷やして用いる。

■ 応　用

夏季の野菜類（トマト，にんじん，ピーマン，レタス，みょうが，しその葉）を糸に切り，めんの上にのせ，さらに炒りごまをたっぷりかけるのもよい。また，めんのかわりに，はるさめを利用することもある。

エ 354 kcal　た 13.7 g
脂 7.5 g　塩 2.6 g
かけ汁のうち60%を食する

饅頭（肉包子，豆沙包子）
マントウ　ロウパオツ　トウシャパオツ

〈肉包子〉
●材料（1人分）

A	中力粉	36 g
	湯（40℃）	20 mL
	イースト	1.4 g
	砂糖	1.0 g
	塩	0.2 g
豚挽肉		20 g
たまねぎ		10 g
ゆでたけのこ		5 g
干ししいたけ		1 g
しょうが		少々
B	塩	0.2 g
	しょうゆ	2 g
	砂糖	1.0 g
	でんぷん	1.6 g
からし		少々
しょうゆ		少々
酢		少々

エ 195 kcal　た 7.2 g
脂 4.0 g　　塩 1.1 g

●調理法
❶ 小麦粉はふるって，材料Ⓐをよくこね合わせる．生地を滑らかにまとめ，ふきんをかけて30℃で30分間発酵させる．ガス抜きは生地を突くようにして中のガスを出し，形よく丸めておく．
❷ 豚挽肉にたまねぎ，たけのこ，もどしたしいたけ，しょうがの米切りを混ぜ，調味料Ⓑを加えて粘りが出るまで混ぜ，肉あんをつくる．
❸ 丸めておいた①のドウに②の肉あんを包む．ひだを10～13くらい取りながら包み，包み目を中央にしてねじっておき，下に経木を当てる（図）．
❹ 蒸籠に包子を間隔おいて並べ，30℃で30分間発酵をする．
❺ 蒸気の上がったところで，強火で12～15分間蒸す．

■参 考
ドウとは，小麦粉に水などを加えて練った生地のこと．

■コ ツ
❶ イーストによって膨化する場合，ドウを28～30℃の温度に保つことが大切．
❷ 底じきは経木のかわりにパラフィン紙でもよい．

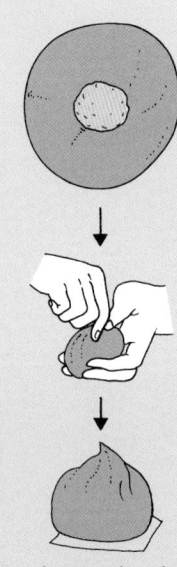

肉まんの包み方

〈豆沙包子〉
●材料（1人分）
皮の材料は上の肉包子と同じ

あずき	12 g
砂糖	16 g
塩	1.4 g
ラード	2 g
黒ごま	2 g

エ 258 kcal　た 5.9 g
脂 3.6 g　　塩 1.6 g

●調理法
❶ 皮のつくり方は肉包子参照．
❷ あずきを煮る．やわらかくなったら砂糖と塩を入れ，弱火でゆっくり煮る．水気がなくなるまで練りながら，最後にラードと煎りごまを加えてよく練り上げる．あんを冷まし，数に分けて丸めておく．
❸ 肉包子のときと同様にドウをのばし，あんを包む．肉包子とは逆に包み終わりを下にして経木を敷き，きれいな形に丸める．
❹ 水溶き食紅でしるしをつける．
❺ 蒸籠に包子を間隔おいて並べ，30℃で30分間発酵をする．
❻ 蒸気の上がったところで強火で12～15分間蒸す．

■参 考
蒸籠（チョンロン）：湯を沸かした中華鍋の上にのせて使う中華式蒸し器．

肉まん・あんまん

第4章●中国料理

炒飯（チャオファン）

炒めご飯

●材料（1人分）

白米飯	200 g
干ししいたけ	4 g
ロースハム	20 g
ねぎ	10 g
ラード	15 g
卵（1/3個）	20 g
サラダ油	1.5 g
塩（全体の0.6%）	1.5 g
こしょう	少々
グリンピース（缶詰）	8 g
紅しょうが	2 g

●調理法

① 白米飯は冷ましておく．
② しいたけはもどして石づきを取り，丁（さいの目）に切る．
③ ハム，ねぎも丁に切る．
④ 中華鍋にラードを十分熱し，割りほぐした卵を入れて手早くかき混ぜ，炒り卵にして別皿に取り出す．
⑤ 中華鍋に油を熱してねぎ，しいたけ，ハムを炒め，①の飯と④の卵を加えて炒め，塩・こしょうで味を調えてグリンピースを混ぜる（最後にしょうゆを鍋肌から入れると香ばしい）．
⑥ 器に盛り，紅しょうがを散らす．

■コツ

白飯の水加減はすし飯と同じく少しかためにし，強火で加熱をする．

■応用

基本の卵炒飯のほか，えび，豚肉，牛肉，鶏などを主材料にし，卵やレタスを加え，変化をつけたりさっぱりとしたスープをかけて食するのもよい．

エ 549 kcal　た 10.3 g
脂 21.1 g　塩 2.2 g

油飯（ヨウファン）

もち米のかやくめし

●材料（1人分）

もち米	80 g
水	75 mL
鶏肉	35 g
砂糖	1 g
しょうゆ	7 g
水または干ししいたけの戻し汁	3 mL
サラダ油	4.5 g
にんじん	20 g
干ししいたけ	2 g
油葱酥	
ねぎ	2 g
油	1 g

●調理法

① もち米は炊飯器で炊いておく．
② 鶏肉は小片に切り，砂糖，しょうゆにつけておく．炒めるときは調味料は絞り，④に使用する．
③ にんじんは扇子（いちょう切り），しいたけはもどして糸に切る．
④ 中華鍋に油を入れ，②③を炒め，②の調味料のしょうゆを入れて水を入れる．
⑤ ①の中に④を入れ混ぜ，最後に油葱酥で香りづけをする．

●切り方

扇子（シアンツ）：いちょう切り．

■コツ

もち米が炊き上がって温かいうちに炒めた材料を混ぜること．

■参考

油葱酥（p.168 参照）は風味づけに用いる．

エ 385 kcal　た 11.2 g
脂 7.7 g　塩 1.1 g

酥餅（スウビン）

ごま入りクッキー

●材料（6人分）

小麦粉	150 g
ベーキングパウダー	10 g
ラード，砂糖	各60 g
卵（1個）	50 g
白ごま	15 g
落花生	10 g

●調理法

① 小麦粉，ベーキングパウダーは2～3回ふるっておく．
② ボールにラードを入れてよく練り，砂糖を入れてよく混ぜたのち，卵を入れてなおよく混ぜる．
③ ②に①と煎りごまを混ぜ，直径3 cmぐらいに丸め少し押さえる．
④ 油を塗った天板に並べ，落花生を中央にのせて押さえ，天火で焼く（200～220℃，7～8分）．

■コツ

ラードは砂糖と混ぜて，空気を含んで白くなるまでよく混ぜる．種を直径3 cmぐらいの棒状にし，冷蔵庫でねかせて切るとよい．

1人分（2個）

エ 254 kcal　た 3.8 g
脂 13.0 g　塩 0.3 g

鶏蛋糕（チータンカオ）

蒸しカステラ

●材料（木枠 15×15cm，1枠分）
- 卵（3個）……………………… 150 g
- 上新粉………………………… 150 g
- 砂糖…………………………… 100 g
- 干しぶどう……………………… 20 g
- 落花生………………………… 20 g

1人分（全量の1/6）
- エ 216 kcal　た 5.1 g
- 脂 4.1 g　塩 0.1 g

●調理法
1. 落花生は刻み，干しぶどうは上新粉を通しておく．
2. 蒸籠にかたく絞ったふきんを敷き，水でぬらした木枠を置く．
3. 卵は卵黄と卵白に分け，卵白は泡立てて砂糖を2回に分けて混ぜ，次に卵黄を入れてさらによく混ぜる．上新粉，干しぶどうを混ぜ合わせる．
4. ②の型に材料を流し入れ，その上に刻んだ落花生を散らす．
5. 沸騰している蒸籠に入れて強火で約15～20分蒸す．木枠からはずし，冷ましてから切り出す．

■コツ
強火で蒸すこと．途中，ふたを開けない．角蒸器の場合，ふたにふきんを挟むとよい．

■参考
1. 糕（カオ）：米粉や小麦粉を用いて作った食品．
2. 蛋糕：カステラ．
3. 年糕：もち．

杏仁豆腐（シンレントウフウ）（奶豆腐）

杏仁かん

●材料（4人分）
- 寒天（粉）……………………… 2 g
- 水……………………………… 200 mL
- 砂糖…………………………… 50 g
- 杏仁霜………………………… 20 g
- 牛乳…………………………… 200 mL
- 砂糖…………………………… 50 g
- 水……………………………… 100 mL
- グレナデンシロップ ……… 10 mL

1人分
- エ 166 kcal　た 2.4 g
- 脂 4.4 g　塩 0.1 g

●調理法
1. 粉寒天に定量の水を加えて火にかける．
2. 寒天が溶けたら砂糖を加えて煮溶かす．
3. その後すぐに牛乳を入れる．このとき，少量の牛乳を残しておき，杏仁霜を溶かして入れ混ぜる．
4. 器に注ぎ，上の泡はスプーンで取り除き，固める．鍋に砂糖と水を入れて火にかけ，100 g に煮詰める．
5. そこへグレナデンシロップを加える．
6. 杏仁豆腐が固まったら包丁で斜目に菱形に切り目を入れる（箸を包丁に当てて切る）．器の縁からシロップを流し入れて器を動かすと，杏仁豆腐が浮き上がってくる．

■コツ
寒天を完全に煮溶かすこと．シロップと寒天液の比重の差によって寒天が浮き上がる．

■参考
杏仁豆腐の切り方

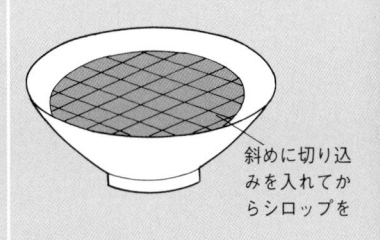

斜めに切り込みを入れてからシロップを

第 4 章 ● 中 国 料 理

炸花餅 (チャ ホワ ピン)

菊花型揚げ

● 材料（4人分）
- 小麦粉 …………………… 100 g
- 砂糖 ……………………… 20 g
- ベーキングパウダー …… 1 g
- 水 ………………………… 50 mL
- 打ち粉 …………………… 少々
- 揚げ油 …………………… 適量

1人分
- エ 134 kcal　た 1.9 g
- 脂 3.3 g　塩 0.1 g

吸油量 12 g として

● 調理法
1. 小麦粉，砂糖，ベーキングパウダーを合わせてふるっておく．
2. ①に水を加えてよくこねる．
3. 打ち粉をして5mm厚さにのばし，2.5×7cmの長方形に切って2つに折って輪の方から4本切れ目を入れ，両端を折り曲げて160℃の油で2分ほど揚げる．

■ コツ
　ドウの練り加減は少々かためのほうが扱いよい．砂糖の量に注意する．

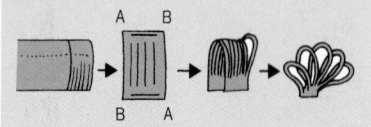

炸花餅のつくり方
（斜め向こうの端と端を合わせる）

抜絲地瓜 (バースウティーコワ)

さつまいものあめ煮

● 材料（1人分）
- さつまいも ……………… 80 g
- 揚げ油 …………………… 適量
- 砂糖 ……………………… 24 g
- 水（または酢）………… 5 mL
- ラード …………………… 少々

- エ 240 kcal　た 0.8 g
- 脂 4.9 g　塩 0 g

吸油量 4 g として

● 調理法
1. さつまいもは皮をむいて兎耳に切る（1個15 gほど）．水につけてアクを抜き，水気をふき取る．
2. 揚げ油を160～170℃に加熱し，さつまいもを揚げる．
3. 砂糖と水を加熱し，140～150℃にし，②が熱いうちに手早く混ぜ，あめをからめる．
4. ラードを塗った器に盛り付ける．水を添えて熱いうちに供する．

● 切り方
1. 兎耳（トウアル）：小さい乱切り．
2. 馬耳（マーアル）：大きめの乱切り．

■ コツ
1. 砂糖を抜絲にするとき，火は強すぎない，そして混ぜすぎないこと．熱いうちに冷水につけるとあめが固まり，取りやすい．
2. 材料が冷えていると砂糖は結晶しやすいため，揚げたてのものをからませる．酢は砂糖を転化糖にして結晶しにくくさせる．
3. 抜絲（バースウ）：140～150℃で液はあめ状で冷えると硬くなり糸を引くようになる．

豆沙麻球 (トウシャマーチョウ)

あん入り揚げごまだんご

● 材料（6個分）
- 白玉粉 …………………… 100 g
- 水 ………………………… 75 mL
- 砂糖 ……………………… 5 g
- あん
  - あずき練りあん ……… 50 g
  - ラード ………………… 7.5 g
- 白ごま …………………… 20 g
- 揚げ油 …………………… 適量

● 調理法
1. あずきあん（練りあん）をラードで炒め，冷めたら6個に丸めておく．
2. ボールに白玉粉を入れ，水と砂糖を加えて十分にこねて耳たぶくらいのなめらかにする．6等分にし，だんごに丸める．
3. だんごを平らに伸ばして①のあんを包み，ごまをまぶす．
4. 油を160～170℃に熱し，6～7分きつね色になり浮き上がるまで揚げる．

■ コツ
　あんは，冷めているほうが扱いやすい．揚げているときに割れないように，あんを包むときは，あんが中心になるように丁寧に包むこと．

1人分（1個）
- エ 131 kcal　た 2.0 g
- 脂 5.1 g　塩 0 g

吸油量 12 g として

第5章―諸外国料理

　世界の食文化は，それぞれの地域の気候風土や宗教の違い，その土地で収穫される食材により形成されてきた．

　世界を地形や気候風土により区分するとヨーロッパ地域，アフリカ地域，ロシア地域，中東地域，アジア地域，中北米地域，南アメリカ地域，オセアニア地域の8つの地域に区分できる．

　これらの地域は，それぞれ米食文化圏，雑穀食文化圏，肉食文化圏，魚介類食文化圏，乳類食文化圏に属しているが，流通や農業技術の発達により，単一食で生活している地域は数少なくなった．

　この章では，西洋料理（ヨーロッパ・中北米を含む），中国料理を除く各地域の食事について概説するとともに，日本でも比較的知られているアフリカ，ロシア，中東，アジア地域の代表的な料理を紹介する．

　なお，各国の詳しい食文化や料理については，『世界の食文化』（農山漁村文化協会），『ケンブリッジ世界の食物史大百科事典I－祖先の食・世界の食』（朝倉書店）を参考にされたい．

基礎編 1 諸外国料理の形式

1）アフリカ地域

　アフリカ大陸は，砂漠地帯やサバンナ，熱帯雨林，森林地帯など多様な大地と気候条件を有しており，地域ごとに独特の食文化を形成している．ほとんどの国ではトウモロコシが主食となっているが，ソルガム（モロコシ）やキビ，イネも主要な穀類である．また，キャッサバ，ヤムイモ，バナナ，料理用バナナなどが主要な作物として栽培され食されている．肉類では牛肉や羊肉，ヤギ肉などが好まれ，沿岸に面する国では魚介類や海藻類も料理に用いられている．東アフリカではインドの影響が大きく，サモサやチャパティといったインド風料理が定着している．エチオピアはコーヒーの原産国であり，エチオピア産のコーヒーは日本では「モカ」とよばれている．

　代表的な料理にはクスクス，ウガリ，ブリック，チャパティなどがある．

2）ロシア地域

　民族的にはロシア人が最も多く，スラブ人，ウクライナ人など様々な民族が居住している．ほとんどは北方地域に位置しているが，広大な土地を有するため，森からのきのこ類やベリー類，寒冷地に強いビーツ（赤カブ），狩猟による野鳥やガチョウやアヒルなどの肉，川や湖からの淡水魚など豊富な食材を調理し食してきた．主要な穀類はライ麦であり，伝統的なロシアのパンである黒パンの材料として用いられている．ビーツはロシアの国民的野菜として，ボルシチをはじめ様々なロシア料理に用いられている．また夏から秋に収穫された野菜やきのこ類は塩漬けや酢漬けにして保存され，長い冬の常備菜としている．その他，乳製品としては，トヴォローク（カッテージチーズ）やスメタナ（サワークリーム）がお菓子の材料やソースの代わりに多用されている．

　ロシア料理は一度に食卓に並ぶのではなく，ザクースカとよばれる前菜から始まり，スープ，メインディッシュ，デザートの順番に供される．この「フルコース」の方式はフランスのものと思われているが，ロシアからフランスに伝えられたものである．

　代表的な料理には，シィー（キャベツのスープ），ボルシチ，ピロシキ，ベフ・ストロガノフなどがある．

3）中東地域

　日本では北アフリカから西アジアまでの地域を指す場合が多い．この地域は現在では多くの国々に分断されているが，オスマン帝国に支配された共通の歴史をもち，その多くはイスラム文化圏である．中東の大半は砂漠地帯であるため，農産物は野菜や果物，豆類，畜肉類はヤギや羊，ニワトリが中心である．穀類では，小麦がパン（ナンという）にされるほか，米が野菜のように用いられる．

　食事マナーは，伝統的には食物を食べるとき右手の親指，人差し指，中指の3本の指を使う．テーブルの周りに座り，もっとも近い料理の皿からとるのが礼儀正しいとされている．現代（特に都市部）では，椅子とテーブルを使用し，右手でスプーンを持って，食している．

　代表的な料理には，メルジメック・チョルバ（レンズ豆のスープ），イマム・パユルドゥ（なすの野菜煮込み），プロフ（米の炊き込み料理）などがある．

4）アジア地域

　ほとんどの国は米を主食とする米食文化圏であるが，東南アジアでは米の代替品としてヤムイモやトウモロコシ，サゴヤシのデンプンも主食としてきた．また沿岸に面する国々が多く，魚介類をスープや春巻き，炒め物など多様な方法で調理している．

　韓国では唐辛子やにんにく，キムチに代表され

るような発酵食品，タイやベトナムでは香草に加えて，ヌクマムやナンプラーなどの発酵調味料，インドでは香辛料が料理に多く用いられている．

食事マナーは各国様々であるが，東アジアでは主に箸を使い，東南アジアでは，スプーンやフォーク，インドでは右手を使って食する．

代表的な料理には，トムヤムクン，ゴイ・クォン（生春巻き），ナシゴレン，ナムル，ビビンパなどがある．

5）南アメリカ地域

主食はジャガイモやマニオク（キャッサバ），さつまいもなどのイモ類であるが，ジャガイモは腐りやすいことから，アンデスの高地では昼間は乾燥，夜は氷点下の気候を利用し，ジャガイモを新鮮なうちに凍結乾燥した加工品（チューニョ）を利用している．

とうもろこし粉の不発酵パンはトルテーヤといい，南米の代表的な主食で日本でも見かけることが多い．

ブラジルでは，マニオクや米が広く使われており，ブラジルの国民的な料理として知られているブラックビーン（フェイジョン）と肉などを煮込んだフェジョアーダを炊いた飯の上にかけて食している．アルゼンチンは，牛肉中心の料理が多く，ペルーやチリでは，魚介類に依存した料理が発達している．

6）オセアニア地域

ここではオーストラリア，ニュージーランドを含む太平洋諸島を指す．オーストラリア，ニュージーランドの先住民はもともとアボリジニやマオリであったが，イギリス人の入植以来，ヨーロッパ系やアジア系の移民を多く受け入れ，多民族国家となった．したがって，イギリスの食の影響を強く受けながらも，世界各国の食文化を取り入れた食事様式をもつ．入植以来，オーストラリアやニュージーランドの独自（例えば先住民）の食事よりも，新鮮な魚介類や果物類，羊肉，牛肉を用いた多彩な各国料理が食べられている．その他，「パブロバ」というメレンゲでつくったお菓子が有名である．

実習編 1 アフリカ地域

エ エネルギー　た たんぱく質　脂 脂質　塩 食塩相当量

クスクス・オ・プーレ（鶏肉のクスクス・チュニジア）

●材料（1人分）
- 鶏もも肉 …………………… 80 g
- 塩（肉の0.5%）………… 0.4 g
- こしょう …………………… 少々
- たまねぎ …………………… 20 g
- にんじん …………………… 50 g
- かぶ ………………………… 30 g
- じゃがいも ………………… 50 g
- オリーブオイル …………… 6.5 g
- トマトピューレ …………… 50 g
- 水 ………………………… 150 mL
- パプリカ ……………………… 2 g
- コリアンダー ………………… 2 g
- クミン ………………………… 3 g
- カイエンペッパー …………… 1 g
- クスクス …………………… 80 g
- 塩 ……………………………… 1 g
- 水（湯）………………… 100 mL
- オリーブオイル ……………… 8 g

●調理法
1. 鶏もも肉は塩、こしょうをして一口大に切る。たまねぎは薄切りにし、にんじん、かぶ、じゃがいもは一口大に切る。
2. 鍋にオリーブオイルを入れ、たまねぎと鶏もも肉を加えて炒める。鶏もも肉の表面の色が変わり、たまねぎがしんなりしてきたら、にんじん、かぶ、じゃがいもを加え、よく炒める。
3. ②の鍋に、パプリカ、コリアンダー、クミン、カイエンペッパーを加えて少し炒めたのち、トマトピューレと水を加え30分煮込む。
4. クスクスは、ボールに入れ、塩とオリーブオイルを入れてよく混ぜ、湯を加えて15分おく。蒸し器に移して、強火で10～15分蒸す。蒸しあがったら、ほぐしておく。
5. ④のクスクスの上から③をかけて盛り付ける。

■参考
クスクスは、デュラムセモリナ粉から作られる世界最小のパスタである。チュニジアの代表的な料理であるが、世界各国で広く用いられている。ハリサとよばれる唐辛子入りの香辛料を添えて供される。

■応用
鶏肉以外に、牛肉や羊肉でもよい。かぶがない時期であれば、ズッキーニでもよい。また、いんげん豆やガルバンゾなど豆類の水煮を加えてもよい。

エ 648 kcal　た 25.5 g
脂 26.7 g　塩 1.6 g

カチュンバリ（アフリカ風野菜サラダ・東アフリカ）

●材料（1人分）
- たまねぎ …………………… 30 g
- トマト ……………………… 50 g
- 青唐辛子 ……………………… 1 g
- 塩 ……………………………… 1 g
- レモン汁 …………………… 30 g

エ 28 kcal　た 0.6 g
脂 0.1 g　塩 1.0 g

●調理法
1. たまねぎは薄切りにして、塩でもみ、水にさらす。
2. トマトは半分に切り、薄切りにする。青唐辛子は、種を取り小口切りにする。
3. たまねぎの水を切り、トマトとあわせ、塩をしてしんなりするまで混ぜ合わせる。
4. レモン汁をかけ、よく混ぜ合わせ盛り付ける。

■参考
東アフリカでは、肉料理の付け合わせとしてよく出されるサラダである。キャベツやにんじん、アボカドなどを入れる場合もある。青唐辛子はなければ、粉唐辛子でもよい。

チャイ（東アフリカ・インド）

●材料（1人分）
- 紅茶 …………………………… 4 g
- 水 …………………………… 150 mL
- ミルク ………………………… 150 mL
- シナモンパウダー …………… 適量

エ 97 kcal　た 4.7 g
脂 5.3 g　塩 0.2 g

●調理法
❶ 水を沸騰させ，紅茶を加えて2～3分煮出す．
❷ ミルクを加えて，吹きこぼれないようにさらに2～3分煮て，シナモンパウダーをふり入れ，さらに2～3分煮たのち，茶漉しでこす．

■参　考
シナモンスティックを使用する場合は，水を沸騰させるときに入れる．他にしょうがやカルダモンなどを使用してもよい．また香辛料を入れずにつくる場合もある．

実習編 2　ロシア地域

エ エネルギー　た たんぱく質　脂 脂質　塩 食塩相当量

ボルシチ（肉とビーツのスープ）

●材料（1人分）
- 牛肉（あるいは豚肉） ………… 50 g
- 水 …………………………… 300 mL
- ビーツ（水煮缶詰） …………… 40 g
- たまねぎ ……………………… 15 g
- キャベツ ……………………… 15 g
- にんじん ………………………… 5 g
- セロリ ………………………… 15 g
- バター …………………………… 3 g
- サラダ油 ………………………… 4 g
- 塩 ………………………………… 2 g
- こしょう ……………………… 少々
- ローリエ ……………………… 0.5 枚
- トマトピューレ ……………… 15 g
- パセリ ………………………… 少々
- サワークリーム ……………… 10 g

エ 325 kcal　た 6.8 g
脂 28.9 g　塩 2.2 g

●調理法
❶ 牛肉は一口大に切る．鍋に分量の水と牛肉を入れ，沸騰までは強火，沸騰後は弱火にし，アクをとりながら約1時間煮て，ブイヨンをとる．
❷ ビーツ，たまねぎは薄切りにし，キャベツは粗いせん切り，にんじんはせん切り，セロリは5cmくらいの長さの薄切りにする．パセリはみじん切りにする．
❸ フライパンに，分量のバターと油を入れて熱し，たまねぎ，にんじん，セロリーをたまねぎが透きとおるくらい炒める．
❹ ①の鍋に③を加え，塩，こしょう，ローリエを加えて，10分間煮る．
❺ ④にビーツ，キャベツを加え，キャベツが軟らかくなるまで煮込む．
❻ トマトピューレ，パセリを加えてよく混ぜ，塩，こしょうで味を調える．
❼ 器に盛りつけ，サワークリームを添える．

■コ　ツ
ビーツを加えてからは長く煮ないようにする．トマトピューレを加える時に，ワインビネガーを少量加えるとビーツの色が保たれる．肉は，ばら肉や骨付きやオックステール（牛尾）のものを使用するとよい．

■参　考
ボルシチはウクライナの代表的な料理であり，ウクライナでは豚肉を用いることが多い．生のビーツを使う場合は，竹串が通るくらいまで皮ごとゆでて使用する．

第5章●諸外国料理　203

ベフ・ストロガノフ（牛肉のサワークリーム煮）

●材料（1人分）

牛ヒレ肉	70 g
サラダ油	4 g
たまねぎ	30 g
｛バター	2 g
小麦粉	2 g
サワークリーム	25 g
トマトピューレ	30 g
赤ワイン	5 g
固形コンソメ	3.5 g
水	100 mL
トマトケチャップ	5 g
塩	0.5 g
こしょう	少々
パセリ	少々
バターライス	
｛米	80 g
たまねぎ	20 g
バター	4 g
コンソメスープ	120 g

●調理法

① バターライスをつくる．米を洗い，ざるにあげておく．たまねぎをみじん切りにし，鍋にバターを入れ，たまねぎを炒め，米を加えてさらに炒める．米が透明になってきたら，熱いコンソメスープ（市販の固形コンソメに水を加えたもの）を加えて炊く．

② 牛ヒレ肉は，長さ5 cm，厚さ0.5 cmくらいに切る．軽く塩，こしょうをする．フライパンに油を熱し，牛肉を炒め，一度皿に取り出す．

③ たまねぎは薄切りにする．フライパンにバターを入れ，たまねぎを加えて褐色になるまでよく炒め，小麦粉を加えてさらに炒める．

④ ③に②の牛肉を加え，サワークリームとトマトピューレ，コンソメ，トマトケチャップを加えて，4～5分煮て，塩，こしょうで味を調える．

⑤ バターライスと④を盛り付け，パセリを飾る．

■コ　ツ

牛肉は，もも肉やその他の煮込み用を使う場合もある．いずれの場合も，細く切ったあと，肉たたきでたたくと軟らかく仕上がる．

■参　考

日本ではビーフストロガノフとよばれているが，ロシア語ではベフ・ストロガノフといい「ストロガノフ風」という意味を示す．

エ	639 kcal	た	19.1 g
脂	26.2 g	塩	3.0 g

スィールニキ（カッテージチーズの焼き菓子）

●材料（1人分）

カッテージチーズ	50 g
砂糖	15 g
卵	15 g
小麦粉	20 g
ベーキングパウダー	0.5 g
無塩バター	5 g
粉砂糖	2 g

●調理法

① カッテージチーズは水気を切り，フォークなどで細かくほぐす．

② ボールに，①のカッテージチーズと卵，砂糖を加えてよく混ぜ合わせる．

③ ②に小麦粉とベーキングパウダーを加えて，さらによく混ぜる．

④ フライパンにバターを熱し，③の生地をスプーンですくって円形にのばして，弱火で両面を焦げ目がつく程度に焼く．

■参　考

ロシアでは朝食のパンケーキとして食べられており，加える砂糖の量を減らして，ジャムやはちみつなどが添えられている．

エ	244 kcal	た	9.9 g
脂	7.6 g	塩	0.6 g

ピロシキ（ロシア風揚げパン）

●材料（1人分）

薄力粉	35 g
強力粉	15 g
インスタントドライイースト	1 g
牛乳	25 g
砂糖	5 g
塩	1 g
バター	5 g
卵（卵白と卵黄に分ける（1/4個））	15 g
豚ひき肉	15 g
牛ひき肉	15 g
固ゆで卵（1/4個）	15 g
たまねぎ	25 g
干ししいたけ	2 g
小麦粉	4 g
塩	0.8 g
こしょう	少々
サラダ油	4 g
揚げ油	適量

エ 581 kcal　た 14.2 g
脂 35.0 g　塩 2.1 g
吸油量 18 g として

●調理法

① 牛乳は人肌程度に温めておく．バターは室温でやわらかくしておく．
② 薄力粉，強力粉，塩を合わせてふるっておく．
③ ボールに，イーストと②でふるった粉，砂糖，牛乳を加えてよくこねる．
④ ひとかたまりになったら，布巾をかけて温かいところで30分間1次発酵させる．
⑤ ゆで卵はフォークでつぶし，玉ねぎはみじん切り，干ししいたけは水に戻してみじん切り．
⑥ フライパンに油をひき，たまねぎを入れてよく炒める．次にしいたけを加えて炒め，さらにひき肉を加えてよく炒める．この中に小麦粉をふり入れて，ほどよい粘りをつける．
⑦ 最後につぶした卵を加え，塩，こしょうで少し濃い目の味をつける．
⑧ 1次発酵させた生地のガスを抜き，棒状にのばして2等分し，その1個をさらに細くのばして3個に切り分ける．
⑨ 切り分けた生地を丸め，のし棒で直径3 cmの円形にのばす．
⑩ ⑨の皮の周り1 cm幅に卵白を刷毛でぬり，中心に具をのせて柏餅のように2つに折り，合わせ目を良く押えてから内側に向けて波型に折り曲げて包み込む．
⑪ たっぷりの油（約140℃）でたびたび裏返しながら色よく揚げる．

■コツ
揚げ油は，なるべく新しいものをつかう．

■参考
ピロシキはロシア風の肉入り揚げパンであるが，ヨーロッパに近い地域では，オーブンで焼くのが一般的である．オーブンの場合は，200℃で10～15分焼く．大きくつくれば軽食向きに，小さくつくればお茶のつまみによい．

■応用
中身をえび，ジャム，クリームなど，いろいろに変化させることもできる．

実習編 3　中東地域

エ エネルギー　た たんぱく質　脂 脂質　塩 食塩相当量

メルジメック・チョルバ（レンズ豆のスープ・トルコ）

●材料（1人分）

赤レンズ豆	50 g
たまねぎ	10 g
にんじん	10 g
サラダ油	8 g
小麦粉	5 g
スープ	200 mL
ドライミント	1 g

●調理法

① 赤レンズ豆は洗っておく．たまねぎは薄切り，にんじんはせん切りにする．
② 鍋に油を入れ，たまねぎ，にんじんを炒め，しんなりしてきたら小麦粉を加えてさらに炒める．赤レンズ豆，スープを加え，赤レンズ豆がくずれるくらいまで煮る．
③ ②をミキサーにかけ，鍋に戻し，ドライミントを加えて混ぜ合わせる．

■参考
トルコでは日本の味噌汁のような定番のスープである．レンズ豆は，インゲン豆でもよい．

エ 263 kcal　た 11.6 g
脂 8.4 g　塩 1.0 g

第5章●諸外国料理

チョバン・サラタス（羊飼いのサラダ・トルコ）

●材料（1人分）
- たまねぎ　20g
- トマト　40g
- きゅうり　30g
- ピーマン　10g
- レモン汁　10g
- オリーブオイル　10g
- 塩　1g

エ 112 kcal　た 0.7 g
脂 10.0 g　塩 1.0 g

●調理法
1. たまねぎ，きゅうり，ピーマンは，1cmくらいの角切り，トマトは種を除いてから1cmくらいの角切りにする．
2. ボールに①を入れ，供卓直前にレモン汁，オリーブオイル，塩を加えて混ぜる．

■参　考
トルコではごく一般的なサラダ．中東地域では香辛料を加えたり，香草を加えた似たサラダが多い．

イマム・パユルドゥ（ナスの野菜煮込み・トルコ）

●材料（1人分）
- なす（1本）　100g
- トマト　30g
- ベーコン　10g
- たまねぎ　20g
- ピーマン　10g
- にんにく　少々
- オリーブオイル　15g
- 塩　1g
- レモン汁　10g
- 砂糖　0.5g
- 水　50〜100mL

エ 212 kcal　た 2.2 g
脂 18.7 g　塩 1.2 g

●調理法
1. なすは洗って，皮をたてじまにむき，たて半分に切って塩水につけておく．
2. トマトは種をとってみじん切り，たまねぎ，ピーマン，ベーコン，にんにくもみじん切りにする．
3. フライパンにオリーブオイルを入れ，水気をきったなすを入れ，やわらかくなるまでじっくり焼く．
4. なすを器に取り出し，まん中に切れ目をいれておく．
5. ④の後のフライパンで，にんにく，ベーコン，たまねぎ，ピーマンを炒め，たまねぎの色が変わったら，トマトを加えてさらにしんなりするまで炒める．
6. 炒めた⑤の野菜を，④のなすの切り目に詰める．
7. フライパンに⑥を並べ，なすが1/3程度かぶるくらいの水を加え，塩，レモン汁，砂糖を加え，最初強火で沸騰後弱火にして水分が少し残る程度まで煮る．
8. なすをくずさないように器に盛る．冷やしてもよい．

■参　考
イマム・パユルドゥとは「高僧があまりのおいしさに気絶した」という意味で，それほどおいしいナス料理として知られている．煮るときにはトマトソースやコンソメスープを用いてもよい．

実習編 4 アジア地域

エ エネルギー　た たんぱく質　脂 脂質　塩 食塩相当量

トムヤムクン（酸味と辛味のえびスープ・タイ）

●材料（1人分）
- えび（無頭）……………… 40 g
- ふくろたけ（缶詰）……… 30 g
- にんにく…………………… 少々
- 鶏がらスープ……………… 200 mL
- レモングラス……………… 1/2 本
- カー………………………… 10 g
- ピッキーヌ（青唐辛子）… 1/2 本
- ナンプラー………………… 10 g
- レモン汁…………………… 15 g
- トムヤムペースト………… 1 g
- 香菜（パクチー）………… 少々

●調理法
1. えびは殻をむいて，背わたをとる．大きい場合は2つに切る．
2. ふくろたけは，薄切りにし，にんにくはみじん切りにする．
3. 鍋に鶏がらスープを入れ，レモングラス，カー，ピッキーヌを加え，2～3分煮る．
4. えび，ふくろたけ，にんにくを加え，えびに火が通るまで煮る．
5. えびに火が通ったら，レモン汁，トムヤムペースト，ナンプラーを加える．
6. 器に盛り付け，香菜を飾る．

■参　考
ふくろたけが手に入らなければ，しめじなどのきのこでもよい．カーは，日本では「ナンキョウ」とよばれるショウガの一種であるが，生が手に入らない場合は乾燥品が売られているので利用するとよい．
「クン」はエビの意味．「トムヤムガー」は鶏のスープ．

エ 67 kcal　た 8.4 g
脂 1.1 g　塩 2.9 g

ゴイ・クオン（生春巻き・ベトナム）

●材料（1人分）
- ライスペーパー（2枚）…… 20 g
- えび（無頭）（小2尾）…… 40 g
- きゅうり…………………… 20 g
- サニーレタス……………… 10 g
- 豚ばら肉（かたまり）…… 20 g
- 青じそ……………………… 2 枚
- ヌクチャム
  - ヌクマム（ナンプラー）… 5 g
  - 水………………………… 10 mL
  - 砂糖……………………… 4 g
  - レモン汁………………… 8 g
  - 赤唐辛子（鷹の爪）…… 少々

●調理法
1. えびは竹串で背わたをとり，殻のままゆでる．殻をとり縦半分（厚みの半分）に切る．
2. 豚肉は，水からゆでて，火が通ったら取り出して，薄切りにする．
3. きゅうりはせん切り，サニーレタスは，1枚を4～6つにちぎる．青じそは大きい場合は半分に切る．
4. ライスペーパーは，水（あるいは湯）を張ったボールにくぐらせ，固く絞った布巾（ペーパータオルでもよい）の上にのせる．乾かないように，上からもぬらした布巾をかけておく．
5. ライスペーパーを1枚広げ，手前に青じそをしき，その上にきゅうり，サニーレタス，豚肉をのせる．えびは，赤色が下になるようにライスペーパーのまん中より少し向こう側に置く．
6. 具を押さえながら，ライスペーパーを持ち手前から巻き込む．ひと巻きしたら，左右を折りたたんで，空気が入らないように最後まで巻き込む．
7. ヌクチャムをつくる．赤唐辛子は水に戻して小口切りにし，ヌクマム，水，砂糖，レモン汁を加えて砂糖が溶けるまでよく混ぜる．
8. ⑥を半分に切り，器に盛り付け，ヌクチャムを添える．

■参　考
ビーフンや春雨などを巻いてもよい．ヌクチャム以外に，市販のスイートチリソースを添えてもよい．

エ 197 kcal　た 9.4 g
脂 7.1 g　塩 1.7 g

第5章●諸外国料理　207

パックブン・ファイデン（空心菜の炒め物・東南アジア）

●材料（1人分）
- 空心菜（1/2束）……70g
- にんにく……少々
- サラダ油……8g
- オイスターソース……5g
- ナンプラー……8g
- 砂糖……2g

エ 100 kcal　た 2.0 g
脂 7.9 g　塩 2.5 g

●調理法
1. 空心菜は洗って，5cmくらいの長さに切っておく．
2. フライパンに油を熱し，つぶしたにんにくを加えて香りが出てきたら，空心菜を加え，すぐに砂糖，オイスターソース，ナンプラーを加えてしんなりするまで炒める．

■コ　ツ
強火のままで手早く炒め，空心菜がしんなりしたら，すぐに取り出す．

■参　考
空心菜はアジアで広く利用される青菜で，「エンサイ」や「ヨウサイ」ともいわれる．

ナシゴレン（インドネシア風炒飯・インドネシア）

●材料（1人分）
- ご飯……150g
- 鶏もも肉……30g
- むきえび……20g
- たまねぎ……40g
- ピーマン……8g
- にんにく……少々
- 赤唐辛子（1/2本）……0.5g
- ガピ……1g
- ケチャップマニス……8g
- ナンプラー……2g
- 油……8g
- 塩……1g
- こしょう……少々
- 付け合せ
  - 卵（1個）……50g
  - きゅうり……20g
  - トマト……40g

●調理法
1. 鶏もも肉は，小さく切っておく．たまねぎ，ピーマンは粗いみじん切りにする．にんにくはみじん切りにし，赤唐辛子は水にもどして小口切りにする．
2. 卵は目玉焼きにしておく．きゅうりは斜め薄切り，トマトはくし型に切っておく．
3. フライパンに油を入れ，にんにく，赤唐辛子，たまねぎ，鶏もも肉，むきえびを炒める．たまねぎが透明になってきたら，ガピを加えて炒める．ご飯を加えてよく炒め合わせ，ケチャップマニス，ナンプラーを加え，最後に塩，こしょうで味を調える．
4. 器に③を盛り付け，上に目玉焼きをのせ，きゅうり，トマトを添える．

■参　考
ガピは，あみや小えびなどを塩漬けにして発酵させた調味料．手に入らなければオイスターソースで代用してもよい．ケチャップマニスは，インドネシアの甘口しょうゆで食感がケチャップに似ており，ケチャップで代用できる．

エ 489 kcal　た 18.1 g
脂 16.9 g　塩 2.1 g

ナムル（韓国）

●材料（1人分）
- 大豆もやし……………………40g
- 塩（もやしの1％）……………少々
- ごま油……………………………1.5g
- 白ごま（煎り）……………………2g
- ぜんまい（水煮）………………40g
- しょうゆ……………………………4g
- 砂糖………………………………1.5g
- ごま油……………………………1.5g
- ほうれん草………………………40g
- 塩（ほうれん草の1％）………少々
- ごま油……………………………1.5g
- 白ごま（煎り）……………………2g
- にんじん…………………………40g
- 塩（にんじんの1％）…………少々
- ごま油……………………………2g

●調理法

❶ もやしは根をとりよく洗う．鍋にたっぷりの湯を沸かし，もやしをさっとゆでる．

❷ ボールに冷ましたもやしを入れ，塩，ごま油，白ごまを加えてよくもみ，味をなじませる．

❸ ぜんまいは水気を切り，5cmくらいの長さに切る．フライパンにごま油を熱し，ぜんまいを加えて炒め，全体に油が回ったら砂糖，しょうゆを加えてさっと炒める．

❹ ほうれん草は，たっぷりの熱湯でゆでる．冷水にとり水気を絞って，5cmくらいの長さに切る．

❺ ボールにほうれん草を入れ，塩，ごま油，白ごまを加えてよくもみ，味をなじませる．

❻ にんじんはせん切りにして，さっと固ゆでにする．フライパンにごま油を熱し，にんじんを炒めて塩を加え，にんじんがしんなりするまで炒める．

エ 131 kcal　た 3.4g
脂 9.2g　塩 1.8g

ビビンパ（韓国）

●材料（1人分）
- ご飯……………………………150g
- 牛ひき肉…………………………40g
- ごま油……………………………2.5g
- しょうゆ……………………………8g
- 砂糖………………………………3g
- ナムル（大豆もやし，ぜんまい，ほうれん草，にんじん）………上記参照
- コチュジャン………………………5g
- 白ごま（煎り）……………………2g

●調理法

❶ フライパンにごま油を熱し，牛ひき肉を入れて炒め，しょうゆ，砂糖で味付けをして牛そぼろをつくる．

❷ 器に温かいご飯を盛り，牛そぼろとナムルを彩りよくのせ，白ごまをふり，コチュジャンを添える．

■参　考

石鍋で焼き，石焼ビビンパにしてもよい．上から刻みのりや卵黄をのせると彩りがよい．

エ 526 kcal　た 13.3g
脂 21.2g　塩 3.6g

第5章●諸外国料理

付 録

1．日本料理の献立例

		献立例	ページ			献立例	ページ
1	(1)	白米飯	42	12	(1)	白米飯	42
	(2)	油揚げとわかめのみそ汁	50		(2)	ぶりの照り焼き	66
	(3)	ふくさ焼き	70		(3)	茶碗蒸し	65
	(4)	ほうれんそうのごま和え	74		(4)	いかときゅうりの吉野酢和え	76
2	(1)	そぼろ飯	44		(5)	くずもち	87
	(2)	菊花豆腐のすまし汁	48	13	(1)	白米飯	42
	(3)	レタスとわかめの酢の物	78		(2)	牛肉の八幡巻き	68
	(4)	水ようかん	84		(3)	白身魚のかぶら蒸し	65
3	(1)	たけのこ飯	44		(4)	青菜の煮浸し	63
	(2)	吉野鶏とみつばの吸い物	49		(5)	おはぎ	85
	(3)	かれいの煮付け	58	14	(1)	親子どんぶり	45
	(4)	たけのこの木の芽和え	74		(2)	揚げ出し豆腐	73
4	(1)	グリンピース飯	43		(3)	さといもの含め煮	54
	(2)	かきたま汁	50		(4)	果汁かん（夏みかん寄せ）	85
	(3)	炊き合せ		15	(1)	五目飯	43
		しいたけの煮しめ	56		(2)	卵豆腐	64
		ふきの青煮	55		(3)	しいたけの陣笠揚げ	73
		高野豆腐の含め煮	57		(4)	五色なます	77
	(4)	あおやぎとわけぎのぬた	75	16	(1)	白米飯	42
5	(1)	白米飯	42		(2)	さばのみそ煮	59
	(2)	はまぐりの潮汁	50		(3)	ごま豆腐	79
	(3)	だし巻き卵	69		(4)	小かぶの即席漬け	82
	(4)	ひじきの煮物	63	17	(1)	ちらしずし	46
	(5)	草もち	87		(2)	ふろふきだいこん	54
6	(1)	白米飯	42		(3)	茶巾しぼり	89
	(2)	かつおのすり流し汁	51	18	(1)	巻きずし，いなりずし	45
	(3)	鶏肉団子の揚げ煮	60		(2)	とろろこんぶの即席吸い物	―
	(4)	野菜の炊き合せ	―		(3)	白和え	75
		かぼちゃの甘煮	55	19	(1)	〈会席料理Ⅰ〉向付 そうめん寄せ	80
		茶せんなすの揚げ煮	56		(2)	椀盛り えびしんじょの椀盛り	49
		さやえんどうの青煮	55（応用）		(3)	炊き合せ	
	(5)	桜もち	86			かんもどきの含め煮	58
7	(1)	白米飯	42			にんじんのうま煮	55
	(2)	けんちん汁	52			さやいんげんの青煮	55（応用）
	(3)	あじの姿焼き	66	20	(1)	〈会席料理Ⅱ〉口代り	
	(4)	湯引きささ身の黄身酢和えん	76			かずのこの土佐じょうゆ和え	76
	(5)	泡雪かん	84			花れんこん	219
8	(1)	白米飯	42			きんかんの砂糖煮	57
	(2)	さばの竜田揚げ	72		(2)	鉢肴 あまだいの銀紙焼き	67
	(3)	かぼちゃのそぼろあんかけ	62		(3)	小丼 しゅんぎくとしめじのお浸し	79
	(4)	フルーツ白玉	89		(4)	止椀 なめこの赤だし汁	―
9	(1)	白米飯	42				
	(2)	かす汁	51				
	(3)	鶏肉のじぶ煮	61				
	(4)	いもかりんとう	89				
10	(1)	おこわ	42				
	(2)	さつま汁	51				
	(3)	てんぷら	71				
	(4)	あじときゅうりの酢の物	78				
11	(1)	炊きおこわ	43				
	(2)	いわしのつみれ汁	48				
	(3)	かき揚げ	71				
	(4)	利休まんじゅう	88				

2. 西洋料理の献立例

		献 立 例	ページ
1	(1)	Consommé Julienne ［せん切り野菜入りコンソメ］	118
	(2)	Carangue à la meunière ［あじのムニエル, 粉ふきいも添え］	123
	(3)	Salade de légumes ［野菜サラダ］	134
2	(1)	Hors-d'œuvre (Canapés) ［前菜＝カナッペ］	118
	(2)	Potage purée de pois frais ［グリンピースのポタージュ］	120
	(3)	Croquettes de volaille ［鶏肉のクリームコロッケ］	128
	(4)	Glace à l'orange ［オレンジシャーベット］	140
3	(1)	Soupe à l'oignon gratine ［オニオングラタンスープ］	122
	(2)	Paella ［ピラフ］	136
	(3)	Fruit salad ［フルーツサラダ］	135
4	(1)	Sandwiches ［サンドイッチ］	139
	(2)	Bavarois ［ババロア］	141
	(3)	Black tea ［紅茶］	148
5	(1)	Purée parmentier Vichyssoise ［冷たいポテトスープ］	121
	(2)	Terrine maison ［テリーヌ］	131
	(3)	Salade de macaroni ［マカロニサラダ］	134
6	(1)	Consommé à la royale ［ロワイヤル入りコンソメ］	119
	(2)	Hamburg steak ［ハンバーグステーキ, マッシュポテト, さやいんげんのバターソテー添え］	125
	(3)	Blanc manger ［ブラマンジェ］	110
7	(1)	Spaghetti with meat souse ［スパゲティのミートソースかけ］	137
	(2)	Salade de macédoine ［マセドアンサラダ］	135
	(3)	Cookie ［クッキー］	147
8	(1)	Clam chowder ［クラムチャウダー］	122
	(2)	Galantine de volaille ［チキンガランチン］	130
	(3)	Choux à la crème ［シュークリーム］	144
9	(1)	Crème de maïs ［コーンスープ］	120
	(2)	Pizza ［ピザ］	138
	(3)	Custard pudding ［カスタードプディング］	142
10	(1)	Hors-d'œuvre ［前菜］	116
	(2)	Pièces de bœuf ［ビーフシチュー］	126
	(3)	Shrimp in tomato Salad ［小えびのトマト詰めサラダ］	135
	(4)	Bûche de noël ［ブッシュドノエル］	145
	(5)	Gelèe porto ［ワインゼリー］	142
	(6)	Coffee ［コーヒー］	148

3. 中国料理の献立例

		献立例	ページ			献立例	ページ
1	(1)	油　　　　　　　飯〔もち米のかやくめし〕	196	7	(1)	乾　炸　鶏　塊〔鶏肉の空揚げ〕	177
	(2)	冬　瓜　　　　湯〔とうがんのスープ〕	168		(2)	蛋　　　　　　　巻〔挽肉の卵巻き〕	179
	(3)	凉　拌　墨　魚〔いかの和え物〕	190		(3)	炒　青　梗　菜〔チンゲンサイの炒め物〕	173
2	(1)	五　香　茶　葉　蛋〔卵の茶葉煮〕	190	8	(1)	饅　　　　　　　頭〔まんとう〕	195
	(2)	醋　溜　丸　子〔肉団子の甘酢あんかけ〕	186		(2)	蟹　粉　蛋　羹〔かにと卵のスープ〕	170
	(3)	棒　　棒　　鶏〔鶏肉のごまだれ和え〕	191		(3)	辣　　白　　菜〔はくさいの甘酢漬け〕	188
3	(1)	芙　　蓉　　蟹〔かにたま〕	173	9	(1)	八　　宝　　菜〔野菜の五目炒め〕	176
	(2)	玉　米　会　豆　腐〔豆腐入りコーンスープ〕	172		(2)	炸　　春　　捲〔はるまき〕	178
	(3)	芋　頭　焼　肉〔さといもと豚肉の煮込み物〕	―		(3)	鶏　　蛋　　糕〔蒸しカステラ〕	197
4	(1)	餃　　　　　　　子〔ぎょうざ〕（水餃子，蒸餃子，鍋貼餃子）	193	10	(1)	珍　珠　丸　子〔もち米団子の蒸し物〕	181
					(2)	蕃　茄　溜　魚　片〔魚のトマトあんかけ〕	186
	(2)	餛　飩（雲　呑）〔わんたん〕	194		(3)	杏　仁　豆　腐〔杏仁かん〕	197
5	(1)	炒　　　　　　　飯〔炒めご飯〕	196	11	(1)	什　錦　火　鍋〔中華寄せ鍋〕	171
	(2)	魚　　　　　　　羹〔たいの薄くずスープ〕	170		(2)	凉　拍　黄　瓜〔きゅうりの和え物〕	188
	(3)	炸　　花　　餅〔菊花型揚げ〕	198				
6	(1)	清　川　鶉　蛋〔うずら卵のスープ〕	168				
	(2)	高　麗　蝦　仁〔えびの卵白衣揚げ〕	178				
	(3)	炒　　肉　　片〔豚肉と野菜の炒め物〕	175				

4. 諸外国料理の献立例

	献 立 例	ページ
1	アフリカ料理 (1) クスクス・オ・プーレ（鶏肉のクスクス） (2) カチュンバリ（アフリカ風野菜サラダ） (3) チャイ	202 202 203
2	ロシア料理 (1) ボルシチ（肉とビーツのスープ） (2) ベフ・ストロガノフ（牛肉のサワークリーム煮） (3) スィールニキ（カッテージチーズの焼き菓子） (4) ピロシキ（ロシア風揚げパン）	203 204 204 205
3	中東料理（トルコ料理） (1) メルジメック・チョルバ（レンズ豆のスープ） (2) チョバン・サラタス（羊飼いのサラダ） (3) イマム・バユルドゥ（ナスの野菜煮込み）	205 206 206
4	アジア料理 (1) トムヤムクン（酸味と辛味のえびスープ） (2) ゴイ・クォン（生春巻き） (3) パックブン・ファイデン（空心菜の炒め物） (4) ナシゴレン（インドネシア風炒飯）またはビビンバ	207 207 208 208, 209

5．行事食の献立例

行　事	献　立　例	備　考
1．正月	＜おせち料理いろいろ＞ 祝い肴……三種肴……たづくり，かずのこ，黒豆（関東地方） 　　　　　　　　　　…たづくり，かずのこ，たたきごぼう（関西地方） 　　　　　縁起肴……伊勢えび，据え鯛（尾頭姿焼き） 口取り……甘味物……くり含め煮，くりきんとん，しろいんげん，きんかん甘煮，卵焼き，寒天寄せ，ぎんなん 　　　　　練り物……紅白かまぼこ，だて巻き卵， 煮　物……煮　染……やつがしら，さといも，だいこん，にんじん，れんこん，こんにゃく，たけのこ，しいたけ，ごぼう，高野豆腐，こぶ巻き，くわい，ゆり根，いんげん，きぬさや 　　　　　煮付け……五目煮，さいまきえび，がんもどき 焼き物……付け焼き……いかうに焼き，鶏肉付け焼き，小鯛の塩焼き，甘鯛の照焼き，車えびの黄身焼き 漬　物……まなかつおのみそ漬け 酢の物……なます……紅白なます，五色なます，七色なます，こはだなます 　　　　　酢漬け……菊花かぶ，れんこん，だいこん，ごぼう，さけ，酢だこ，なまこ，小鯛，しめさば すし………かぶらずし，はたはたずし，さけずし，など 組み重の詰め方 		三重の場合	四重の場合	五重の場合
---	---	---	---
一の重〔上段〕	祝い肴と口取り	祝い肴と口取り	祝い肴
二の重	焼き物と煮物	焼き物と口取り	口取り
三の重	酢の物	煮物，煮染	焼き物
与の重	──	酢の物	煮物
五の重	──	──	酢の物		正月料理を通して，日本人の生活の中にあるアクセント（新年の年神を迎える）を理解し，生きる喜びの重要性を認識する．また，調理の楽しさと意義を味わう． 　「おせち」とは，節日の行事の日に食べる料理．1月1日正月の祝い膳をはじめ，五節供は1月7日人日の七草がゆ，1月15日の小豆粥，3月3日上巳の草もちと白酒，5月5日端午の柏もちとちまき，7月7日七夕の索もち，9月9日重陽のくり飯と菊酒などがある．日本の年中行事は，もともと農耕儀礼の神祭りで，神を祭る節日に神饌を供えものが「御節供」である． 　供えた酒や食物を神と人々がともに食べる儀式が直会，これが「御節供」であり，江戸時代に御節となり，さらに「おせち」は正月の料理をあらわすようになった．
2．七草の節句 （1月7日）	○七草がゆ，七種がゆ	春の七草：セリ，ナズナ，ゴギョウ，ハコベラ，ホトケノザ，スズナ，スズシロ
3．成人の日 （1月第2月曜日）	○赤飯，尾頭付鯛	
4．ひなまつり （3月3日）	(1)　茶巾ずし (2)　はまぐりの潮汁 (3)　あおやぎとわけぎのぬた (4)　草もち (5)　白酒	子供の慶事（ひなまつり，こどもの日，七五三まいり，誕生祝い）：子供の慶事の献立を通して，子供に向いた食事のあり方や，子供の発育過程にみられる種々の行事と，子供の健全な成長を願い，日本人の生活感覚を理解する．また，食を通じて家庭や家族を考え，それらの重要性を把握し，食の意義を考える．
5．こどもの日 （5月5日）	(1)　とうもろこしの濃スープ (2)　えびのフリッター (3)　ポークチャップ (4)　マセドアンサラダ (5)　いちごのショートケーキ	

5. 行事食の献立例（つづき）

行事	献立例	備考
6. 名月料理	(1) 向………しめさば, 平づくり, 糸づくり, 黄身まぶし, きゅうり, （おみなえし）, しょうが (2) 汁………月見卵, かるかやみょうが (3) 和え物…ずいき, ごま酢, 紅たで (4) 煮物……さといも丸煮, おろし柚子かけ (5) 飯………はぎご飯 (6) 香の物…うさぎ, たくあん (7) 和菓子…月見団子, 月もち	名月料理（春夏秋冬を旧暦1月からそれぞれ3ヶ月ずつ区切って初春, 仲春, 晩春などという）
7. 敬老の日 （9月第3月曜日）	(1) 赤飯 (2) 吸い物（千代結びきすと白髪そうめん） (3) 白身魚のかぶら蒸し (4) 五色なます (5) じょうよまんじゅう	高齢期の慶事〔敬老の日（9月15日）, 還暦祝など〕: 高齢期の慶事の献立を通して, 高齢者に向いた食事のあり方や, 日本人の中に生きる, 年を重ねるごとに営まれる祝い事と, その精神風土を理解する. 長寿を祝し, 消化のよい材料で献立をつくる.
8. クリスマス （12月24, 25日）	(1) 前菜……小えびのカクテル (2) スープ…ロワイヤル入りスープ (3) 肉料理…ローストチキン (4) サラダ…フルーツサラダ (5) ケーキ…ブッシュドノエル	本来キリスト教徒の祝いであるが, 我が国では宗教的色彩はほとんどなく, 家族や親しい友人同志が親睦の目的でパーティを行っている.
9. 大つごもり （大晦日）	○年越しそば	
10. その他	＜パーティ料理（ビュッフェ式）＞ (1) 飲物…………フルーツポンチ, ティーパンチ (2) 肉料理………ローストチキン (3) 魚料理………エスカベーシュ, スモークサーモン (4) 野菜料理……にんじんやたまねぎなどのグラッセ, ボイルドポテト (5) いも料理……じゃがいものドーフィーヌ (6) 卵料理………スタッフドエッグ (7) サラダ料理…サラダパフ (8) きのこ料理…マシュルームのソテー (9) パン料理……各種サンドイッチ, カナッペ (10) 米飯料理……各種すし, おにぎり, ピラフ (11) デザート……ババロア, アイスクリーム, シャーベット	パーティは, もてなしおよびその演出, 大量調理の方法, 大皿盛りの方法など, 目的に応じたパーティを主催することができるようにする.
	＜法事（精進料理）＞ (1) 向……柿なます (2) 汁……白みそ仕立て（なめこ, 豆腐, 粉ざんしょう） (3) 坪……ふろふきだいこんのごまみそかけ (4) 平……がんもどき, なす, さやいんげん, からし (5) 猪口…ごま豆腐, わさび (6) 皿……精進揚げ（まつたけ, いも, ししとう, おろしだいこん, しょうが） (7) 飯……五目飯 (8) 香り物	
	＜行楽, 運動会, 入学式など（弁当料理）＞ 卵焼き, かまぼこ, えびの黄身焼き, しいたけ照り煮, にんじんとごぼうの小原木煮, きぬさやの青煮, ほうれんそうのごま和え, 酢れんこん, さくら漬け, 挽肉鳴戸巻き, 幕の内ご飯（黒ごまかけ）	弁当は古代から携帯食であったが, 安土桃山時代以後遊興の際に持参されることが多くなったため, 容器などにも工夫がなされ, 弁当行李, 弁当重（松花堂弁当もその1つ）などが発達した.

6. 材料の切り方（基礎）

小口切り エマンセ ロン émincé rond ホワ 花	筒切り トロンソン tronçon トワン 段	短冊切り コルレット collerette ピンピエヌ 平片	せん切り ジュリエーヌ julienne ス 絲
輪切り ロンデル rondelle ルンツピエヌ 輪子片	拍子木切り（算木切り） アリュメット allumette（0.2cm角） リュス russe（0.5cm角） テイヤオ 条	みじん切り アッシェ haché モー・シャオミイ・ソン 末・小米・鬆	半月切り バンユエピェン 半月片
乱切り トゥアル 兎耳（くさび型） マーアル 馬耳（兎耳より大きめ） コワイ 塊（ぶつ切り）	いちょう切りと扇面切り トランシェ エヴァンタイユ tranche éventail シアヌツ 扇子	さいの目切り ブリュノワーズ brunoise（0.5cm角） プランタニエール printanière（0.7cm角） ティン 丁	角切り マセドワーヌ macédoine（1cm角） ドミノ domino（1.5cm角）
色紙切り ペイザンヌ paysanne ファン 方	ささがき エマンセ élancée ピーピエヌ 批片	斜切り はす	そぎ切り エマンセ émincé ピエヌ 片

7. 材料の切り方（応用）

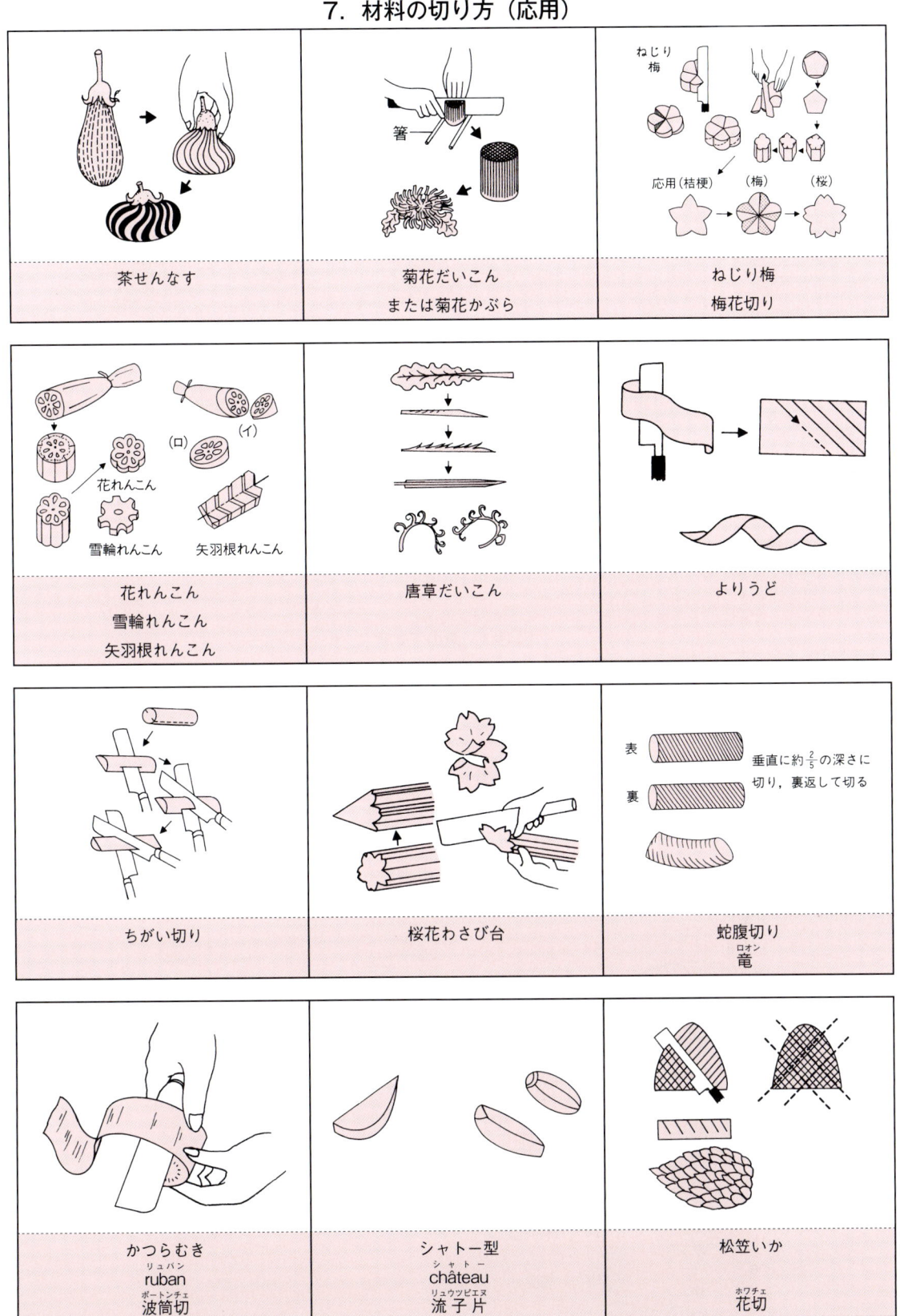

茶せんなす	菊花だいこん または菊花かぶら	ねじり梅 梅花切り
花れんこん 雪輪れんこん 矢羽根れんこん	唐草だいこん	よりうど
ちがい切り	桜花わさび台	蛇腹切り ロオン 竜
かつらむき リュバン ruban ボートンチェ 波筒切	シャトー型 シャトー château リュウツピエヌ 流子片	松笠いか ホワチェ 花切

付録　219

8. 魚介類の扱い方

1) 魚の下ごしらえ（図8-1）

　うろこ取り：尾を持って尾からうろこの生え方向に逆らってこそげ取る．

　えらと腸（わた）を取る：あごを切り開き，えらを取り，わき腹を尻びれまで切り下げて腸を取り出す（尾頭付きのときはあごを切り放さないでえらを取り，隠し腹にして腸を取る）．

　頭を取る：頭を使用するかどうかによって取り方が違う．

　頭を割る：頭を使用するとき．あらだきなど．

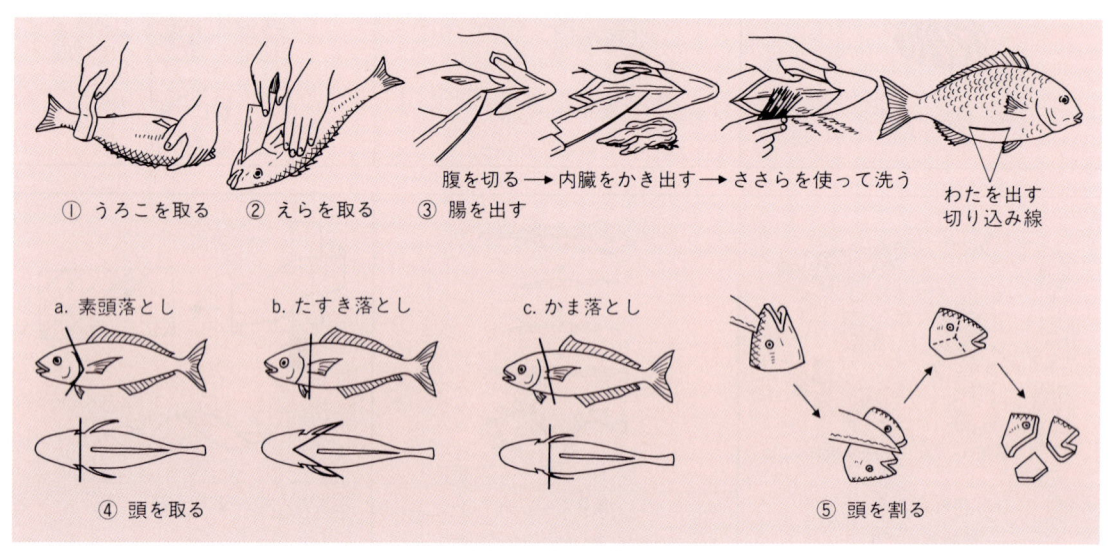

図8-1　魚の下処理

2) 魚のおろし方（図8-2）

　二枚おろし：頭を取った後，上身と中骨のついた身に分ける．

　三枚おろし：二枚おろしにした骨付きの身を上身と骨に分ける（p.78）．

　五枚おろし：かれいやひらめをおろすのに使う．

　大名おろし：頭を取った後，中骨に沿って尾までおろす．

　腹開き：頭から腹びれの真ん中を通って尻びれまで切る．

　背開き：頭から背びれの上を尻びれまで切る．

　おろし開き：尾の部分を切り離さずに中骨だけ取る．

　手開き：いわしのようにやわらかい魚に用いる．親指を立てて頭を取り，中骨を外す．

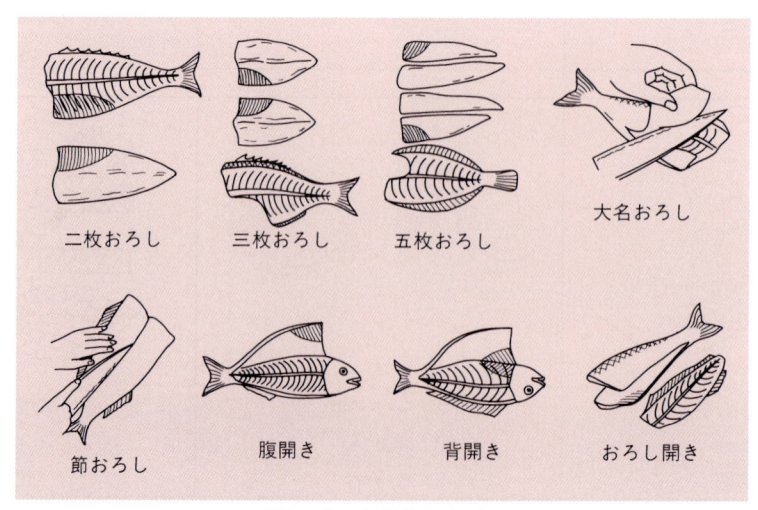

図8-2　魚のおろし方

3) 魚の切り方（図8-3）

筒切り：頭を切り落とし，中骨とともに3cm幅に切る．

定規切り：三枚おろししたものを角形に切る．

はね切り：三枚おろししたものをそぎ切りにする．さけ，ますの切身．

ぶつ切り：大きめのさいの目切り．

観音開き：定規切りしたものを中央に切り目を入れ，左右に切り開く．

印籠切り：細長い魚に用いる．中央を切って腸を出す．

くらかけ切り：頭から開いて中骨を取る．貝類にも用いる．

なし割り：くらかけ切りから中骨を取り，かつ2枚に離す．

骨切り：はものように小骨の多い魚を皮を残して2mm幅に切り目を入れる．

その他：平背切り，背ごし切り，すき包丁，腹骨かきなど．

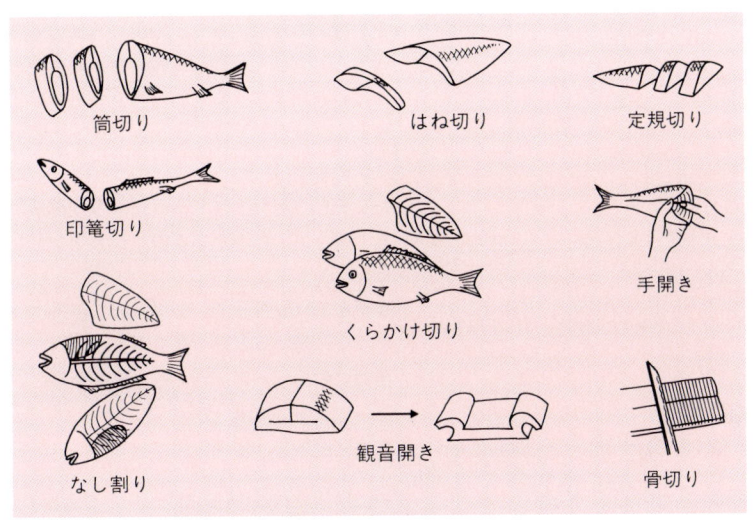

図8-3 魚の切り方

4) いかの扱い方

刺身になるいかには，もんごういか（こういか），あおりいか，するめいかなどある．

つくり方の順序としては，① 甲の中央を切って甲を取り出す，② 足を引っ張って身から離す，③ 薄皮を剥く，④ 足のほうは腸，吸盤，目，くちばしなどを切り取る．

いかの飾り切りはp.219を参照のこと．

5) えび・貝類の扱い方

えびにはいせえび，くるまえび，大正えび，しばえびなどがある．貝類にはあわびのような一枚貝，赤貝のような二枚貝，さざえのような巻貝などがある．

えびは生きていると殻が取りにくいので，ていねいにする．頭と胴のつけ根を折るように引っ張ると頭と背わたが引き抜ける．

貝類はあらかじめ薄い塩水で砂を吐かせる．あわびのような二枚貝は塩をふってたわしで洗い，木じゃくしを殻に沿って差し込み，身を外す．赤貝のような二枚貝は蝶番のところにドライバーなどを差し込み，殻をこじあけて殻に沿ってドライバーで身を外す．さざえのような巻貝はふたの下にきりなどを差し込み，殻を右に回して身を引き出し，ふたを切り放す．

9. 西洋料理で使用される特殊材料（調理用材料）

分類	材料名	仏語	英語	特徴
調理用材料				
野菜類	ちょうせんあざみ	Artichaut（アルティショー）	Artichoke	キク科の多年生葉菜．ヨーロッパ原産でつぼみの花弁と基部を食用する．フランスでは高級野菜である．
	ポロネギ	Poireau（ポアロ）	Leek	西洋ねぎ．日本の下仁田ねぎに似るが，葉が平らである．茎の白いところをゆでて用いる．
	芽キャベツ	Chou de Bruxelles（シュード ブリュッセル）	Brussels-sprouts	キャベツの変種で，1本の茎に多数できる直径2～3cmの葉球をゆでてバター炒め，サラダ，クリーム煮，シチューなどにする．
	赤キャベツ	Chou rouge（シュー ルージュ）	Red cabbage	色が美しいのでサラダや酢漬けにする．紫キャベツともいう．
	小たまねぎ	Petit oignon（プティ オニョン）	Small onion	直径2～3cmの小さいたまねぎ．煮くずれしないのでクリーム煮，シチュー，ピクルスなどに用いる．
	セロリー	Celeri（セルリ）	Celery	香りが高いので西洋料理に欠かせない．
	アスパラガス	Asperge（アスペルジュ）	Asparagus	白・緑ともゆでてサラダや付け合せにする．
	クレソン	Cresson（クレソン）	Watercress	水がらしといい，ほろ苦味が焼肉料理と合う．
	チコリ	Chicoree（シコレ）	Chicory	キク科キクヂシャ属．シコレと間違われる．根株を土に埋めて育てると軟白はくさいの芯のような形が得られる．高級サラダ野菜．
	シコレ	Chicoree（シコレ）	Endive	キク科キクヂシャ属であるが，ちりめんのようにちぢれた葉を食する．少し苦味があるのでニガヂシャともいう．サラダや煮込みにする．
	はつかだいこん	Rouge radis（ルージュ ラディ）	Red radish	葉があまり成長していないもので色のよいものを選び，丸ごとサラダに用いるときは葉を落とさない．
	エシャロット	Echalote（エシャロット）	Shallot	西洋にら．らっきょうに似た根を食用にする．生食するほか煮込みやソースに用いる．
	食用たんぽぽ	Pissenlit（ピッサンリ）	Dandelion	春先に出る若い葉をゆでてサラダに用いる．
	ブーケガルニ	Bouquet garni（ブーケ ガルニ）		セロリ，パセリの葉柄，タイム，月桂樹の葉などを束ねたもの．
きのこ類	西洋まつたけ	Champignon（シャンピニオン）	Mushroom	日本のまつたけのような香りはないが，淡泊で歯ざわりがよい．白色，褐色，黒色のものがあり，クリーム煮，バター炒め，サラダ，肉料理のソースにする．
	トリフ	Truffe（トリュフ）	Truffle	黒菌のことで，味・香りに優れている．地下5～15cmに生えるので嗅覚の鋭い犬や豚を使って探す．
	編みがさたけ	Morille（モリーユ）	Morel	フランスでとれる春のきのこ．乾物は水でもどしてソースやスープにする．
魚介類	アンチョビ	Anchois（アンショワ）	Anchovy	12cmぐらいのひしこいわしを塩漬け・熟成後，オリーブ油に漬けたもの．前菜やサラダに用いられる．別称オイルサーディン oil sardine．アンチョビソース Sauce anchois（ソース アンショワ）sauce は裏ごししたもので，ロールアンチョビ Roll anchois（ロール アンショワ），Roll anchovy は直径1cmぐらいに巻いて油漬したもの．
	かき	Huître（ユイートゥル）	Oyster	くん製や油漬けのものがある．
	キャビア	Caviar（カヴィヤール）	Caviare	ちょうざめの卵の塩漬け．前菜やサラダ用ソースに用いられる．
肉類その他	フォアグラ	Foie gras（フォア グラ）	Lever	がちょうの太らせた肝臓．
	シブレ	Ris de veau（リード ボウ）	Sweetbread	仔牛の咽頭肉．成長につれて小さくなり，成牛にはみられない．
	脳髄	Cerveau（セーブ）	Brains	そのまま30分水で血抜きし，香菜とともにゆでる．
	エスカルゴ	Escargot（エスカルゴ）	Snail	かたつむり．
	フログ	Grenouille（グルヌイユ）	Frog	かえる．

	材料名	仏語	英語	特徴
調理用材料 / チーズ Fromages, Cheese	ブリー	Brie		1815年のウイーン会議でチーズの王と認められたという．軟質タイプ．
	クーロミエ	Coulommiers		パリ西北クーロミエ産．外観はブリーに似る．熟成期間が短いので長く保存できない．
	カマンベール	Camembert		古典的なチーズのひとつで，チーズの女王といわれる．表面は白かびでおおわれ，中は黄色いクリーム状．室温で30分ほどなじませて赤ワインとともに楽しむ．
	ロックフォール	Roquefort		青かびチーズのなかでもっとも古い．
	モッツァレラ	Mozzarella (伊)		水牛の乳でつくるイタリアのチーズ．酸味があり，加熱で溶けるのでピザに適する．
	エダム	Edam Hollande		表面に赤いロウを塗ったオランダの代表的なチーズ．硬質タイプ．
	パルメザン	Parmesan		脱脂乳からつくったイタリアの超硬質チーズ．おろして用いる．
	エメンタール	Emmenthal		直径1mもあるスイスの硬質チーズ．穴がぶつぶつ空いている．
	グルュイエール	Gruyère		エメンタールより少し小さいスイスの硬質チーズ．フォンデューに用いられる．

10. 西洋料理で使用される香辛料

材料名	仏語	英語	特徴
こしょう	Poivre (ポアブル)	Pepper	コショウ科の蔓性常緑植物の実．辛味香りが強く，肉料理の香りづけに用いられる．
クローブ	Girofle (ジロフル)	Clove	丁字の花のつぼみを乾燥させたもの．釘のような形をしており，肉やたまねぎに刺して用いることが多い．フルーツケーキ，クッキーに欠かせない．
サフラン	Safran (サフラン)	Saffron	サフランの花の雌しべ．1本の花に3本しかないので高価である．黄色い色と香りが珍重され，魚料理に用いられる．
ナツメグ	Muscade (ムスカード)	Nutmeg	ニクズクの種子で南インド原産．甘い刺激的な香りが肉料理，とくに挽肉料理に合う．シナモン，クローブとともに菓子に用いられる．
セージ	Sauge (ソージュ)	Sage	サルビアの一種でシソ科多年草．肉によく合い，ハムの着香に用いる．欧米ではタイムと並んで重要な香辛料．
オールスパイス	Poiver de la jamaique (ポアブル ド ジャマイカ)	Allspice	フトモモ科の常緑樹．未熟な実を乾燥する．ナツメグ，シナモン，クローブを合わせたような香りをもつ．Poiver girofle ともいう．
洋がらし	Moutarde (ムータルド)	Mustard	アブラナ科の1，2年草．粉末を微温湯で溶いてしばらく伏せておいてから用いる．肉料理やサンドイッチに合う．
タイム	Thym (タン)	Thyme	シソ科植物で，若い葉や茎に芳香があり，ブーケガルニ Bouquet garni にされる．
パプリカ	Paprika (パプリカ)	Paprika	辛味のない赤とうがらしで，ソースや肉料理の着色に用いる．やわらかい香りと甘味がある．
月桂樹の葉	Laurier (ローリエ)	Bay leaf	クスノキ科の常緑樹．加熱によって芳香が強まるので，煮込み料理やブーケガルニ Bouquet garni に欠かせない．
シナモン	Cannelle (カネル)	Cinnamon	肉桂の樹皮に甘い香りと軽い苦味があり，アップルパイ，焼きりんご，スイートポテト，クッキーなどに用いる．
バニラ	Vanille (バニーユ)	Vanilla	ラン科の細長い鞘状の実．強く甘い香りがあり，油性なのでアルコールなどに浸出させて用いる．
エストラゴン	Estragon (エストラゴン)	Tarragon	キク科でその葉を用いる．酢漬けにしてサラダなどに用いる．また漬けた酢は香り酢としてエスカルゴ料理などに用いられる．

11．パスタの分類

1）製造法による分類：乾燥パスタ・生パスタ．
2）調理目的による分類：ソースと和えるのに向くパスタ，スープの浮き身に向くパスタ，グラタンに向くパスタ．
3）パスタの形状による分類
(1) ロングパスタ：長さ25cm前後のパスタ．円柱状・管状・平状がある．

スパゲトーニ断面　2.2mm スパゲトーニ断面　1.9mm スパゲティーニ断面　1.4mm	カッペリーニ断面　1.0mm	タリアッテッレ断面
スパゲティ 〈Spaghetti〉（伊） ひもの意であるイタリア語のスパーゴ(spago)が語源．直径2.2mm前後のスパゲトーニから直径1.4mm前後のスパゲティーニなど太さは多様である．	カッペリーニ 〈Capelline〉（伊） 髪の毛の意味．直径1mm前後で極細．スープの浮き身として用いられるのが一般的．	タリアッテッレ 〈Tagliatelle〉（伊） 切ったものの意．幅5〜8mm，厚さ1mm前後の平打ち麺．幅2〜3mmのものはタリオリーニなどとよぶ．クリーム系のソースや肉系ソースと合う．
ラザニェッテ・リッチェ断面	マッケローニ・ルンギ断面	リングイーネ断面
ラザニェッテ・リッチェ 〈Lasanette ricce〉（伊） リッチェはカール，縮れの意．ラザニェよりも幅が狭く，タリアッテッレよりも広い幅10〜15mm前後．クリーム系・トマト系ソースと和えたりグラタンに用いる．	マッケローニ・ルンギ 〈Maccheroni lunghi〉（伊） 外径2〜10mm，肉厚1mm前後の管状のパスタ．	リングイーネ 〈Linguine〉（伊） スパゲティと平打ち麺の中間形状で断面が楕円形．

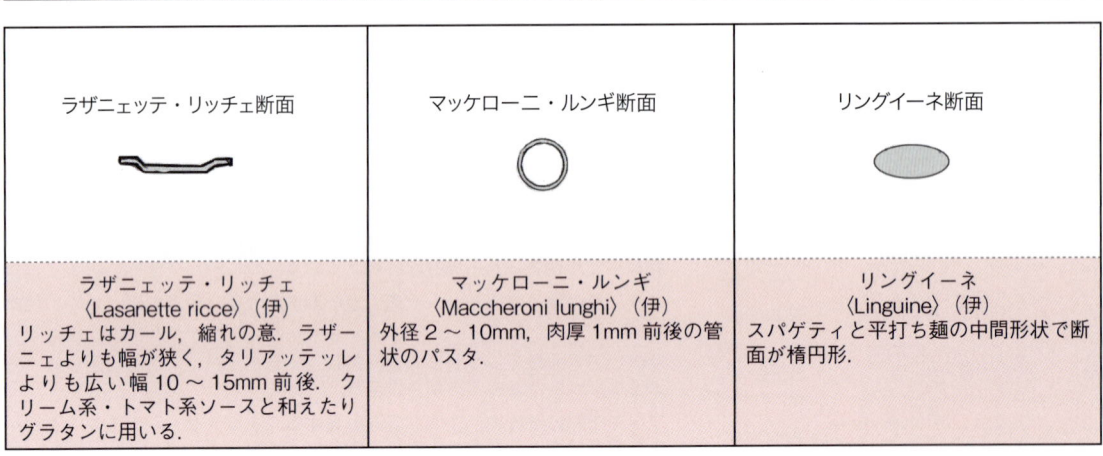

(2) ショートパスタ（スモールパスタを含む）：ロングパスタをカットしたものと独自に成型したタイプがある．

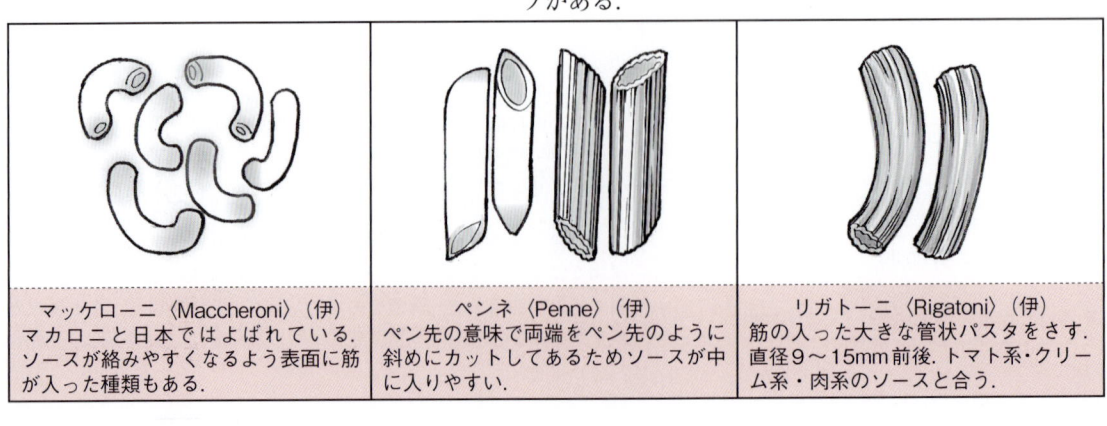

マッケローニ〈Maccheroni〉（伊） マカロニと日本ではよばれている．ソースが絡みやすくなるよう表面に筋が入った種類もある．	ペンネ〈Penne〉（伊） ペン先の意味で両端をペン先のように斜めにカットしてあるためソースが中に入りやすい．	リガトーニ〈Rigatoni〉（伊） 筋の入った大きな管状パスタをさす．直径9〜15mm前後．トマト系・クリーム系・肉系のソースと合う．

フジッリ〈Fusilli〉(伊)
糸巻き形の意．らせん状．サラダによく用いられる．

コンキリエ〈Conchiglie〉(伊)
貝殻の意味．大型のものは詰め物をしてオーブン焼きにもされる．

ルオーテ〈Ruote〉(伊)
車輪の意味．トマト系・クリーム系のソースと合う他，スープの浮き身として利用される．

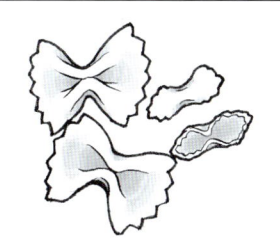

ファルファッレ〈Farfalle〉(伊)
蝶の意味．各種ソースと和える．

ルマキーネ〈Lumachine〉(伊)
かたつむりの意味．マッケローニと同様に調理される．

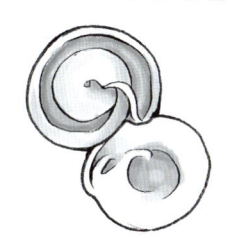

カッペッレッティ〈Cappelletti〉(伊)
小さい帽子の意味．スープの具や煮込み料理に．

オレッキエッテ〈Orecchiette〉(伊)
小さな耳の意味．
小さくまるめた生地を親指の腹で押して成型する．生パスタが多い．

(3) 特殊パスタ

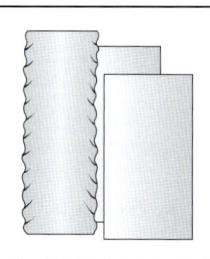

ラザーニャ〈Lasagne〉(伊)
板状で幅60〜80mm，長さ120〜150mmのものが一般的．ボローニャ風ソースやベシャメルソースと交互に重ねてオーブン料理に．

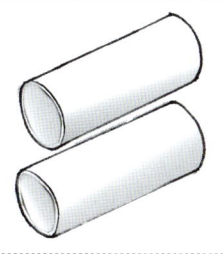

カンネッローニ〈Cannelloni〉(伊)
太い管または茎の意．本来は板状の生パスタに肉などの詰め物をはさんでロール状に巻いたもの．

ラヴィオーリ〈Ravioli〉(伊)
詰め物が入ったパスタ．標準サイズは30〜40mm角．生パスタが多い．

付録　225

索引

〈ギリシャ〉

α化　10

〈あ〉

アジア料理　215
アスパラガス　222
アッシェ　218
アップルソース　98
アップルパイ　146
アフリカ料理　200,215
アミノカルボニル反応　10
アメリカ料理　92
アラクレーム　104
アリュメット　218
アルゼンチン料理　201
アンチョビ　222
アントルメショー　110
アントルメフロワ　110
あおやぎとわけぎのぬた　75
あお煮　28
あじときゅうりの酢の物　78
あじのムニエル　123
あじの姿焼き　66
あずき飯　22
あまだいの銀紙焼き　67
あん入り揚げごまだんご　198
あんまん　195
合わせバター　108
合わせ酢　23,36
和え衣　9
和え物　36
和え物料理　164
揚げなすのとりみそあん　73
揚げ油　35
揚げ菓子　39,166
揚げ衣　35
揚げ出し豆腐　73
揚げ煮　29
揚げ物　9,34
編みがさたけ　222
青菜の煮浸し　63
赤キャベツ　222
味付け飯　22
油揚げとわかめのみそ汁　50
飴煮　166
二湯　160
耳鍋　156
泡雪かん　84
杏仁かん　197
按席　152

〈い〉

イギリス料理　92
イタリアンソース　98
イタリア料理　92
イマム・バユルドゥ　200,206
インド料理　201
いかときゅうりの吉野酢和え　76
いかのうに焼き　67
いかのうま煮　174
いかの和え物　190
いが揚げ　34
いちごのショートケーキ　143
いちょう切り　218
いなりずし　23,45
いもかりんとう　89
いも飯　22
いりこ　26
いりこだし　26
いわしのつみれ汁　48
いわしの梅煮　59
炒りどり　62
煎り煮　29
醃　164
醃菜　164
燕窩　154
炒めご飯　196
炒め煮　29
一の汁　18
一汁三菜　18
銀耳　154
猪口　18
海碗　156
印籠切り　221

〈う〉

ウーアラコーク　106
ウーアンココット　106
ウーフリー　106
ウーブルイェ　106
ウーポアル　106
ウーポシェ　106
うぐいすもち　87
うずら卵のスープ　168
うどのきんぴら　62
うどん　24
うなぎどんぶり　24
うに焼き　32
うねり串　32
うねり焼き　32
うの花汁　27
うま味調味料　13

五香茶葉蛋・皮蛋（卵の茶葉煮）　190
煨菜　163
味碟　156
五香粉　154
潮汁　27
薄刃包丁　6
薄焼き卵　69
甘煮　28
梅煮　28
烏龍茶　166

〈え〉

エシャロット　222
エスカルゴ　222
エストラゴン　223
エダム　223
エネルギー単位　7
エマンセ　218
エマンゼ　218
エマンセロン　218
エメンタール　223
えびしんじょの椀盛り　49
えびのパン揚げ　179
えびのフリッター　124
えびの卵白衣揚げ　178
えびの蒸し煮　182
えび類　26
えんどう飯　23
塩分の換算　3

〈お〉

オーストラリア料理　201
オードブル　100,101
オーブル　102
オーブン　5
オープンサンド　108
オールスパイス　223
オーロラソース　97
オニオングラタンスープ　122
オブール　104
オポタブル　113
オムレツ　132
オムレット　106
オレッキエッテ　225
オレンジシャーベット　140
おせち　216
おどり串　32
おはぎ（ぼたもち）　85
おろし方　220
おろし煮　28
おろし開き　220

索引　227

押しずし　23
押し菓子　39
応用合わせ酢　36
桜花わさび台　219
黄金焼き　67
大つごもりの料理　217
大晦日の料理　217
扇刺し　32
鬼すだれ　70
親子どんぶり　24,45
温スープ　99
温めん　25
温前菜　101
温度計　3

〈か〉

カクテル　101,114
カスタードプディング　142
カチュンバリ　202
カッペッレッティ　225
カッペリーニ　224
カナッペ　101,118
カネロニ　107
カフェ　113
カラギーナン　15
カルディナルソース　97
カレーライス　131
カンネッローニ　225
ガラス食器　22
ガルニチュール　103,105
かか煮　28
かき　222
かきたま汁　27,50
かき揚げ　35,71
かけめん　25
かす汁　27,51
かずのこの土佐じょうゆ和え　76
かたくり粉　13
かつおのすり流し汁　51
かつおぶし　26
かつおぶしだし　26
かつどん　24
かつらむき　219
かにたま　173
かにと卵のスープ　170
かぶと煮　28
かぶら蒸し　30
かぼちゃのそぼろあんかけ　62
かぼちゃの甘煮　55
かま落とし　220
かれいの煮付け　58
がんもどき　58
がんもどきの含め煮　58
加熱解凍　8
加熱器具　5

加熱操作　8
果汁かん（夏みかん寄せ）　85
香の物　18
会席料理　18
貝　26
界面変性　10
搔敷　72
解凍　8
懐石料理　18
蓋碗　156
烤菜　164
高脚銀盆　156
高麗蝦仁（えびの卵白衣揚げ）　178
高麗　161
高粱酒　167
角切り　218
隠し包丁　54
重ね揚げ　35
重ね焼き　32
褐色ソース　97
褐変現象　10
空揚げ　34
唐草だいこん　219
殻蒸し　30
絡め煮　29
甘露煮　28
乾めん　24
乾果　159
乾焼大蝦（大正えびのとうがらし炒め）　182
乾炸鶏塊（鶏肉の空揚げ）　177
乾炸　161
乾炒　161
乾鮑　154
乾貝　154
寒天　13
寒天寄せ　38
間接焼き　8,31
韓国料理　200
観音開き　221
鹹味　165

〈き〉

キッチンスケール　2
キャセロール　122
キャッサバ　200
キャビア　222
きゅうりのイクラ詰め　116
きゅうりの和え物　188
きゅうり，はるさめ，ハムの酢の物　189
きんかんの砂糖煮　57
きんとん　80
きんとん類　38

ぎょうざ　193
基本ソース　97
基本合わせ酢　36
機械打ち　25
菊花かぶの甘酢漬け　82
菊花かぶら　219
菊花だいこん　219
菊花型揚げ　198
菊花豆腐　48
菊花豆腐のすまし汁　48
亀甲しいたけ　53
牛刃　6
牛肉の八幡巻き　68
京果　159
行事食　19,216
凝固材料　9
金ぷら　34
錦糸卵　69
銀ぷら　34

〈く〉

クールブイヨン　102
クーロミエ　223
クスクス・オ・プーレ　202
クッキー（型抜き）　147
クッキー（絞り種）　147
クラムチャウダー　122
クリームスープ　99
クリームソース　97
クリスマスの料理　217
クレープ　110
クレームオブール　112
クレームシャンティ　112
クレソン　222
クローズサンド　108
クローブ　223
クロワッサン　108
グラスアラクレーム　110
グラスオフルュイ　110
グラスキュイット　112
グラスクリュ　112
グラス・ド・ビヤンド　96
グラスプールガトー　112
グラタン　102,103,104
グラタンスープ　100
グラッセ　104
グリエ　103,104
グリヤード　102
グリル　5
グリンピースのポタージュ　120
グリンピース飯　43
グルュイエール　223
グローガトー　110
くずあん　30
くずでんぷん　13

くずもち　87	126	三の膳　18
くず粉　13	糊化　10	三汁七菜　18
くず寄せ　38	五の膳　18	三枚おろし　78,220
くらかけ切り　221	五色なます　77	三様燉蛋（えびの蒸し煮）　182
くらげの酢の物　189	五枚おろし　220	
くり飯　22	五目ずし　23	〈し〉
古滷肉（酢豚）　185	五目飯　23,43	シィー　200
蜘蛛の巣　156	扣蒸　163	シコレ　222
桂皮　154	紅茶　113,148	シナモン　223
桂花　156	香辛料　223	シブレ　222
掛炉　164	高野豆腐の含め煮　57	シャトー　219
鍋　164	購入量　2	シャトー型　219
鍋貼餃子　193	米料理　107	シュークリーム　144
草もち　87	衣揚げ　34	シュプレームソース　97
串打ち法　32	塊　218	ショートパスタ　224
串焼き　31	筷子　156	ショーフロワソース　98
波筒切　219	筷子架　156	ショコラ　113
口取り　19	混合だし　26	ジェレ　110
	羹　161	ジュリエーヌ　218
〈け〉		しいたけの陣笠揚げ　73
ゲル　9	〈さ〉	しいたけの煮しめ　56
けんちん汁　27,52	サフラン　223	しゅんぎくとしめじのお浸し　79
けんちん蒸し　30	サモサ　200	しょうが　83
計量カップ　2	サラード　105	しょうが煮　28
計量スプーン　2	サラダ　105	しょうゆ　12
計量器具　2	サラダ油　13	しょうゆ煮　28
敬老の日の料理　217	サルサマードレ　137	しんじょ　38
鶏卵　15	サンドイッチ　108,139	しんじょ揚げ　35
月桂樹の葉　223	ザクースカ　200	じょうよまんじゅう　88
	さいの目切り　218	什錦火鍋（中華寄せ鍋）　171
〈こ〉	ささがき　218	自然解凍　8
コーヒー　113,148	さつまいものあめ煮　198	時雨煮　28
コーンスープ　120	さつま汁　27,51	直火焼き　8
コーンスターチ　13	さといもの含め煮　54	扇子　218
ココア　113,148	さばのみそ煮　59	強肴　18
ココット　132	さばの竜田揚げ　72	西湖　161
コルレット　218	砂糖　12	蟹粉蛋羹（かにと卵のスープ）
コンキリエ　225	砂糖煮　28	170
コンソメ・サンプル　99	榨菜と豚肉のスープ　169	深菜盤　156
コンソメ・ドゥブル　99	酒煮　28	塩出し法　14
コンフィチュール　113	魚すり身の卵巻き蒸し　180	塩煮　28
コンロ　5	魚と野菜の甘酢あんかけ　187	塩蒸し　30
ゴイ・クォン　201,207	魚のトマトあんかけ　186	直火焼き　31
こしょう　223	魚のいぶし焼き　184	色紙切り　218
こどもの日の料理　216	魚の衣揚げ　177	色素　10
こんにゃくのおかか煮　60	魚の姿蒸し　180	下処理　7
こんぶ　26	酢煮　28	卓袱料理　20
こんぶだし　26	桜もち（薄焼き）　86	漆器　21
ごま入りクッキー　196	桜もち（道明寺）　86	蝦米　154
ごま豆腐　79	桜煮　28	蝦仁吐司（えびのパン揚げ）　179
小かぶの即席漬け　82	酒蒸し　30	蝦仁豆腐（小えびと豆腐の煮込み）
小口切り　218	刺身包丁　6	174
小吸物　18	皿蒸し　30	沙鍋　171
小麦粉　13	沢煮椀　27	蛇腹切り　219
仔牛肉薄切りウィーン風カツレツ	三の汁　18	小湯碗　156

紹興酒　166	スメタナ　200	ソースサンバイヨン　112
焼菜　163	スモールパスタ　224	ソテ　103
焼売　165	すくい串　32	ソルガム　200
焼麦　165	すし　23	ソルベ　110
小米　218	すし飯　23	ゾル　9
蝦粥　162	すまし汁　27	そうめん　24
上湯　160	すり流し汁　27	そうめん寄せ　80
香片茶　166	四喜焼売（四色しゅうまい）　192	そぎ切り　218
水晶　162	吸い口　28	そば　24
酒類　13	素揚げ　34	そば蒸し　30
水果　165	素頭落とし　220	そぼろ飯　44
水ぎょうざ　193	素蒸し　30	そら豆のあんかけ　185
流子片　219	絲　218	双喜　156
重詰料理　20	酢どりしょうが　83	雑煮（白みそ仕立て）　53
出世魚　66	酢油ソース　98	雑煮（すまし仕立て）　53
燻　164	酢豚　185	鬆　218
燻魚（魚のいぶし焼き）　184	酢蒸し　30	外割　3
諸外国料理　215	澄ましスープ　99	
小えびと豆腐の煮込み　174	水中解凍　8	〈た〉
小えびのカクテル　117	炊飯　22	タイム　223
小えびのトマト詰めサラダ　135	炊飯器　5	タイ料理　201
小たまねぎ　222	酥炸　161	タリアッテッレ　224
正月料理　216	酥餅（ごま入りクッキー）　196	タルタルソース　98
精進料理　19	蘇梅醤　154	タルト　110
定規切り　221	素湯　160	たいの薄くずスープ　170
醸造酢　13	随意式　160	たけのこの木の芽和え　74
食パン　107	姿煮　28	たけのこ飯　23,44
食塩　12		たすき落とし　220
食事作法　20	〈せ〉	たたきごぼう　77
食酢　13	セージ　223	たづくり　59
食用たんぽぽ　222	セロリー　222	たんぱく質　10
双盤　159	セロリーのレモン漬け　81	だし巻き卵　69
生炒　161	ゼラチン　13	だて巻き　23
汁物　27,166	ゼラチン寄せ　38	だて巻き卵　70
白ソース　97	せん切り　218	他人どんぶり　24
白和え　75	ぜいご（ぜんご）　66	炊きおこわ　24,43
白煮　28	せん切り野菜入りコンソメ　118	大正えびのとうがらし炒め　182
白身魚のかぶら蒸し　65	背開き　220	大名おろし　220
白木製品　21	正餐　92	台所用洗剤　7
杏仁豆腐（奶豆腐）（杏仁かん）　197	成人の日の料理　216	台秤　2
杏酪　162	成分の変化　10	台引　18
信州蒸し　30	西方系料理　152	宝蒸し　30
浸漬操作　8	西洋まつたけ　222	竹製品　21
	西洋料理　213	竜田揚げ　34
〈す〉	批片　218	卵の茶葉煮　190
スイートポテト　144	赤飯　42	卵の詰め物　116
スィールニキ　204	洗浄方法　7	卵豆腐　64
スーフレ　110	扇面切り　218	卵料理　106
スパゲティ　107,224	船場汁　27	単盤　159
スパゲティのミートソースかけ　137		淡黄ソース　97
スパゲティのはまぐりソースかけ　137	〈そ〉	蛋巻（挽肉の卵巻き）　179
スペイン料理　92	ソース　96	湯匙　156
	ソースアングレーズ　112	湯碗　156
	ソースオフリュイ　112	短冊切り　218
	ソースカラメル　111	磚茶　166

糖　154	炒米粉（ビーフンの炒め物）　192	菜単　153
糖醋　162	炒墨魚（いかのうま煮）　174	醋溜　162
糖醋魚片（魚と野菜の甘酢あんかけ）　187	炒肉片（豚肉と野菜の炒め物）　175	醋溜丸子（肉団子の甘酢あんかけ）　186
湯菜　160	餃子　165,193	醋　154
〈ち〉	炸菜　161	做湯　160
チーズ　223	炸鏈　157	整斉式　160
チーズケーキ　143	長円盤　156	漬物　164
チーズソース　97	醤　154,163	筒切り　218,221
チキンガランチン　130	醤汁　162	坪　18
チコリ　222	醤油　154	壺焼き　31
チャイ　203	酒焼　163	妻（端）折り串　32
チャウダー　100	煮　163	妻折り焼き　32
チャパティ　200	中華どんぶり　165	冷たいポテトスープ　121
チューニョ　201	中華寄せ鍋　171	〈て〉
チョバン・サラタス　206	中国粥　165	ティ　113
チリ料理　201	中国酒　166	テーブルセッティング　93
チンゲンサイの炒め物　173	中国茶　166	テーブルマナー　93
ちがい切り　219	中国野菜　173	テーブルマナー（中国料理）　153
ちぐさ漬け（即席漬け）　82	中国料理　214	テリーヌ　131
ちょうせんあざみ　222	中国料理の食事作法　152	デザート　109
ちらしずし　23,46	中国料理の様式　152	デミグラスソース　98
ちり蒸し　30	中東料理　200,215	てんぷら　71
炸魚条（魚の衣揚げ）　177	猪油　154	てんぷらどんぶり　24
気鍋　171	粥　165	てんぷら油　13
芝麻醤　154	調味パーセント　3	でんぷん　10,13
芝麻油　154	調理による重量変化率　11	でんぷん寄せ　38
匙子　156	蒸ぎょうざ　193	手打ち　25
匙座　156	蒸菜　163	手延べ　25
鶏蛋糕（蒸しカステラ）　197	蒸籠　157,195	照り煮　28
鶏粥　162	京炒　161	照り焼き　32
切菜板　156	青椒牛肉糸（ピーマンと牛肉の炒め物）　172	出刃包丁　6
切麺　165	珍珠丸子（もち米団子の蒸し物）　181	鉄勺　157
茄汁　162	清湯　160	鉄鏟　156
芥末　156	清炸　161	碟子　156
陳皮　154	清炒　161	甜醤油　191
煎　161	清川鶉蛋（うずら卵のスープ）　168	条　218
筑煎煮　62	清蒸　163	丁　218
叉焼肉（焼き豚）　184	清蒸魚（魚の姿蒸し）　180	丁字　154
炸春捲（はるまき）　178	清燉白菜（はくさいとベーコンの煮込み）　181	頂湯　160
炸花餅（菊花型揚げ）　198	清燉　163	天火焼き　9
茶せんなす　56,219	〈つ〉	点心　165
茶せんなすの揚げ煮　56	つけめん　25	甜菜　166
茶せん煮　28	つけ焼き　32,164	甜味　165
茶盅　156	つま　27	甜麺醤　154
茶懐石　18	つみいれ　38	電子レンジ　5
茶巾しぼり　89	つみれ　38	電磁調理器　5
茶碗蒸し　30,65	つや煮　28	〈と〉
榨菜肉糸湯（榨菜と豚肉のスープ）　169	漬け揚げ　34	トヴォローク　200
炒青梗菜（チンゲンサイの炒め物）　173	菜刀　156	トマトソース　97
炒菜　161		トマトの詰め物　117
炒飯　165,196		トムヤムクン　201,207
		トランシェエヴァンタイユ　218

索　引　231

トリフ 222
トルコ料理 215
トロンソン 218
ドイツ料理 92
ドミノ 218
ドリュール 111
とうがんのスープ 168
とうもろこしでんぷん 13
とろろ汁 27
どんぶり物 24
土びん蒸し 30
土佐煮 28
図案形象式 160
豆鼓 154
豆沙包子 195
豆沙麻球（あん入り揚げごまだんご） 198
豆板醤 154
豆腐入りコーンスープ 172
豆腐皮湯（ゆばのスープ） 169
兎耳 198,218
東方系料理 152
陶磁器 21
陶板焼き 31
糖分の換算 3
道明寺蒸し 30
段 218
燉 163
特殊なスープ 99
鶏レバーのしょうゆ煮 61
鶏肉とナッツの炒めもの 176
鶏肉のクリームコロッケ 128
鶏肉のクリーム煮 127
鶏肉のごまだれ和え 191
鶏肉のじぶ煮 61
鶏肉の空揚げ 177
鶏肉団子の揚げ煮 60
冬瓜湯（とうがんのスープ） 168
東坡肉（豚肉の角煮） 183
凍菜 164

〈な〉

ナシゴレン 201,208
ナツメグ 223
ナムル 201,209
ナンプラー 201
なし割り 221
なます 18
菜切り包丁 6
奶油 162
奶湯 160
奶汁 162
流し箱 84
流し物 39
七草の節句料理 216

生めん 24
生菓子 110
半月片 218
南蛮揚げ 34
南蛮漬け 34
南蛮蒸し 30
南方系料理 152

〈に〉

ニュージーランド料理 201
ニョッキ 107
にぎりずし 23
にんじんのうま煮 55
二の汁 18
二の膳 18
二汁五菜 18
二色卵 64
二番だし 26
二枚おろし 220
日本料理 212
煮こごり 38
煮しめ 29
煮だし汁 26
煮付け 29
煮干し 26
煮干しだし 26
煮豆（黒豆） 57
煮物 28
肉団子 60
肉団子の甘酢あんかけ 186
肉まん 195
肉料理 103
濁りスープ 99
牛油 154
乳化操作 10
鶏とじゃがいもの煮物 183

〈ぬ〉

ヌイユ 107
ヌクマム 201
布目打ち 32

〈ね〉

ねじり梅 55,219
練り菓子 39
練り物 38
熱源 5

〈の〉

ノルマンドソース 97
のし串 32
のしどり 68
のっぺい汁 52
のり巻 23
脳髄 222

濃度 3

〈は〉

ハンバーガー 108
ハンバーグステーキ 125
バーミセリ 107
バイキング 93
バタークリーム 112
バターソース 98
バターロール 107
バニラ 223
ババロア 110,141
パートルベー 110
パエリャ 107,136
パスタ 107
パックブン・ファイデン 208
パピエ 129
パピヨット 102
パプロバ 201
パプリカ 223
パリジャンソース 97
パルメザン 223
パン 107
パン粉揚げ 34
パンチ 114
はくさいとベーコンの煮込み 181
はくさいと肉団子のスープ 170
はくさいの甘酢漬け 188
はさみ打ち 32
はつかだいこん 117,222
はね切り 221
はまぐりの潮汁 50
はりはり漬け 83
はるさめ揚げ 34
はるまき 178
八宝菜（野菜の五目炒め） 176
八角 154
抜絲地瓜（さつまいものあめ煮） 198
海参 154
海蜇 154
廃棄率 2
梅花 55
梅花切り 219
白煨 163
白汁 162
白酒 166
白菜肉丸子湯（はくさいと肉団子のスープ） 170
白肉片（豚肉の水煮辛味ソースかけ） 191
爆炒 161
白米飯 42
箱ずし 23

狭み揚げ　35
箸　20
箸の持ち方　21
斜切り　218
八角形　156
八寸　18
鉢肴　19
鉢蒸し　30
花えび　65
花れんこん　219
腹開き　220
春の七草　216
半月切り　218
半生めん　24
棒棒鶏（鶏肉のごまだれ和え）
　191
挱菜　164
盤子　156

〈ひ〉

ビーツ　200
ビーフシチュー　126
ビーフンの炒め物　192
ビビンパ　201,209
ビュッフェ　93
ピーマンと牛肉の炒め物　172
ピザ　138
ピュレ　104
ピラフ　136
ピロシキ　200,205
ひじきの煮物　63
ひなまつりの料理　216
ひらめの包み焼き　123
干菓子　110
冷やしコンソメ　119
冷やしそうめん　81
冷やし五目めん　194
非酵素的褐変反応　10
皮蛋　154
片　218
蝙蝠　156
挽肉の卵巻き　179
浸し物　164
拍子木切り（算木切り）　218
平　18
平打ち　32
平串　32
開き焼き　32
平片　218
氷凍　164
拼盤　159
拼盆　159

〈ふ〉

ファルシー　101

ファルファッレ　225
フェイジョン　201
フォンダン　112
フォアグラ　222
フォン　95
フォン・ド・ジビエ　96
フォン・ド・ポアソン　96
フォン・ド・ボウ　95
フォン・ド・ボライユ　95
フォン・ブラン　95
フォン・ブリュン　95
フジッリ　225
フラッペ　114
フランスパン　108
フランス料理　92
フリー　102
フリーエ　102
フリチュール　102,103,104
フリッター　102
フルーツサラダ　135
フルーツゼリー　142
フルーツポンチ　149
フルーツ白玉　89
フルユイショー　110
フロッグ　222
ブイ　103
ブイヨン　99
ブーケガルニ　95,222
ブッシュドノエル　145
ブラジル料理　201
ブラックビーン　201
ブラマンジェ　140
ブランシサージュ　104
ブランマンジェ　110
ブリー　223
ブリエノワーズ　218
ブルーテ　121
ブルーテスープ　100
ブレーゼ　104
ブレザージュ　102,104
ブレッドソース　98
ブロシェット　102
プティフール　110
プティガトー　110
プディング　110
プランタニエール　218
ふきの青煮　55
ふくさ焼き　70
ふろふきだいこん　54
ぶつ切り　221
ぶりの照り焼き　66
普茶料理　19
火鍋　157
飯　165
蕃茄溜魚片（魚のトマトあんかけ）

　186
蕃汁　162
方　218
飯碗　156
芙蓉蟹（かにたま）　173
風味調味料　13
胡椒　154
胡椒塩　154
福建糯米酒　166
粉蒸　163
童湯　160
含め煮　29
袱紗　70
袋煮　28
節おろし　220
豚肉と野菜の炒め物　175
豚肉のハワイ風　127
豚肉の角煮　183
豚肉の水煮辛味ソースかけ　191
豚挽肉と豆腐のとうがらし炒め
　175
餛飩　165,194

〈へ〉

ベトナム料理　201
ベニエ　110
ベフ・ストロガノフ　200
ペイザンヌ　218
ペーパーフリル　129
ペティナイフ　6
ペルー料理　201
ペンネ　224
ベフ・ストロガノフ　204
北京鍋　156
弁当　217
盆子　156

〈ほ〉

ホイップクリーム　112
ホットドッグ　108
ボライユ　99
ボルシチ　200,203
ボルドレーズソース　98
ポアレ　103
ポシャージュ　102
ポテトサラダ　133
ポトフ　100
ポロネギ　222
ポワソン　99
ポンシュ　114
ほうれんそうのごま和え　74
ほうれんそう入りココット焼き
　132
ほうろく焼き　31
干ししいたけ　26

花椒　154
花椒塩　156
紅茶　166
黄油　154
烩　162
包丁　5
棒ずし　23
会　161
玻璃　162
北方系料理　152
骨切り　221
花　218
花切　219
本膳料理　18
紅煨　163
紅焼　163
紅焼鶏土豆（鶏とじゃがいもの煮物）　183
烹　161

〈ま〉

マートロット　102
マイクロ波解凍　8
マカロニ　107
マカロニグラタン　138
マカロニサラダ　134
マセドアンサラダ　135
マセドワーヌ　218
マッケローニ　224
マッケローニ・ルンギ　224
マニオク　201
マヨネーズソース　98
マヨネーズトマトソース　98
まつたけ飯　23
まながつおの西京焼き　67
まな板　7
巻きずし　23,47
巻き揚げ　35
馬耳　198,218
麻婆豆腐（豚挽肉と豆腐のとうがらし炒め）　175
毛湯　160
茅台酒　167
松笠いか　219
松笠焼き　32
松風焼き　68
松葉ゆず　65
松葉揚げ　34
抹茶のムース　141
豆のミックスサラダ　133
丸揚げ　34
丸煮　28
饅頭　166,195

〈み〉

みじん切り　218
みそ　12
みそ汁　27
みそ漬け焼き　32
みそ煮　28
みそ焼き　32
みぞれ揚げ　34
みりん　13
密餞　159
水ようかん　84
三徳包丁　6
緑煮　28

〈む〉

蒸しカステラ　197
蒸しおこわ　24
蒸し菓子　39,166
蒸し物　30
木耳　154
向付　18
結びみつば　65

〈め〉

メイラード反応　10
メルジメック・チョルバ　200,205
メレンゲ　112
めん類　24
芽キャベツ　222
名月料理　217
銘々箸　20
燗　163
面取り　54

〈も〉

モッツァレラ　223
もち菓子　39
もち米　23
もち米のかやくめし　196
もち米団子の蒸し物　181
末　218

〈や〉

矢羽根れんこん　219
野菜の五目炒め　176
野菜サラダ　134
野菜料理　104
焼きなすのごま酢みそ和え　77
焼きめし　165
焼き菓子　39,110,166
焼き豚　184
腰果鶏丁（鶏肉とナッツの炒めもの）　176

焼物　18
薬膳料理　167
薬味　25,36
柳刃　6

〈ゆ〉

ゆばのスープ　169
湯とう　18
湯煎　76
湯引きささ身の黄身酢和え　76
雲呑　165
油淋　180
玉米会豆腐（豆腐入りコーンスープ）　172
魚羹（たいの薄くずスープ）　170
魚翅　154
雪輪れんこん　219

〈よ〉

よりうど　219
より打ち　32
より串　32
与の膳　18
寄せ物　38,164,166
油爆　161
油飯（もち米のかやくめし）　196
洋がらし　223
吉野鶏とみつばの吸い物　49
四色しゅうまい　192

〈ら〉

ラヴィオーリ　225
ラグー　104
ラザーニャ　107,225
ラザニェッテ・リッチェ　224
ラビオリ　107
ラビゴットソース　98
ラムカン　132
辣白菜（はくさいの甘酢漬け）　188
辣椒醤　154
辣油　154
乱切り　218
卵黄スープ　121

〈り〉

リアラバレンシェーヌ　136
リーピロー　107
リエゾン　96
リガトーニ　224
リゾット　107
リュス　218
リュバン　219
リングイーネ　224
利久まんじゅう　88
蛎油　154

溜菜　162
涼拌　164
涼拌三絲（きゅうり・はるさめ・ハムの酢の物）　189
涼拌海蜇（くらげの酢の物）　189
涼拌麺（冷やし五目めん）　194
涼拌墨魚（いかの和え物）　190
涼拍黄瓜（きゅうりの和え物）　188
緑茶　166
竜と鳳凰　156
溜蚕豆（そら豆のあんかけ）　185
緑茶　40

〈る〉

ルウ　96
ルオーテ　225
ルマキーネ　225
如意捲（さかなすり身の卵巻き蒸し）　180
滷　163
輪子片　218

〈れ〉

レギュームアングレーズ　104
レタスとわかめの酢の物　78
レリー　107
れんこんの酢煮　56
冷スープ　99
冷ソース　98
冷めん　25

〈ろ〉

ロールサンド　108
ロールサンドイッチ　139
ロールパン　107
ロシア料理　200, 215
ロックフォール　223
ロティ　104
ロワイヤル入りコンソメ　119
ロングパスタ　224
ロンデル　218
肉包子　195
竜　219

軟炸　161
冷菜　164
冷拌　164
冷盆　159

〈わ〉

ワインゼリー　142
ワンタン　165
わかさぎのフライ　124
わかさぎの酢油漬　116
わかさぎの南蛮漬け　72
わらびでんぷん　13
わらび粉　13
わんたん　194
和菓子　39
和食器　21
和包丁　5
輪切り　218
若鶏の蒸し焼き　129
椀つま　27
椀種　27
椀盛り　18

索引　235

【著者略歴】(執筆順)

安藤 真美 (アンドウ マミ)
1991年 奈良女子大学大学院修了
現　在 摂南大学教授(農学部食品栄養学科)

村上 恵 (ムラカミ メグミ)
1999年 奈良女子大学大学院修了
現　在 同志社女子大学教授(生活科学部食物栄養科学科)

久木野 睦子 (クギノ ムツコ)
1982年 お茶の水女子大学大学院修了
現　在 活水女子大学名誉教授

山内 知子 (ヤマウチ トモコ)
2005年 名古屋市立大学大学院修了
現　在 元名古屋女子大学教授(家政学部食物栄養学科)

富永 しのぶ (トミナガ シノブ)
2007年 兵庫教育大学大学院修了
現　在 兵庫大学准教授(健康科学部栄養マネジメント学科)

丸山 智美 (マルヤマ サトミ)
1999年 昭和女子大学大学院修了
現　在 金城学院大学教授(生活環境学部食環境栄養学科)

杉山 寿美 (スギヤマ スミ)
1996年 京都府立大学大学院修了
現　在 県立広島大学教授(地域創生学部地域創生学科)

赤石 記子 (アカイシ ノリコ)
2011年 東京家政大学大学院修了
現　在 東京家政大学准教授(栄養学部栄養学科)

たのしい調理―基礎と実習―(第6版)　ISBN978-4-263-70536-0

1991年4月15日　第1版第1刷発行
1997年1月31日　第2版第1刷発行
2002年1月10日　第3版第1刷発行
2008年1月10日　第4版第1刷発行
2016年4月15日　第5版第1刷発行
2024年2月10日　第6版第1刷発行

著者代表　山　内　知　子
発行者　白　石　泰　夫
発行所　医歯薬出版株式会社
〒113-8612　東京都文京区本駒込1-7-10
TEL. (03)5395-7626(編集)・7616(販売)
FAX. (03)5395-7624(編集)・8563(販売)
https://www.ishiyaku.co.jp/
郵便振替番号 00190-5-13816

乱丁,落丁の際はお取り替えいたします　　印刷・あづま堂印刷/製本・皆川製本所
© Ishiyaku Publishers, Inc., 1991, 2024. Printed in Japan

本書の複製権・翻訳権・翻案権・上映権・譲渡権・貸与権・公衆送信権(送信可能化権を含む)・口述権は,医歯薬出版(株)が保有します.
本書を無断で複製する行為(コピー,スキャン,デジタルデータ化など)は,「私的使用のための複製」などの著作権法上の限られた例外を除き禁じられています.また私的使用に該当する場合であっても,請負業者等の第三者に依頼し上記の行為を行うことは違法となります.

JCOPY <出版者著作権管理機構 委託出版物>
本書をコピーやスキャン等により複製される場合は,そのつど事前に出版者著作権管理機構(電話 03-5244-5088, FAX 03-5244-5089, e-mail: info@jcopy.or.jp)の許諾を得てください.